Bolesław Prus

WYBÓR NOWEL

Notatki na marginesie
Cytaty, które warto znać
Streszczenie

D0270666

Opracowała
Anna Popławska

Wydawnictwo GREG
Kraków

Tytuł:
Wybór nowel

Antek • *Nawrócony* • *Michałko* • *Katarynka* • *Kamizelka*
Na wakacjach • *Przygoda Stasia* • *Powracająca fala*

Autor opracowania:
Anna Popławska

Korekta:
Agnieszka Nawrot

Projekt okładki:
BROS s.c.

Ilustracje:
Lucjan Ławnicki

ISBN 83-7327-194-5

2005

Wydawnictwo GREG®
31-979 Kraków, ul. Klasztorna 2B
tel. (012) 643 55 14, fax (012) 643 47 33

Księgarnia internetowa: www.greg.pl

Znak firmowy GREG®
zastrzeżony w Urzędzie Patentowym RP.

Skład i łamanie:
BROS s.c.

Druk:
Zakład Poligrafii – Alicja Genowska

Wstęp

Drogi uczniu

Masz przed sobą jedną z lektur, które będziesz omawiał na lekcjach języka polskiego. Znajdziesz tu jej treść oraz dokładne, wyczerpujące opracowanie. Jego autor uwzględnił Twoje potrzeby, omówił zagadnienia związane z lekturą, biorąc pod uwagę **tematy lekcji, tematy wypracowań, pytania** zadawane przez nauczyciela. Miał również na uwadze wszystkie rady naszych czytelników, dotyczące zarówno treści, jak i układu opracowania, oraz zalecenia metodyczne dotyczące sposobu omawiania lektury. Jest więc:

– ciekawie napisana biografia pisarza,
– kalendarium jego życia i twórczości,
– precyzyjnie określone: rodzaj i gatunek literacki utworu,
– szczegółowy plan wydarzeń,
– plan losów głównego bohatera,
– wyczerpująca charakterystyka postaci,
– interpretacja treści

Każde stwierdzenie zostało poparte odpowiednim cytatem. Przy każdym cytacie znajdziesz numer właściwej strony, aby łatwiej go było zlokalizować w tekście lektury. Ponadto autor opracowania zebrał najważniejsze cytaty, których będziesz potrzebował pisząc wypracowanie lub przygotowując się do odpowiedzi.

Absolutną **nowością jest** *Indeks komentarzy do tekstu*. Wiemy, że czytając lekturę, często zaznaczasz na marginesie ważniejsze fragmenty, aby łatwiej je odnaleźć podczas lekcji. Oddajemy do Twojej dyspozycji właśnie tak przygotowaną książkę. Na marginesach poszczególnych stron masz oznaczone fragmenty, w których jest mowa o czasie, miejscu akcji, poszczególnych bohaterach (ich przeszłości, przeżyciach, cechach), najważniejszych wydarzeniach, scenach, opisach, motywach i symbolach występujących w utworze. Spis tych informacji wraz z numerami odpowiednich stron pomoże Ci łatwo i sprawnie odnaleźć potrzebny fragment i cytat.

Staraliśmy się, aby treść książki była dla Ciebie całkowicie zrozumiała, dlatego tekst został opatrzony **przypisami i objaśnieniami**.

Mamy nadzieję, że praca z książką, którą kupiłeś, stanie się łatwiejsza i bardziej przyjemna.

Wydawnictwo GREG

Bolesław Prus

WYBÓR NOWEL

Antek
Nawrócony
Michałko
Katarynka
Kamizelka
Na wakacjach
Przygoda Stasia
Powracająca fala

Autor:	Bolesław Prus
Tytuły:	*Antek, Nawrócony, Michałko, Katarynka, Kamizelka, Na wakacjach, Przygoda Stasia, Powracająca fala*
Rodzaj literacki:	epika
Gatunek literacki:	nowela (uwaga: niektóre utwory, np. *Na wakacjach* są bliskie opowiadaniu)
Bohaterowie – typy:	postacie z ludu, dzieci, przedsiębiorcy
Problemy:	propagowanie pozytywistycznych haseł pracy organicznej i pracy u podstaw, sytuacja utalentowanych dzieci z ubogich rodzin, ludzkie uczucia i przeżycia, głoszenie potrzeby filantropii, wyzysk robotników przez właścicieli zakładów pracy

ANTEK

Antek urodził się we wsi nad Wisłą.

Wieś leżała w niewielkiej dolinie. Od północy otaczały ją wzgórza spadziste, porosłe sosnowym lasem, a od południa wzgórza garbate, zasypane leszczyną, tarniną i głogiem. Tam naj-

Miejsce akcji – wygląd wsi

głośniej śpiewały ptaki i najczęściej chodziły wiejskie dzieci rwać orzechy albo wybierać gniazda.

Kiedyś stanął na środku wsi, zdawało ci się, że oba pasma gór biegną ku sobie, ażeby zetknąć się tam, gdzie z rana wstaje czerwone słońce. Ale było to złudzenie.

Za wsią bowiem ciągnęła się między wzgórzami dolina przecięta rzeczułką i przykryta zieloną łąką.

Tam pasano bydlątka i tam cienkonogie bociany chodziły polować na żaby kukające wieczorami.

Od zachodu wieś miała tamę, za tamą Wisłę, a za Wisłą znowu wzgórza wapienne, nagie.

Każdy chłopski dom szarą słomą pokryty miał ogródek, a w ogródku śliwki węgierki, spomiędzy których widać było komin sadzą uczerniony i pożarną drabinkę. Drabiny te zaprowadzono nie od dawna, a ludzie myśleli, że one lepiej chronić będą chaty od ognia niż dawniej bociane gniazda. Toteż gdy płonął jaki budynek, dziwili się bardzo, ale go nie ratowali.

– Widać, że na tego gospodarza był dopust boski – mówili między sobą. – Spalił się, choć miał przecie nową drabinę i choć zapłacił ś t r a f za starą, co to były u niej połamane szczeble.

W takiej wsi urodził się Antek. Położyli go w niemalowanej kołysce, co została po zmarłym bracie, i sypiał w niej przez dwa lata. Potem przyszła mu na świat siostra, Rozalia, więc musiał jej

Antek – przeszłość

miejsca ustąpić, a sam, jako osoba dorosła, przenieść się na ławę.

Przez ten rok kołysał siostrę, a przez cały następny – rozglądał się po świecie. Raz wpadł w rzeczkę, drugi raz dostał batem od przejezdnego furmana za to, że go o mało konie nie stratowały, a trzeci raz psy tak go pogryzły, że dwa tygodnie leżał na piecu. Doświadczył więc niemało. Za to w czwartym roku życia ojciec podarował mu swoją sukienną kamizelkę z mosiężnym guzikiem, a matka – kazała mu siostrę nosić.

Gdy miał pięć lat, użyto go już – do pasania świń. Ale Antek nie bardzo się za nimi oglądał. Wolał patrzeć na drugą stronę Wisły, gdzie za wapiennym wzgórzem raz na raz pokazywało się coś wysokiego i czarnego. Wyłaziło to z lewej strony jakby spod ziemi, szło w górę i upadało na prawo. Za tym pierwszym szło zaraz drugie i trzecie, takie same czarne i wysokie.

Tymczasem świnie swoim obyczajem wlazły w kartofle. Matka spostrzegłszy to zawinęła się wedle sukiennej kamizelki Antkowej, tak że chłopiec prawie tchu nie mógł złapać. Ale że nie miał w sercu zawziętości, bo było z niego dziecko dobre, więc wykrzyczawszy się i wydrapawszy – kamizelkę, zapytał matki:

– Matulu! a co to takie czarne chodzi za Wisłą?

Matka spojrzała w kierunku Antkowego palca, przysłoniła oczy ręką i odparła:

– Tam za Wisłą? Cóż to, nie widzisz, że wiatrak chodzi? A na drugi raz pilnuj świń, bo cię pokrzywami wysmaruję.

– Aha, wiatrak! A co on, matulu, za jeden?

– At, głupiś – odparła matka i uciekła do swojej roboty. Gdzie ona miała czas i rozum do udzielania objaśnień o wiatrakach!...

Ale chłopcu wiatrak spokojności nie dawał. Antek widywał go przecie co dzień. Widywał go i w nocy przez sen. Więc taka straszna urosła w chłopcu ciekawość, że jednego dnia zakradł się do promu, co ludzi na drugą stronę rzeki przewoził, i popłynął za Wisłę.

Popłynął, wdrapał się na wapienną górę, akurat w tym miejscu, gdzie stało ogłoszenie, aby tędy nie chodzić, i zobaczył wiatrak. Wydał mu się budynek ten jakby dzwonnica, tylko w sobie był grubszy, a tam gdzie na dzwonnicy jest okno, miał cztery tęgie skrzydła ustawione na krzyż. Z początku nie rozumiał nic – co to i na co to? Ale wnet objaśnili mu rzecz pastusi, więc dowiedział się o wszystkim. Naprzód o tym, że na skrzydła dmucha wiater i kręci nimi jak liśćmi. Dalej o tym, że w wiatraku miele się zboże na mąkę, i nareszcie o tym, że przy wiatraku siedzi młynarz, co żonę bije, a taki jest mądry, że wie, jakim sposobem ze śpichrzów wyprowadza się szczury.

Po takiej poglądowej lekcji Antek wrócił do domu tą samą drogą co pierwej. Dali mu tam przewoźnicy parę razy w łeb za swoją krwawą pracę, dała mu i matka coś na sukienną kamizelkę, ale to nic: Antek był kontent, bo zaspokoił ciekawość. Więc choć położył się spać o głodzie, marzył całą noc to o wiatraku, co miele zboże, to o młynarzu, co bije żonę i szczury wyprowadza ze śpichrzów.

Drobny ten wypadek stanowczo wpłynął na całe życie chłopca. Od tej pory – od wschodu do zachodu słońca – strugał on patyki i układał je na krzyż. Potem wystrugał sobie kolumnę; próbował, obciosywał, ustawiał, aż nareszcie wybudował mały wiatraczek, który na wietrze obracał mu się tak jak tamten za Wisłą.

Cóż to była za radość! Teraz brakowało Antkowi tylko żony, żeby mógł ją bić, i już byłby z niego prawdziwy młynarz!

Do dziesiątego roku życia zepsuł ze cztery koziki, ale też strugał nimi dziwne rzeczy. Robił wiatraki, płoty, drabiny, studnie, a nawet całe chałupy. Aż się ludzie zastanawiali i mówili do matki, że z Antka albo będzie majster, albo wielki gałgan.

Przez ten czas urodził mu się jeszcze jeden brat, Wojtek, siostra podrosła, a ojca drzewo przytłukło – w lesie.

W chacie była z Rozalią wielka wygoda. Dziewczyna zimą zamiatała izbę, nosiła wodę, a nawet potrafiła krupnik ugotować. Latem posyłano ją do bydła z Antkiem, bo chłopak zajęty struganiem nigdy się nie dopilnował. Co go nie nabili, nie naprosili, nie napłakali się nad nim! Chłopak krzyczał, obiecywał, płakał nawet razem z matką, ale robił swoje, a bydło wciąż w szkodę właziło.

Dopiero gdy siostra razem z nim pasła, było lepiej: on strugał patyki, a ona pilnowała krów.

Nieraz matka widząc, że dziewucha, choć młodsza, ma więcej rozumu i chęci aniżeli Antek, załamywała z żalu ręce i lamentowała przed starym kumem Andrzejem:
– Co ja pocznę, nieszczęsna, z tym Antkiem odmieńcem? Ani to w chacie nic nie zrobi, ani bydła doglądnie, ino wciąż kraje te patyki, jakby co w niego wstąpiło. Już z niego, mój Andrzeju, nie będzie chyba gospodarz ani nawet parobek, tylko darmozjad na śmiech ludziom i obrazę boską!...

Andrzej, który za młodu praktykował flisactwo i dużo świata widział, tak pocieszał strapioną wdowę:
– Jużci gospodarzem on nie będzie, to darmo, bo on na to nie ma nawet dobrego rozumu. Jego by zatem trza naprzód do szkoły, a potem do majstra. Nauczy się z książki, nauczy się rzemiosła i jeżeli nie zgałganieje, będzie żył.

Na to wdowa odpowiedziała, wciąż łamiąc ręce:
– Oj, kumie co wy też gadacie! A czy to nie wstyd gospodarskiemu dziecku rzemiosła się imać i byle komu na obstalunek robotę robić?

Andrzej puścił dym z drewnianej fajeczki i rzekł:
– Jużci, że wstyd, ale rady na to nie ma nijakiej.

Potem, zwracając się do Antka siedzącego na podłodze przy ławie, zapytał:
– No gadaj, wisus, czym ty chcesz być? Gospodarzem czy u majstra?

A Antek na to:
– Ja będę stawiał wiatraki, co zbożo miolą.

I odpowiadał tak zawsze, choć nad nim kiwano głowami, a jak czasem to i miotłą.

Miał już dziesięć lat, kiedy pewnego razu ośmioletnia wówczas siostra jego, Rozalia, strasznie zaniemogła. Jak się położyła z wieczora, to się jej na drugi dzień dobudzić było trudno. Ciało miała gorące, oczy błędne i gadała od rzeczy.

Matka z początku myślała, że dziewczyna przyczaja się; dała jej więc parę szturchańców. Ale gdy to nie pomogło, wytarła ją gorącym octem, a na drugi dzień napoiła wódką z piołunem. Wszystko na nic, a nawet gorzej, bo po wódce wystąpiły na dziewuchę sine plamy. Wtedy wdowa przetrząsnąwszy szmaty, jakie tylko były w skrzyni i w komorze, wybrała sześć groszy i wezwała na ratunek Grzegorzową, wielką znachorkę.

Mądra baba obejrzała chorą uważnie, opluła koło niej podłogę jak należy, posmarowała ją nawet sadłem, ale – i to nie pomogło.

Wtedy rzekła do matki:
– Napalcie, kumo, w piecu do chleba. Trza dziewczynie zadać na dobre poty, to ją odejdzie.

Wdowa napaliła w piecu jak się patrzy i wygarnęła węgle czekając dalszych rozkazów.

– No, teraz – rzekła znachorka – położyć dziewuchę na sosnowej desce i wsadzić ją w piec na trzy Zdrowaśki. Ozdrowieje wnet, jakby kto ręką odjął!

Istotnie, położono Rozalię na sosnowej desce (Antek patrzył na to z rogu izby) i wsadzono ją, nogami naprzód do pieca.

Dziewczyna, gdy ją gorąco owiało, ocknęła się.

– Matulu, co wy ze mną robicie? – zawołała.

– Cicho, głupia, to ci przecie wyjdzie na zdrowie.

Już ją wsunęły baby do połowy; dziewczyna poczęła się rzucać jak ryba w sieci. Uderzyła znachorkę, schwyciła matkę obu rękami za szyję i wniebogłosy krzyczała:

– A dyć wy mnie spalicie, matulu!...

Już ją całkiem wsunięto, piec założono deską i baby poczęły odmawiać trzy Zdrowaśki...

– Zdrowaś Panna Mario, łaski pełna...

– Matulu! matulu moja!... – jęczała nieszczęśliwa dziewczyna. – O matulu!...

– Pan z tobą, błogosławionaś ty między niewiastami...

Teraz Antek podbiegł do pieca i schwycił matkę za spódnicę.

– Matulu! – zawołał z płaczem – a dyć ją tam na śmierć zaboli!...

Ale tyle tylko zyskał, że dostał w łeb, ażeby nie przeszkadzał odmawiać Zdrowasiek. Jakoś i chora przestała bić w deskę, rzucać się i krzyczeć. Trzy Zdrowaśki odmówiono, deskę odstawiono.

W głębi pieca leżał trup ze skórą czerwoną, gdzieniegdzie oblazłą.

– Jezu! – krzyknęła matka ujrzawszy dziewczynę niepodobną do ludzi.

I taki ogarnął ją żal za dzieckiem, że ledwie pomogła znachorce przenieść zwłoki na tapczan. Potem uklękła na środku izby i bijąc głową w klepisko, wołała:

– Oj! Grzegorzowa!... A cóż wyście najlepszego zrobili!...

Znachorka była markotna.

– Et!... cicho byście lepiej byli. Wy może myślicie, że dziewuszysko od gorąca tak sczerwieniało? To tak z niej choroba wylazła, ino że trochę za prędko, więc i umorzyła niebogę. To wszystko przecie z mocy boskiej.

We wsi nikt nie wiedział o przyczynie śmierci Rozalii. Umarła dziewucha – to trudno. Widać, że już tak było przeznaczone. Alboż to jedno dziecko co rok we wsi umiera, a przecież zawsze ich jest pełno!

Na trzeci dzień włożono Rozalię w świeżo zheblowaną trumienkę z czarnym krzyżem, trumnę ustawiono w gnojownicach i powieziono dwoma wołami ze wieś, tam gdzie nad zapadniętymi mogiłami czuwają spróchniałe krzyże i białokore brzozy. Na nierównej drodze trumienka skrzywiła się trochę na bok, a Antek trzymający się fałdów spódnicy matczynej idąc za wozem myślał:

„Musi tam być źle Rozalce, kiedy się tak poprawia i na bok przewraca!..."

Potem – pokropił ksiądz trumnę święconą wodą, czterech parobków spuściło ją na szalach do grobu, przywaliło ziemią – i tyle wszystkiego.

Wzgórza z lasem szumiącym i te, na których krzaki rosły, zostały tam, gdzie były. Pastusi jak dawniej grali na fujarkach w dolinie i życie szło, wciąż szło swoją koleją, choć we wsi nie stało jednej dziewuchy.

Przez tydzień mówiono o niej, potem zapomniano i opuszczono świeży grób, na którym tylko wiatr wzdychał i świergotały polne koniki.

A jeszcze potem spadł śnieg i nawet koniki wystraszył.

W zimie gospodarskie dzieci chodziły do szkoły. A że z Antka nie spodziewała się matka żadnej pomocy w gospodarstwie, raczej zawadę, więc poradziwszy się kuma Andrzeja postanowiła oddać chłopca na naukę.

– A czy mnie we szkole nauczą wiatraki budować? – pytał Antek.

– Oho! nauczą cię nawet w kancelarii pisać, byleś ino był chętny.

Wzięła tedy wdowa czterdzieści groszy w węzełek, chłopca w garść i ze strachem poszła do nauczyciela. Wszedłszy do izby zastała go, jak sobie łatał stary kożuch. Pokłoniła mu się do nóg, doręczyła przyniesione pieniądze i rzekła:

– Kłaniam się też panu profesorowi i ślicznie proszę, żeby mi wielmożny pan tego oto wisusa wziął do nauki, a ręki na niego nie żałował jak rodzony ojciec...

Wielmożny pan, któremu słoma wyglądała z dziurawych butów, wziął Antka pod brodę, popatrzył mu w oczy i poklepał.

– Ładny chłopak – rzekł. – A co ty umiesz?

– Jużci prawda, że ładny – pochwyciła zadowolona matka – ale musi, że chyba nic nie umie.

– Jakże więc, wy jesteście jego matką i nie wiecie, co on umie i czego się nauczył? – spytał nauczyciel.

– A skąd bym ja miała wiedzieć, co on umie? Przecie ja baba, to mi do tych rzeczy nic. A co uczył się on, niby mój Antek, to wiem, że uczył się bydło paść, drwa szczypać, wodę ze studni ciągnąć i chyba już nic więcej.

W taki sposób zainstalowano chłopca do szkoły. Ale że matce żal było wydanych czterdziestu groszy, więc dla uspokojenia się zebrała pod domem paru sąsiadów i radziła się ich, czy to dobrze, że Antek będzie chodzić do szkoły i że taki wydatek na niego poniosła.

– Te!... – odezwał się jeden z gospodarzy – niby to nauczycielowi z gminy się płaci, więc na upartego moglibyście mu nic nie dawać. Ale zawsze on się upomina, a takich, co nie płacą mu osobno, gorzej uczy.

> **Nauczyciel w oczach chłopów**

– A dobry też z niego profesor?

– No, niczego!... On niby, jak z nim gadać, to taki jest trochę głupowaty, ale uczy – jak wypada. Mój przecie chłopak chodzi do niego dopiero trzeci rok i już zna całe abecadło – z góry na dół i z dołu do góry.

– E! cóż to znaczy abecadło – odezwał się drugi gospodarz.

– Jużci, że znaczy – rzekł pierwszy. – Nibyście to nie słyszeli, co nieraz nasz wójt powiadają: „Żebym ja choć umiał abecadło, to bym z takiej gminy miał dochodu więcej niż tysiąc rubli, tyle co pisarz!"

W parę dni potem Antek poszedł pierwszy raz do szkoły. Wydała mu się taka prawie porządna jak ta izba w karczmie, co w niej szynkwas stoi, a ławki były w niej jedna za drugą jak

> **Miejsce akcji – szkoła**

w kościele. Tylko że piec pękł i drzwi się nie domykały, więc trochę ziębiło. Dzieci miały czerwone twarze i ręce trzymały w rękawach – nauczyciel chodził w kożuchu na sobie i w baraniej czapce na głowie. A po kątach szkoły siedział biały mróz i wytrzeszczał na wszystko iskrzące ślepie.

Usadzono Antka między tymi, co nie znali jeszcze liter, i zaczęła się lekcja.

Antek upomniany przez matkę ślubował sobie, że musi się odznaczyć.
Nauczyciel wziął kredę w skostniałe palce i na zdezelowanej tablicy napisał jakiś znak.

Szkoła – sposoby uczenia

– Patrzcie, dzieci! – mówił. – Tę literę spamiętać łatwo, bo wygląda tak, jakby kto kozaka tańcował, i czyta się *A*. Cicho tam, osły!... Powtórzcie: a... a... a...

– A!... a!... a!... – zawołali chórem uczniowie pierwszego oddziału.

Nad ich piskiem górował głos Antka. Ale nauczyciel nie zauważył go jeszcze. Chłopca trochę to ubodło; ambicja jego została podrażniona.

Nauczyciel wyrysował drugi znak.

– Tę literę – mówił – zapamiętać jeszcze łatwiej, bo wygląda jak precel. Widzieliście precel?

– Wojtek widział, ale my to chyba nie... – odezwał się jeden.

– No, to pamiętajcie sobie, że precel jest podobny do tej litery, która nazywa się *B*. Wołajcie: be! be!

Chór zawołał: be! be! – ale Antek tym razem rzeczywiście się odznaczył. Zwinął obie ręce w trąbkę i beknął jak roczne cielę.

Śmiech wybuchnął w szkole, a nauczyciel aż zatrząsł się ze złości.

– Hę! – krzyknął do Antka. – Toś ty taki zuch? Ze szkoły robisz cielętnik? Dajcie go tu na r o z g r z e w k ę!

Chłopiec ze zdziwienia aż osłupiał, ale nim się upamiętał, już go dwaj najsilniejsi ze szkoły chwycili pod ramiona, wyciągnęli na środek i położyli.

Jeszcze Antek nie dobrze zrozumiał, o co chodzi, gdy nagle uczuł kilka tęgich razów i usłyszał przestrogę:

– A nie becz, hultaju! a nie becz!

Puścili go. Chłopiec otrząsnął się jak pies wydobyty z zimnej wody i poszedł na miejsce.

Nauczyciel wyrysował trzecią i czwartą literę, dzieci nazywały je chórem, a potem nastąpił egzamin.

Pierwszy odpowiadał Antek.

– Jak się ta litera nazywa? – pytał nauczyciel.

– A! – odparł chłopiec.

– A ta druga?

Antek milczał.

– Ta druga nazywa się be. Powtórz, ośle.

Antek znowu milczał.

– Powtórz, ośle, be!

– Albo ja głupi! – mruknął chłopiec, dobrze pamiętając, że w szkole beczyć nie wolno.

– Co, hultaju jakiś, jesteś hardy? Na r o z g r z e w k ę go!...

I znowu ci sami co pierwej koledzy pochwycili go, położyli, a nauczyciel udzielił mu taką samą liczbę prętów, ale już z upomnieniem:

– Nie bądź hardy!... nie bądź hardy!...

W kwadrans później zaczęła się nauka oddziału wyższego, a niższy poszedł na rekreacją do kuchni profesora. Tam jedni pod dyrekcją gospodyni skrobali kartofle, drudzy nosili wodę, inni pokarm dla krowy, i na tym zajęciu upłynął im czas do południa.

Kiedy Antek wrócił do domu, matka zapytała go:

– A co? uczyłeś się?

– Uczyłem.

– A dostałeś?

– O! i jeszcze jak! Dwa razy.

– Za naukę?

– Nie, ino na r o z g r z e w k ę.

– Bo widzisz, to początek. Dopiero później będziesz brał i za naukę! – pocieszała go matka.

Antek zamyślił się frasobliwie.

„Ha, trudno – rzekł w duchu. – Bije, bo bije, ale przynajmniej pokaże, jak się wiatraki stawiają."

Od tej pory dzieci najniższego oddziału uczyły się wciąż czterech pierwszych liter, a potem szły do kuchni i na podwórze pomagać profesorskiej gospodyni. O wiatrakach mowy nie było.

Jednego dnia na dworze mróz był lżejszy, profesorowi także jakoś serce odtajało, więc chciał wytłomaczyć najmłodszym swoim wychowańcom pożytek pisma.

– Patrzcie, dzieci – mówił pisząc na tablicy wyraz d o m – jaka to mądra rzecz pisanie. Te trzy znaczki takie małe i tak niewiele miejsca zajmują, a jednak oznaczają – dom. Jak tylko na ten wyraz popatrzysz, to zaraz widzisz przed oczami cały budynek, drzwi, okna, sień, izby, piece, ławy, obrazy na ścianach, krótko mówiąc – widzisz dom ze wszystkim, co się w nim znajduje.

Antek przecierał oczy, wychylał się, oglądał napisany na tablicy wyraz, ale domu żadnym sposobem zobaczyć nie mógł. Wreszcie trącił swego sąsiada i spytał:

– Widzisz ty tę chałupę, co o niej profesor gadają?

– Nie widzę – odparł sąsiad.

– Musi to chyba być łgarstwo! – zakonkludował Antek.

Ostatnie zdanie usłyszał nauczyciel i krzyknął:

– Jakie łgarstwo? Co łgarstwo?

– A to, że na tablicy jest dom. Przecie tam jest ino trochę kredy, ale domu nie widno – odparł naiwnie Antek.

Nauczyciel porwał go za ucho i wyciągnął na środek szkoły.

– Na r o z g r z e w k ę go! – zawołał, i znowu powtórzyła się z najdrobniejszymi szczegółami dobrze już chłopakowi znana ceremonia.

Gdy Antek wrócił do domu czerwony, spłakany i jakoś nie mogący znaleźć miejsca, matka znowu go zapytała:

– Dostałeś?

– A może matula myślą, że nie? – stęknął chłopiec.

– Za naukę?

– Nie za naukę, ino na r o z g r z e w k ę!

Matka machnęła ręką.

– Ha! – rzekła po namyśle – musisz jeszcze poczekać, to ci tam kiedy dadzą i za naukę.

A potem dokładając drew do ognia na kominie, mruczała sama do siebie:

– Tak to zawsze wdowie i sierocie na tej ziemi doczesnej. Żebym ja profesorowi miała dać z pół rubla, a nie czterdzieści groszy, to by mi chłopca od razu wziął. A tak baraszkuje sobie z nim, i tyle.

A Antek słysząc to myślał:

„No, no! jeżeli on tak baraszkuje ze mną, to dopiero będzie, jak mnie uczyć zacznie!"

Na szczęście czy nieszczęście obawy chłopca nie miały się nigdy ziścić.

Jednego dnia, było to już we dwa miesiące po wstąpieniu Antka do szkoły, przyszedł do jego matki nauczyciel i po zwykłych przywitaniach zapytał:

– Jakże, moja kobieto, będzie z waszym chłopakiem? Daliście za niego czterdzieści groszy, ale na początku, i już trzeci miesiąc idzie, a ja szeląga więcej nie widzę! To się tak przecie nie godzi; płaćcie choć i po czterdzieści groszy, ale co miesiąc.

A wdowa na to:

– Skądże ja wezmę, kiedy nie mam! Co jaki grosz zarobię, to wszystko idzie do gminy. Nawet dzieciskom szmaty nie ma za co kupić.

Nauczyciel wstał z ławy, nałożył czapkę w izbie i odparł:

– Jeżeli tak, to Antek nie ma po co chodzić do szkoły. Ja tam sobie nad nim darmo ręki zrywać nie będę. Taka nauka jak moja to nie dla biedaków.

Zabrał się i wyszedł, a wdowa patrząc za nim myślała:

„Jużci prawda. Jak świat światem, to ino pańskie dzieci chodziły do nauki. A gdzie zaś prosty człowiek mógłby na to wystarczyć!..."

Zawołała znowu kuma Andrzeja na radę i poczęli oboje egzaminować chłopca.

– Cóżeś się ty, wisiusie, nauczył przez te dwa miesiące? – pytał go Andrzej. – Przecie matka wydali na cię czterdzieści groszy...

– Jeszcze jak! – wtrąciła wdowa.

– Com się tam miał nauczyć! – odparł chłopiec. – Kartofle skrobią się tak we szkole, jak i w domu, świniom tak samo daje się jeść. Tyle tylko, żem parę razy profesorowi buty wyczyścił. Ale za to porwali na mnie odzienie przy tych tam... rogrzewkach...

– No, a z nauki toś nic nie połapał?

– Kto tam co połapie! – mówił Antek. – Jak nas uczy po chłopsku – to łże. Napisze se na tablicy jakiś znak i mówi, że to dom z izbą, sienią, z obrazami. Człowiek przecie ma oczy i widzi, że to nie jest dom. A jak nas uczy po szkolnemu, to kat go zrozumie! Jest tam paru starszych, co po szkolnemu pieśni śpiewają, ale młodszy, to dobrze, jak się trochę kląć nauczy...

– Ino kiedy spróbuj gadać tak paskudnie, to ja ci dam! – wtrąciła matka.

– No, a do gospodarstwa nigdy, chłopaku, nie nabierzesz ochoty? – spytał Andrzej.

Antek pocałował go w rękę i rzekł:

– Poślijcie mnie już tam, gdzie uczą budować wiatraki.

Starzy jak na komendę wzruszyli ramionami.

Nieszczęsny wiatrak, po drugiej stronie Wisły mielący zboże, tak ugrzązł w duszy chłopca, że go już stamtąd żadna siła wydobyć nie mogła.

Po długiej naradzie postanowiono czekać. I czekano.

Upływał tydzień za tygodniem, miesiąc za miesiącem, nareszcie chłopak doszedł do dwunastu lat, ale w gospodarstwie wciąż niewielkie oddawał usługi. Strugał swoje patyki, a nawet rzeźbił cudackie figury. I dopiero gdy mu się kozik zepsuł, a matka na nowy nie dawała pieniędzy, wynajmował się do roboty. Jednemu nocą koni na łące pilnował zatopiony w siwej mgle wieczornej i zapatrzony na gwiazdy; innemu woły prowadził przy orce; czasem poszedł do lasu po jagody lub grzyby i sprzedawał szynkarzowi Mordce za kilka groszy cały kosz.

> **Antek – rzeź-
> biarska pasja**

W chacie im się nie wiodło. Gospodarstwo bez chłopa to jak ciało bez duszy; a wiadomo, że ojciec Antka już od kilku lat wypoczywał na tym wzgórzu, gdzie przez żywopłot czerwonymi jagodami okryty spoglądają na wioskę smutne krzyże.

Wdowa do obrządzenia roli najmowła parobka, resztę pieniędzy musiała odnosić do gminy, a dopiero za to, co zostało, karmić siebie i chłopców.

Jadali też co dzień barszcz z chleba i kartofle, czasem kaszę i kluski, rzadziej groch, a mięso – chyba tylko na Wielkanoc. Niekiedy i tego w chacie nie stało, a wówczas wdowa nie potrzebując pilnować komina łatała synom sukmanki. Mały Wojtek płakał, a Antek z nudów w porze obiadowej łapał muchy i po takiej uczcie znowu szedł na dwór do strugania swoich drabin, płotów, wiatraków i świętych. Bo także wystrugiwał świętych, co prawda na początek bez twarzy i rąk.

Nareszcie kum Andrzej, wierny przyjaciel osieroconej rodziny, wyrobił Antkowi miejsce u kowala, w drugiej wsi. Jednej niedzieli poszli tam z wdową i chłopcem. Kowal przyjął ich niezgorzej. Wypróbował chłopca w rękach i krzyżu, a widząc, że na swój wiek jest wcale mocny, przyjął go do terminu bez zapłaty i tylko na sześć lat.

Straszno i smutno było chłopcu patrzeć, jak płacząca matka i stary Andrzej pożegnawszy jego i kowala skryli się już za sadami idąc z powrotem do domu. Było mu jeszcze smutniej, kiedy spał pierwszą noc pod cudzym dachem, w stodółce, między nie znanymi sobie chłopakami kowala, którzy zjedli jego kolacją i jeszcze dali mu do snu parę kułaków na zadatek dobrej przyjaźni.

Ale kiedy na drugi dzień równo ze świtem poszli gromadą do kuźni, gdy rozniecili ognisko, Antek począł dąć pękatym miechem, a inni, śpiewając z majstrem: „Kiedy ranne wstają zorze", poczęli kuć młotami rozpalone żelazo – w chłopcu zbudził się jakby nowy duch. Dźwięk metalu, rytmiczny huk, pieśń, której aż las odpowiadał echem – wszystko to upoiło chłopca... Zdaje się, że w sercu jego aniołowie niebiescy naciągnęli kilka strun nie znanych innym chłopskim dzieciom i że struny te odezwały się dopiero dziś przy sapaniu miecha, tętnieniu młotów i pryskających z żelaza iskrach.

Ach, jaki by z niego był dziarski kowal, a może i co więcej... Bo chłopak, choć nowa robota podobała mu się okrutnie, wciąż myślał o swoich wiatrakach.

Kowal, dzisiejszy opiekun Antka, był człowiek nijaki. Kuł żelazo i piłował je ani źle, ani dobrze. Czasami walił chłopców, aż puchli, a najwięcej dbał o to, ażeby się zbyt prędko nie wyuczyli kunsztu. Bo taki młodzik wyszedłszy z terminu mógłby pod bokiem swemu rodzonemu majstrowi kuźnię założyć i zmusić go do staranniejszej roboty!...

A trzeba wiedzieć, że majster miał jeszcze jeden obyczaj.

Na drugim końcu wsi mieszkał wielki przyjaciel kowala – sołtys, który w zwykłe dnie prawie nie odchodził od pracy, ale gdy mu co kapnęło z urzędu, rzucał gospodarstwo i szedł do karczmy mimo kuźni. Bywało tego raz albo i dwa razy na tydzień.

Idzie sobie tedy sołtys z zapracowanym na urzędzie groszem pod sosnową wiechę i niechcący zbacza do kuźni.

– Pochwalony! – woła do kowala stojąc za progiem.

– Pochwalony! – odpowiada kowal. – A jak tam w polu?

– Niczego – mówi sołtys. – A jak u was w kuźni?

– Niczego – mówi kowal. – Chwała Bogu, żeście choć aby raz wyleźli z chałupy.

– A tak – odpowiada sołtys. – Takem ci się zgadał w kancelarii, że muszę choć odrobinę zęby popłukać. Może pójdziecie i wy od tego kurzu.

– Ma się rozumieć, że pójdę, przecie zdrowie jest najpierwsze – odpowiadał kowal i nie zdejmując fartucha szedł wraz z sołtysem do karczmy.

A kiedy już raz wyszedł, mogli chłopcy na pewno gasić ognisko. Żeby robota była najpilniejsza, żeby się walił świat, ani majster, ani sołtys przed wieczorem nie wyszli z karczmy, chyba że sołtysowi narzuciła się jaka urzędowa czynność.

Dopiero późno w nocy wracali do domu.

Zwykle sołtys wiódł kowala pod rękę, a ten dźwigał butelkę „płukania" na jutro. Na drugi dzień sołtys był zupełnie trzeźwy i gospodarował aż do nowego zarobku na urzędzie, ale kowal wciąż zaglądał w przyniesioną butelkę, dopóki się dno nie pokazało, i tym sposobem od jednego zamachu wypoczywał przez dwa dni.

Już półtora roku nadymał Antek miechy w kuźni, nie robiąc, zdaje się, nic więcej, i półtora roku majster z sołtysem regularnie płukali zęby pod sosnową wiechą. Aż raz zdarzył się wypadek.

Kiedy sołtys z kowalem siedzieli w karczmie, nagle po pierwszym półkwaterku dano znać, że ktoś tam powiesił się – i gwałtem wyciągnięto sołtysa zza stołu. Kowal nie mając odpowiedniego towarzystwa musiał zaprzestać płukania, ale kupił niezbędną butelkę i powoli wracał z nią ku domowi.

Tymczasem do kuźni przyszedł chłop z koniem do okucia.

Ujrzawszy go terminatorzy zawołali:

– Nie ma majstra, dziś robi z sołtysem płukanie!

– A z was to żaden nie potrafi szkapy okuć? – spytał markotnie gospodarz.

– Kto tam potrafi! – odparł najstarszy terminator.

– Ja wam okuję – odezwał się nagle Antek.

Tonący chwyta się brzytwy, więc i chłop zgodził się na propozycją Antka, choć niewiele mu ufał, a jeszcze inni terminatorzy wyśmiewali go i wymyślali.

– Widzisz go, niedorostka! – mówił najstarszy. – Jak żyje, nie trzymał młota w garści, tylko dymał i węgli dokładał, a dziś porywa się na kucie koni!...

Widać jednak, że Antek miewał młot w garści, bo zawinąwszy się, w niedługim nawet czasie odkuł kilka gwoździ i podkowę. Wprawdzie podkowa była za wielka i niezbyt foremna, ale swoją drogą terminatorzy pootwierali gęby. Jak raz przyszedł na tę chwilę i majster. Opowiedziano mu, co się stało, okazano podkowę i gwoździe.

Kowal obejrzał i aż przetarł krwią nabiegłe oczy.

– A ty gdzieś się tego nauczył, złodzieju? – zapytał Antka.

– A w kuźni – odparł chłopiec zadowolony z komplimentu. – Jak pan majster poszedł na płukanie, a oni rozbiegli się, to ja wykuwałem różne rzeczy z ołowiu albo i z żelaza.

Majster tak był zmieszany, że nawet zapomniał zbić Antka za psucie materiałów i narzędzi. Aż poszedł na radę do żony, skutkiem czego chłopca wydalono z kuźni i przeznaczono do gospodarstwa.

– Za mądryś ty, kochanku! – mówił mu kowal. – Nauczyłbyś się fachu we trzy lata i później byś uciekł. A przecież matka oddała mi cię na sześć lat – do służby.

Pół roku jeszcze był Antek u kowala. Kopał w ogrodzie, pełł, rąbał drzewo, kołysał dzieci, ale już nie przestąpił progu kuźni. Pod tym względem wszyscy go rzetelnie pilnowali: i majster, i majstrowa, i chłopcy. Nawet własna matka Antkowa i kum Andrzej, choć wiedzieli o dekrecie kowalskim, nic przeciw niemu nie mówili. Według umowy i obyczaju chłopiec dopiero po sześciu latach miał prawo jako tako fuszerować kowalstwo. A że był dziwnie bystry i nie uczony przez nikogo nauczył się kowalstwa sam w ciągu roku, więc tym gorzej dla niego!

Swoją drogą Antkowi uprzykrzył się taki tryb życia.

„Mam ja tu kopać i drwa rąbać, więc wolę to samo robić u matki."

Tak sobie myślał przez tydzień, przez miesiąc. Wahał się. Ale w końcu – uciekł od kowala i wrócił do domu.

Te jednak parę lat wyszły mu na dobre. Chłopak wyrósł, zmężniał, poznał trochę więcej ludzi aniżeli w swojej dolinie, a nade wszystko poznał więcej rzemieślniczych narzędzi.

Teraz siedząc w domu pomagał czasem przy gospodarstwie, ale przeważnie robił swoje maszyny i rzeźbił figury. Tylko już prócz kozika miał dłutko, pilnik i świderek i władał nimi tak biegle, że niektóre z jego wyrobów począł nawet kupować Mordko szynkarz. Na co?... Antek o tym nie wiedział, chociaż jego wiatraki, chaty, sztuczne skrzynki, święci i rzeźbione fajki rozchodziły się po całej okolicy. Dziwiono się talentowi nieznanego samouka, niezgorzej nawet płacono za wyroby Mordce, ale o chłopca nikt się nie pytał, a tym bardziej nikt nie myślał o podaniu mu pomocnej ręki.

Alboż kto pielęgnuje polne kwiaty, dzikie gruszki i wiśnie, choć niby wiadomo, że przy staraniu i z nich byłby większy pożytek?...

Tymczasem chłopiec podrastał, a dziewuchy i kobiety wiejskie coraz milej na niego spoglądały i coraz częściej mówiły między sobą:

– Ładny, bestyja, bo ładny!

Rzeczywiście Antek był ładny. Był dobrze zbudowany, w sobie zręczny i prosto się trzymał, nie tak jak chłopi, którym ramiona zwieszają się, a nogi ledwie posuwają się od ciężkiej pracy. Twarz także miał

Antek – wygląd

nie taką jak inni, ale rysy bardzo regularne, cerę świeżą, wyraz rozumny. Miał też jasne kędzierzawe włosy, ciemnawe brwi i ciemnoszafirowe oczy, marzące.

Mężczyźni dziwili się jego sile i sarkali na to, że próżnował. Ale kobiety wolały mu patrzeć w oczy.

– Jak on, bestyja, spoglądnie na człowieka – mówiła jedna z bab – to aż cię mrowie przechodzi. Taki jeszcze młodziak, a już patrzy na cię jak dorosły szlachcic!...

– Bo to prawda! – zaprzeczyła druga. – On patrzy zwyczajnie jak niedorostek, ino ma taką słodkość w ślipiach, że aż cię rozbiera. Ja się na tym znam!...

– Chyba ja się lepiej znam – odparła pierwsza. – Przeciem służyła we dworze...

A gdy się kobiety spierały tak o patrzenie Antkowe, on tymczasem na nie nie patrzył wcale. U niego więcej jeszcze znaczył dobry pilnik aniżeli najładniejsza kobieta.

W tym czasie wójt, stary wdowiec, który już córkę z pierwszego małżeństwa wydał za mąż i miał jeszcze w domu kilkoro małych dzieci z drugiego małżeństwa, ożenił się trzeci raz. A jako zwykle łysi miewają szczęście, więc wynalazł sobie za Wisłą żonkę młodą, piękną i bogatą.

Kiedy para ta stanęła przed ołtarzem, ludzie poczęli się śmiać; a i sam ksiądz trochę pokiwał głową, że tak nie pasowali do siebie.

Wójt trząsł się jak dziad, co ze szpitala wyjdzie, i dlatego tylko był mało siwy, że miał głowę łysą jak dynia. Wójtowa była jak iskra. Czysta Cyganka z wiśniowymi ustami nieco odchylonymi i z oczami czarnymi, w których niby ogień paliła się jej młodość.

Po weselu dom wójta, zwykle cichy, bardzo się ożywił, bo raz w raz przybywali goście. To strażnik, który częstsze miewał niż zwykle interesa do gminy; to pisarz, który znać nie dosyć nacieszywszy się wójtem w kancelarii jeszcze go w domu odwiedzał; to znów strzelcy rządowi, których dotąd we wsi nie bardzo kiedy widywano. Nawet sam profesor, odebrawszy miesięczną pensją, cisnął w kąt stary kożuch i ubrał się – jak magnat, tak że niejeden wiejski człowiek począł go tytułować wielmożnym dziedzicem.

I wszyscy owi strażnicy, strzelcy, pisarze i nauczyciele ciągnęli do wójtowej jak szczury do młyna. Ledwie jeden wszedł do izby, już drugi wystawał za płotem, trzeci sunął z końca wsi, a czwarty kręcił się koło wójta. Jejmość rada była wszystkim, śmiała się, karmiła i poiła gości. Ale też czasem wytargała którego za włosy, a nawet i wybiła, bo humor u niej łatwo się zmieniał.

Nareszcie po półrocznym weselu zaczęło być trochę spokojniej. Jedni goście znudzili się, drugich wójtowa przepędziła, i tylko podstarzały profesor, sam licho jedząc i morząc głodem swoją gospodynią, za każdą pensją miesięczną kupował sobie jakiś figlas do ubrania i siadywał u wójtowej na progu (bo go z izby wyganiano) albo klął i wzdychał pomiędzy opłotkami.

Jednej niedzieli poszedł Antek na sumę, jak zwykle, z matką i bratem. W kościele było już ciasno, ale dla nich znalazło się jeszcze trochę miejsca. Matka uklękła między kobietami na prawo, Antek z Wojtkiem między chłopami na lewo i każdy modlił się, jak umiał. Naprzód do świętego w wielkim ołtarzu, potem do świętego, co stoi wyżej nad tamtym, potem do świętych w ołtarzach bocznych. Modlił się za ojca, co go przytłukło drzewo, i za siostrę, co z niej za prędko choroba w piecu wyszła, i za to, ażeby Pan Bóg miłosierny i jego święci ze wszystkich ołtarzów dali mu szczęście w życiu, jeżeli taka będzie ich wola.

Wtem, gdy Antek już czwarty raz z kolei powtarzał swoje pacierze, uczuł nagle, że ktoś udeptał go w nogę i ciężko oparł **Antek – uczucie do wójtowej** mu się na ramieniu. Podniósł głowę. Przeciskająca się pomiędzy ciżbą ludu stała nad nim wójtowa, na twarzy smagła, zaczerwieniona, zadyszana z pośpiechu. Ubierała się jak chłopka, a spod chustki spadającej z ramion widać było koszulę z cieniutkiego płótna i sznury paciorków z bursztynów i korali.

I popatrzyli sobie w oczy. Ona wciąż nie zdejmowała mu ręki z ramion, a on... klęczał, patrzył na nią jak na cudowne zjawisko nie śmiejąc ruszyć się, aby mu nagle nie znikła.

Między ludźmi poczęto szeptać.

– Usuńcie się, kumie, pani wójtowa idą...

Kumowie usunęli się i wójtowa poszła dalej, aż przed wielki ołtarz. W drodze niby potknęła się i znowu spojrzała na Antka, a chłopca aż gorąco oblało od jej oczów. Potem usiadła na ławce i modliła się z książki, czasami podnosząc głowę i spoglądając na kościół.

A kiedy na Podniesienie zrobiło się cicho, jakby makiem zasiał, i pobożni upadli na twarze, ona złożyła książkę i znowu odwróciła się do Antka topiąc w nim ogniste źrenice. Na jej cygańską twarz i sznur paciorków spłynął z okna snop światła i wydała się chłopcu jako święta, wobec której ludzie milkną i rzucają się w proch.

Po sumie ludzie tłumem poszli do domów. Wójtową otoczyli pisarz, nauczyciel i gorzelnik z trzeciej wsi, i już Antek nie mógł jej zobaczyć.

W chacie postawiła matka chłopakom doskonały krupnik zabielony mlekiem i wielkie pierogi z kaszą. Ale Antek, choć lubił to, jadł ledwie jednym zębem. Potem zabrał się, poleciał w góry i położywszy się na najwyższym szczycie patrzył stamtąd na wójtową chatę. Ale widział tylko słomiany dach i mały niebieski dymek wydobywający się powoli z obielonego komina. Więc zrobiło mu się tak czegoś tęskno, że schował twarz w starą sukmanę i zapłakał.

Pierwszy raz w życiu uczuł wielką swoją nędzę. Chata ich była najbiedniejszą we wsi, a pole najgorsze. Matka, choć przecie gospodyni, pracować musiała jak komornica i odziewała się prawie w łachmany. Na niego samego patrzono we wsi jak na straceńca, który nie wiadomo po co innym chleb zjada. A co go się nie nabili, co go się nawet psy nie nagryzły!...

Jakże daleko było mu do profesora, gorzelnika, a choćby i do **Antek – uczucie do wójtowej** pisarza, którzy ile razy chcieli, mogli wejść do wójtowskiej chaty i gadać z wójtową. Jemu zaś nie o wiele chodziło. Pragnął tylko, żeby jeszcze choć raz jeden, jedyny i ostatni raz w życiu, oparła mu kiedy wójtowa na ramieniu rękę i spojrzała w oczy tak jak w kościele. Bo w jej spojrzeniu mignęło mu coś dziwnego, coś jak błyskawica, przy której na krótką chwilę odsłaniają się niebieskie głębokości pełne tajemnic. Gdyby je kto dobrze obejrzał, wiedziałby wszystko, co jest na tym świecie, i byłby bogaty jak król.

Antek w kościele nie przypatrzył się dobrze temu, co mignęło w oczach wójtowej. Był nie przygotowany, olśniony i szczęśliwą sposobność stracił. Ale gdyby ona tak jeszcze kiedy na niego chciała spojrzeć!...

Marzyło mu się, że zobaczył przelatujące szczęście, i strasznie do niego zatęsknił. Zbudziło się drzemiące serce i wśród boleści poczęło się – jakby przeciągać. Teraz świat wydał mu się całkiem odmienny. Dolina była za szczupła, góry za niskie, a niebo – bodaj czy się nie opuściło, bo zamiast porywać ku sobie, zaczęło go przygniatać.

Chłopiec zeszedł z góry pijany, nie wiedząc, jakim sposobem znalazł się nad brzegiem Wisły, i patrząc w rzeczne wiry czuł, że go coś pociąga ku nim.

Miłość, której nawet nazwać nie umiał, spadła nań jak burza rozniecając w duszy strach, żal, zdziwienie i – albo on wiedział co jeszcze?

Odtąd co niedzielę chodził do kościoła na sumę i z drżeniem serca czekał na wójtowę myśląc, że jak wtedy położy mu rękę na ramieniu i spojrzy w oczy. Ale wypadki nie powtarzają się, a zresztą uwagę wójtowej pochłaniał teraz gorzelnik, chłop młody i zdrowy, który aż z trzeciej wsi przyjeżdżał... na nabożeństwo.

Wówczas Antek wpadł na osobliwy pomysł. Postanowił zrobić piękny krzyżyk i ofiarować wójtowej. Wtedy ona chyba spojrzy na niego i może uleczy z tej tęsknicy, która mu wypijała życie.

Za ich wsią, na rozstajnych drogach, znajdował się dziwny krzyż. Od podstawy owijały go powoje. Nieco wyżej była drabinka, włócznia i cierniowa korona, a u szczytu przy lewym ramieniu wisiała jedna ręka Chrystusa, bo resztę figury ktoś ukradł – pewnie na czary. Ten to krzyż wziął Antek za model.

Strugał więc, przerabiał i na nowo zaczynał swój krzyżyk starając się, ażeby był piękny i wójtowej godny.

Tymczasem na wieś spadło nieszczęście. Wisła wylała, przerwała tamę i zniszczyła przybrzeżne pola. Ludzie wiele stracili, ale najwięcej Antkowa matka. W chacie jej pokazał się nawet głód. Trzeba było iść na zarobek; chodziła więc i sama, nieboga, i Wojtusia oddała na pastucha. Ale wszystko to nie wystarczało. Antek nie chcący jąć się pracy gospodarskiej był dla niej prawdziwym ciężarem.

Widząc to stary Andrzej począł nalegać na chłopca, ażeby poszedł w świat.

– Jesteś przecie chłopak bystry, silny, zręczny do rzemiosła, więc udaj się między miejskich ludzi. Tam nauczysz się czego i jeszcze matce będziesz pomocny, a tu ostatni kęs chleba odejmujesz jej od gęby.

Antek aż pobladł na myśl, że przyjdzie mu opuścić wieś bez zobaczenia się choć raz z wójtową. Rozumiał jednak, że inaczej być nie może, i tylko prosił, żeby mu zostawili kilka dni.

Przez ten czas z podwojoną gorliwością rzeźbił swój krzyżyk i wyrzeźbił bardzo ładny, z powojem u dołu, z narzędziami męki i z ręką Pańską przy lewym ramieniu. Ale gdy skończył robotę, żadną miarą nie miał odwagi pójść do wójtowskiego mieszkania i swój dar ofiarować wójtowej.

Przez ten czas matka połatała mu odzienie, pożyczyła od Mordki rubla na drogę, wystarała się o chleb i ser do kobiałki, wypłakała się. Ale Antek wciąż marudził, z dnia na dzień odwlekając swoje wyjście.

Zniecierpliwiło to Andrzeja, który jednej soboty wywołał chłopca z chaty i rzekł mu surowo:

– No, a kiedyż ty, chłopaku, opamiętasz się? Czy chcesz, żeby przez ciebie matka z głodu i z pracy zmarła? Przecie ona swoimi starymi rękoma nie wykarmi siebie i takiego jak ty draba, co próżnuje po całych dniach!...

Antek schylił mu się do nóg.

– Poszedłbym już, Andrzeju, ale kiedy mi strasznie żal porzucać swoich!

Nie powiedział jednak, kogo mu żal najwięcej.

– Oho! – zawołał Andrzej. – A cóżeś ty dziecko przy piersi, że nie możesz się obejść bez matki? Dobry z ciebie chłopak, ani słowa, ale masz w sobie takiego niechcieja, co by cię tu do siwych włosów trzymał matce na karku. Dlatego ja ci powiem: jutro święta niedziela, wszyscy będziemy wolni i odprowadzimy cię. Więc po nabożeństwie zjesz obiad i pójdziesz. Dłużej tu z założonymi rękami nie ma co siedzieć. Ty najlepiej wiesz, że mówię prawdę.

Antek upokorzony wrócił do chaty i powiedział, że już jutro pójdzie w świat szukać roboty i nauki. Biedna kobieta połykając łzy poczęła szykować go do drogi. Dała mu starą kobiałkę, jedyną w chacie, i torbę parcianą. W kobiałkę włożyła trochę jadła, a w torbę pilniki, młotek, dłutka i inne narzędzia, którymi Antek od tylu lat wyrabiał swoje zabawki.

Nadeszła noc. Antek legł na twardej ławie, ale zasnąć nie mógł. Uniósłszy głowę patrzył na dogasające w kominie węgle, słuchał dalekiego szczekania psów albo świerkania świerszcza w chacie, który nad nim tak wołał, jak wołają polne koniki nad opuszczonym grobem małej jego siostry, Rozalii.

Wtem usłyszał jeszcze jakiś szmer w rogu izby. To bezsenna matka jego po cichu szlochała...

Antek ukrył głowę pod sukmanę.

Słońce było wysoko, kiedy się obudził. Matka już wstała i drżącymi rękoma ustawiała garnuszki przy ogniu.

Potem wszyscy razem usiedli za stół do śniadania i trochę podjadłszy poszli do kościoła.

Antek miał na piersiach pod sukmaną swój krzyżyk. Co chwilę przyciskał go, oglądając się niespokojnie, czy gdzie wójtowej nie widać, i myśląc z trwogą, jak też on jej swój dar doręczy?

W kościele nie było wójtowej. Chłopak, klęcząc na środku, machinalnie odmawiał modlitwy, ale co mówił?... nie rozumiał. Gra organów, śpiew ludu, dźwięk dzwonków i własne cierpienie w duszy jego zlały się w jedną wielką zawieruchę. Zdawało mu się, że cały świat drży w posadach w tej chwili, kiedy on ma opuścić tę wieś, ten kościół i wszystkich, których ukochał.

Ale na świecie było spokojnie, tylko w nim tak kipiał żal.

Nagle organy ucichły, a ludzie pochylili głowy. Antek ocknął się, spojrzał. Jak wówczas tak i dziś było Podniesienie i jak wówczas w ławce przy wielkim ołtarzu siedziała wójtowa.

Wtedy chłopiec ruszył ze swego miejsca między ciżbą ludu, zaczołgał się na kolanach aż do owej ławki i znalazł się u nóg wójtowej. Sięgnął za pazuchę i wydobył krzyżyk. Ale odbiegła go wszelka śmiałość, a głos mu zamarł tak, że jednego wyrazu nie mógł przemówić. Więc zamiast oddać krzyżyk tej, dla której rzeźbił go przez parę miesięcy, wziął i zawiesił swoją pracę na gwoździu wbitym w ścianę obok ławki. W tej chwili ofiarował Bogu drewniany krzyżyk, a razem z nim swoją tajemną miłość i niepewną przyszłość.

Wójtowa zauważyła szmer i spojrzała na chłopca ciekawie, tak samo jak wtedy. Ale on nic nie widział, bo mu się oczy zasłoniły łzami.

Po sumie matka z dziećmi wróciła do chaty. Ledwie zjedli kartoflankę i trochę klusków, ukazał się w izbie kum Andrzej i po przywitaniu rzekł:

– No, chłopcze! zabieraj się! Komu w drogę, temu czas.

Antek podpasał sukmanę rzemykiem, przewiesił torbę z narzędziami przez jedno ramię, a kobiałkę przez drugie. Gdy już wszyscy gotowi byli do drogi, chłopiec ukląkł, przeżegnał się i ucałował klepisko chaty jak podłogę kościelną. Potem matka wzięła go za jedną rękę, brat Wojtuś za drugą i jak pana młodego do ślubu wiedli go oboje najukochańsi na próg świata.

Stary Andrzej wlókł się za nimi.

– Masz tu rubla, Antku – mówiła matka wciskając chłopcu w rękę gałganek pełen miedzianych pieniędzy. – Nie kupuj za to, dziecko, statków do krajania, ino schowaj se ten grosz na złe czasy, kiedy ci się jeść zachce. A jeżeli kiedy zarobisz jaki pieniądz, to daj go na mszę świętą, ażeby ci Bóg błogosławił.

I szli tak wolno, wąwozem pod górę, aż im wieś z oczu znikła; tylko z karczmy dolatywało ciche granie skrzypków i dudnienie bębna z dzwonkami. Wreszcie i to ucichło; znaleźli się na wyżynie.

– No, wróćwa się już – rzekł Andrzej – a ty, chłopaku, idź wciąż drogą i pytaj się o miasto. Bo tobie nie na wsi mieszkać, ino w mieście, gdzie ludzie chętniejsi są do młotka niż do roli.

Wdowa na to odezwała się z płaczem:

– Kumie Andrzeju, doprowadźmyż go choć do figury świętej, gdzie by pobłogosławić go można.

A potem biadała:

– Czy kto kiedy słyszał, żeby rodzona matka dziecko swoje wiodła na stracenie? Wychodzili, prawda, od nas chłopacy do wojska, ale to był mus. Nigdy przecie nie widziano, żeby kto z własnej woli opuszczał wieś, gdzie się urodził i gdzie go przyjąć powinna święta ziemia. Oj! dołoż ty moja, dolo! że ja już trzecią osobę z chaty wyprowadzam, a sama jeszcze żyję na świecie!... A schowałeś, synusiu, pieniądze?

– Schowałem, matulu.

Doszli do figury i poczęli się żegnać.

– Kumie Andrzeju – mówiła wdowa łkając – wyście tyle świata widzieli, wyście z bractwa, pobłogosławcież tego sierotę – a dobrze, żeby się nim Pan Bóg opiekował.

Andrzej popatrzył w ziemię, przypomniał sobie modlitwę za podróżnych, zdjął czapkę i położył ją pod figurą. Potem wzniósł ręce ku niebu, a gdy wdowa i obaj jej synowie uklękli, począł mówić:

– O Boże święty, Ojcze nasz, któryś naród swój wyprowadził z ziemi egipskiej i z domu niewoli, który każdemu stworzeniu, co się rucha, dajesz pokarm, który ptaki powietrzne do ich starodawnych gniazd powracasz, Ciebie prosimy, bądź miłościw temu podróżnemu, ubogiemu i strapionemu! Opiekuj się nad nim, Boże nasz święty,

w złych przygodach pocieszaj, w chorobie uzdrów, w głodzie
nakarm i w nieszczęściu ratuj. Bądź mu, Panie, miłościw pośród
obcych, jakoś był Tobiaszowi i Józefowi. Bądź mu ojcem i matką.
Za przewodników daj mu aniołów Twoich, a gdy spełni, co sobie
zamierzył – do naszej wsi i do jego domu szczęśliwie go powróć.

Scena pożegnania – Antek opuszcza wieś

Tak się modlił chłop w świątyni, gdzie polne zioła pachniały, śpiewały ptaki, gdzie
pod nimi błyszczała w ogromnych skrętach Wisła, a nad nimi stary krzyż szeroko
otwierał ramiona.

Antek upadł do nóg matce, potem Andrzejowi, ucałował brata i – poszedł drogą.
Ledwie uszedł kilkadziesiąt kroków, aż wdowa zawołała za nim:

– Antku!...

– Co, matulu?...

– A jak ci tam będzie źle u obcych, wracaj do nas... Niech cię Bóg błogosławi!...

– Zostańcie z Bogiem! – odparł chłopak.

Znowu uszedł kawałek drogi i znowu zawołała za nim smutna matka:

– Antku!... Antku!...

– Co, matulu? – spytał chłopiec.

Głos jego już słabiej dolatywał.

– A nie zapomnij o nas, synusiu! Niech cię Bóg błogosławi!

– Zostańcie z Bogiem!

I szedł, szedł, szedł, jak ów chłopak, co wybrał się po cyrograf wystawiony na własną duszę. Wreszcie za wzgórkiem znikł. Na polu rozlegał się jęk zbolałej matki.

Ku wieczorowi niebo zaciągnęło się chmurami i spadł drobny deszcz. Ale że
chmury nie były gęste, więc przedarły się przez nie blaski zachodzącego słońca. Zdawało się, że nad szarym polem i nad grząską, gliniastą drogą unosi się złote sklepienie
powleczone żałobną krepą.

Po tym polu szarym i cichym, bez drzew, po drodze grząskiej posuwał się z wolna
strudzony chłopiec w siwej sukmance, z kobiałką i torbą na plecach.

Zdawało się, że wśród głębokiego milczenia krople deszczu nucą tęskną melodią
znanej pieśni:

> *Przez dolinę, przez pole*
> *Idzie sobie pacholę,*
> *Idzie sobie i śpiewa,*
> *Wiatr mu z deszczem przygrywa!*

Może spotkacie kiedy wiejskiego chłopca, który szuka zarobku
i takiej nauki, jakiej między swoimi nie mógł znaleźć. W jego
oczach zobaczycie jakby odblask nieba, które przegląda się w powierzchni spokojnych wód; w jego myślach poznacie naiwną prostotę, a w sercu tajemną i prawie bezświadomą miłość.

Tendencyjność

Wówczas podajcie rękę pomocy temu dziecku. Będzie to nasz mały brat, Antek,
któremu w rodzinnej wsi stało się już za ciasno, więc wyszedł w świat oddając się
w opiekę Bogu i dobrym ludziom.

NAWRÓCONY

Pan Łukasz siedział zamyślony.

Był to starzec wysoki, chudy, pochylony. Liczył około siedemdziesięciu lat i miał czarne, dosyć gęste włosy upstrzone siwymi kosmykami. Nie posiadał ani jednego zęba, a śpiczasta broda zbiegała mu się z hakowatym nosem, co fizjognomii starca nie nadawało przyjemnego wyrazu. Okrągłe, zapadnięte oczy, a nad nimi brwi krzaczaste – żółta, pomarszczona skóra na twarzy i lekkie trzęsienie głowy nie robiły go piękniejszym.

Pan Łukasz – wygląd

Siedział w pokoju dużym, od kilkunastu lat nie oczyszczanym, zapchanym sprzętami. Były tam staroświeckie szafy i komody, ozdobione brązami, były duże fotele, na których mole skórę zjadły, wyściełane krzesła zapomnianych form i obszerne kanapy z powyginanymi poręczami. Na ścianach zasnutych pajęczyną wisiały sczerniałe obrazy, na komodach i biurkach stały posążki i zegary, o tyle pokryte warstwą kurzu, że delikatniejsze ich linie i powierzchnie znikły.

Miejsce akcji – mieszkanie pana Łukasza

Prócz tego największego były jeszcze dwa pokoje mniejsze, tak już zapełnione gratami, że chodzenie po nich przedstawiało pewne trudności. Graty owe, niepodobne jedne do drugich, ustawione nieporządnie, ściśnięte, próchniejące, wyglądały tak, jak gdyby z różnych stron świata spędzono je do wspólnego grobu.

Były między nimi niektóre posiadające wielką wartość archeologiczną, niektóre uderzające pięknością, inne – rozmiarami i dokładnością wyrobu, a jeszcze inne niewarte, jak to mówią, funta kłaków. Nie mniejszą rozmaitością odznaczało się pochodzenie ich. Jedne pan Łukasz odziedziczył, drugie kupił u antykwariuszów albo na licytacji za marne pieniądze, trzecie darowano mu jako miłośnikowi osobliwości, inne zabrał swoim dłużnikom i niewypłacalnym lokatorom. I wszystko to zwłóczył do mieszkania, zapychał tym każdy kąt wolny, przedmioty drobniejsze zawieszał albo ustawiał w szafach i komodach, przedmioty tańsze wynosił na strych, słowem, gromadził bez wyboru, ładu i końca, nie zadawszy nawet sobie przez siedemdziesiąt lat pytania: w jakim celu robi to, co mu z tego przyjdzie?

Istnieje wodorost pochodzący, jak mówią, z Ameryki, który odznacza się takim łakomstwem i tak szybkim rozwojem, że gdyby go nie wytępiono, zapchałby sobą wszystkie rzeki, stawy i jeziora na świecie, zagarnąłby każdy cal ziemi wilgotnej, pochłonąłby wszystek węgiel z powietrza, zdusiłby wszystkie inne wodorosty, nie przez zawiść, złość lub przez brak poszanowania cudzych praw, ale tak sobie, z wrodzonego popędu.

Pan Łukasz był podobną istotą w rodzaju ludzkim. Przyniósłszy na świat instynkt zagarniania wszystkiego, co się da, nie myślał o celu swych działań, nie zdawał sobie sprawy ze

Pan Łukasz – charakterystyka

skutków, tylko... zagarniał. Głuchy na krzyk cierpień i klątw, obojętny dla nieszczęść, jakie wytwarzał, skromny w użyciu, krzywdził ludzi na prawo i na lewo, sam nic osobliwego nie zaznał, tylko chwytał i gromadził. Postępowanie to nie przynosiło mu żadnego szczególnego zadowolenia, lecz zaspakajało ślepy instynkt.

Pan Łukasz –
przeszłość

Będąc jeszcze dzieckiem, Łukaszkiem, wydrwiwał on od swoich rówieśników zabawki, spędzał ich z miejsc cieplejszych na piasku, objadał się do niestrawności i napełniał kieszenie, byle z jego porcji nie dostało się co rodzeństwu. Będąc uczniem pracował dnie i noce, byle otrzymać najwyższe możliwe nagrody, i jeszcze gryzł się, że pomimo to inni nagrody dostają.

Jako młodzieniec wstąpił do biura i tam chciał pełnić wszystkie urzędy, wykonywać wszystkie prace, zabierać wszystkie pensje i łaski zwierzchników. Nareszcie ożenił się z najładniejszą i bogatą panną, nie z miłości, ale dlatego, ażeby kto inny jej nie dostał. I jeszcze niezadowolony ze swego losu chciał bałamucić żony kolegom i znajomym.

Wszelako w tej epoce życia zetknął się z poważnymi przeszkodami. Koledzy biurowi chętnie odstępowali mu referaty, ale mocno bronili swoich tytułów i pensyj. Zwierzchnicy chętnie posługiwali się nim, ale łask skąpili. Nareszcie panie, do których umizgał się, drwiły z niego, że był brzydki, a mężowie ich za natręctwo często urządzali Łukaszowi bolesne manifestacje.

Pan Łukasz –
skąpstwo

Dzięki tak gorzkim naukom pan Łukasz przestał dążyć do zagarnięcia wszystkiego, co jest pod słońcem, ale ograniczył się do rzeczy możliwych i najbliższych. Gromadził więc sprzęty, książki, odzież, rozmaite osobliwości, a nade wszystko – pieniądze.

W gonitwie za posiadaniem bynajmniej nie myślał o używaniu. Mieszkania nie odnawiał, sługi nie trzymał, jadał w najlichszych restauracjach, rzadko kiedy dorożką jeździł, raz na kilka lat w teatrze bywał i nigdy nie leczył się z powodu wstrętu do płacenia honorariów lekarzom.

Żona jego rychło zmarła zostawiwszy mu kamienicę i córkę. Pan Łukasz córkę wychował jako tako i najśpieszniej wydał ją za mąż. Ale ani wesela nie sprawił, ani obiecanego posagu nie wypłacił, ani nawet kamienicy matczynej nie zwrócił. W końcu nieznośnym uporem sprawił to, że zięć wytoczył mu proces o zwrot domu. Sprawa była czysta i pan Łukasz przegrać musiał, ale dobrowolnie nie chciał ustąpić. Będąc zasobnym i bardzo biegłym w prawie, wynajdywał mnóstwo wykrętów i działał na zwłokę, w czym dzielnie pomagał mu pan Kryspin, stary adwokat. Kryspin stracił już praktykę, ale z nałogu wyszukiwał sobie klientów z najbrudniejszymi sprawami i prowadził ich procesy za liche wynagrodzenie albo nawet darmo. Byle nie zaśniedzieć!

Przez jakiś czas pan Łukasz miał rozrywkę. Oto z kilkoma starymi sędziami, z pewnym prokuratorem i z adwokatem Kryspinem schodzili się co dzień na preferansa[1] i przy dwu stolikach grali o liczmany[2]. Trwało to ze dwadzieścia lat, ale

---

[1] *preferans* – gra w karty.
[2] *liczmany* – żeton, płytka monetopodobna, używana zamiast monet w drobniejszych rozliczeniach pieniężnych.

w końcu urwało się. Sędziowie i prokurator zmarli i został tylko pan Łukasz z adwokatem. Ponieważ zaś we dwu przyzwoitej gry urządzić nie mogli, a o tak dobrane towarzystwo, jak niegdyś, było im obecnie trudno, więc obaj zarzucili preferansa. Pocieszali się tylko nadzieją, że prędzej lub później połączą się w niebie ze zmarłymi towarzyszami i tam przy dwu stolikach grać będą całą wieczność.

Siedział tedy pan Łukasz na kanapie, z której w jednym rogu włosień wyłaził, splótł kościste dłonie, oparł je na kolanach, które ostro zarysowywały się na starym watowanym szlafroku, machinalnie poruszał zapadłymi ustami, trząsł głową i wciąż myślał.

Miał sporo kłopotów.

W dniu jutrzejszym przypadała w sądzie sprawa jego z córką o kamienicę, a tu, jakby na nieszczęście, adwokat Kryspin wyjechał z Warszawy. Może nie wróci na czas i przegra?...

Byłby to dla pana Łukasza silny cios pod wieloma względami. Naprzód, musiałby oddać córce dom, on, który tylko brać lubił. A po wtóre – kto wie, czy córka, którą ojciec rzucił na pastwę niedostatkowi, nie zechce mścić się i nie każe płacić sobie za komorne?...

– Eh, chyba nie zrobi tego – szepnął Łukasz. – Ona zawsze była dobrym dzieckiem... Ale zresztą – dodał z westchnieniem – i to być może. Dzisiejszy świat taki chciwy!...

> **Autorska ironia**

Pan Łukasz z rana posłał do kancelarii Kryspina list z zapytaniem: kiedy adwokat wraca? Tymczasem nie odebrał odpowiedzi, choć była już druga po południu, a stary dependent[3] Kryspina odznaczał się punktualnością.

– Co to może znaczyć?...

Taki był pierwszy kłopot, wcale nie największy. Jutro bowiem przypadała licytacja[4] na ruchomości pewnego stolarza, który mieszkał w domu Łukasza i za kwartał komornego nie zapłacił. Otóż frasował się znowu pan Łukasz: czy niesumienny lokator nie ukrył czego i czy licytacja pójdzie o tyle dobrze, aby on odzyskał należność za komorne i jeszcze na koszta procesu.

Z tą licytacją była prawdziwa heca.

Dzień w dzień przychodził do pana Łukasza ktoś z familii stolarza, upadał mu do nóg i błagał, jeżeli nie o darowanie długu, to przynajmniej o prolongatę[5]. Płakano przy tym i mówiono, że stolarz jest ciężko chory i że licytacja zabić go może...

Ale pana Łukasza takie rzeczy nie obchodziły. On myślał raczej o tym, że paru dobrych lokatorów miało zamiar wyprowadzić się z jego domu i że już jeden lokal od dwu tygodni stał pustką. Niepoczciwi ludzie oczerniali pana Łukasza. Mówili, że jest chciwy, zły ojciec, zły gospodarz i że chociaż na piersiach nosi trzydzieści tysięcy rubli listami zastawnymi, przecież nie chce odnawiać mieszkań i zarywa lokatorów, o ile się da. Z tego powodu tylko w ostateczności najmowano lokale w jego domu.

---

[3] *dependent* – urzędnik pracujący u adwokata lub notariusza, praktykant.

[4] *licytacja* – aukcja, publiczna sprzedaż przymusowa lub dobrowolna.

[5] *prolongata* – przedłużenie terminu ważności umowy, układu, płatności weksla itp.

Motyw piekła

– Zły gospodarz! – mruczał pan Łukasz. – A co to, czy ja stróża nie trzymam? Czy co pierwszego nie zgłaszam się sam po komorne? Czy nie zmusił mnie magistrat do zaprowadzenia chodnika asfaltowego przy kamienicy?... O! jeszcze dziś gotują tę obrzydłą smołę pod oknami, a dym aż dusi... Bodaj z piekła nie wyjrzeli ci asfalciarze, a najpierwej główny przedsiębiorca!...

I znowu mruczał w dalszym ciągu:

– Mówią, że im mieszkań nie odnawiam. A dawnoż to kazałem obmurować wspólną wygódkę?... A mało przy tym miałem zgryzoty?... Mularz, hultaj, zrobił źle i aż musiałem mu nie tylko wstrzymać zapłatę, ale jeszcze przyaresztować naczynia...

Teraz pan Łukasz spojrzał w kąt pokoju, aby przekonać się, czy zaaresztowane przedmioty leżą na właściwym miejscu. Rzeczywiście, zobaczył powalany wapnem szaflik, młot i kielnią. Tylko pędzla, grundwagi[6] i linii nie było, ale to już nie z winy pana Łukasza, tylko z powodu złośliwości mularza, który rzeczy te gdzieś ukrył.

Autorska ironia

– I taki łotr – dodał po chwili pan Łukasz – śmie jeszcze grozić mi procesem albo nachodzić mój dom i upominać się o swoje naczynia i o zapłatę!... Czysty rabuś. Strach pomyśleć, jacy niesumienni są dzisiejsi ludzie. A wszystko przez chciwość.

W tej chwili pan Łukasz powstał ciężko z kanapy i suwając nogami, wyjrzał przez okno na ową zepsutą przez mularza wygódkę. Ale pomimo najszczerszych chęci nie mógłby powiedzieć, na czym polegało zepsucie naprawionego budynku...

Bliżej okna stał duży śmietnik, zawsze pełny i cuchnący. Na szczycie stosu słomy, papierów, skorup i tym podobnych rupieci pan Łukasz zobaczył swój stary, okrutnie podarty pantofel, który, po długiej walce ze sobą, wczoraj własnoręcznie wyrzucił.

„Ej, czy ja się tylko nie pośpieszyłem zanadto z tym wyrzuceniem? – pomyślał starzec. – Pantofel z daleka wygląda wcale dobrze... Chociaż... zostawmy go w spokoju!... Co dzień musiałem go łatać, na co, jak obliczyłem bez błędu, wychodziło mi rocznie za parę rubli skrawków..."

Wtem zapukano do mieszkania. Pan Łukasz odwrócił się od okna i z niemałym wysiłkiem, prędko suwając nogami, doszedł do drzwi. Otworzył w nich drewniany lufcik i przez kratę zapytał:

– Kto tam tak wali we drzwi?... Czy nie wiesz, żeś mógł je wyłamać?...

– List z kancelarii pana adwokata! – odpowiedział głos spoza kraty.

Pan Łukasz prędko pochwycił pismo.

– A może co na piwo dostanę? – zapytał posłaniec.

– Nie mam drobnych – odparł pan Łukasz. – Zresztą nie wal tak mocno we drzwi, jeżeli chcesz dostać na piwo.

Zamknął lufcik i powlókł się do okna, a tymczasem za drzwiami posłaniec wymyślał mu:

– A to stary kutwa! Nosi na żebrach trzydzieści tysięcy rubli, obdziera każdego i jeszcze na piwo nie chce dać. Bodaj cię z piekła wyrzucili!...

– Cicho bądź, ty zuchwalce! – odparł mu pan Łukasz i odpieczętował list.

Straszna wiadomość!...

---

[6] *grundwaga* – przyrząd do wyznaczania linii prostopadłej.

Dependent pisał, że pociąg, którym jechał adwokat Kryspin, rozbił się. Ponieważ adwokat żałował zwykle pieniędzy na telegramy, więc dependent był dotychczas w niepewności, czy pan Kryspin żyje... W każdym razie jednak – stało dalej w liście – sprawa pana Łukasza przeciw zięciowi o kamienicę jutro będzie popierana. Kryspin bowiem, jako człowiek systematyczny, naznaczył przed wyjazdem zastępcę.

– A! do licha! – mruknął Łukasz. – Temu zastępcy trzeba zapłacić, podczas gdy poczciwy Kryspin nic nie brał!... Jeszcze może sprawę przegram i wyrzucą mnie z domu?...

Złożył list, wsunął go w kopertę i schował do biurka mówiąc dalej do siebie:

– Pewnie Kryspin, jak zwykle, miał przy sobie wszystkie pieniądze... Jeżeli zginął w pociągu, to go niezawodnie okradną. Familii nie ma... Stary kawaler... Nie wolał on by to mnie taką sumę zapisać?... Miał chyba ze dwadzieścia tysięcy rubli...

Z tymi słowy pan Łukasz starannie obmacał piersi, na których pod szlafrokiem, koszulą i kaftanikiem gruba paka tysiącrublowych listów zastawnych[7] spoczywała dniem i nocą.

Wiadomość o możliwej śmierci adwokata, w połączeniu z procesem i licytacją, które on właśnie prowadził, zrobiły na panu Łukaszu bardzo silne wrażenie. Starzec zmartwił się tak, że aż uczuł bóle reumatyczne w nogach i w głowie. Chodzić nie mógł, więc owinął głowę zabrudzonym szalikiem i położył się na łóżku.

Z ulicy dolatywała go woń asfaltu, którym na koszt pana Łukasza i innych właścicieli domów wylewano chodnik. Ostry zapach drażnił starca.

– Oto dzisiejsze gospodarstwo miejskie! – biadał stary samotnik. – Robią chodniki z materiałów kruchych i tak cuchnących, że człowiekowi mało głowa nie pęknie. Bodajeście z piekła nie wyjrzeli, a najbardziej ten diabelski inżynier, który dopóty pisał o asfalcie, dopóki nie wziął go w antrepryzę[8]. Włóczykij!...

I z niejakim zadowoleniem rozmyślał o tym, że inżynier może naprawdę z piekła nie wyjrzeć. Ale jednocześnie przypomniał sobie, że przed chwilą jemu, panu Łukaszowi, posłaniec powiedział:

– Bodaj cię z piekła wyrzucili!...

– Głupiec jakiś! – szepnął pan Łukasz. – Mnie by tam z piekła wyrzucili!...

Ale wnet pomiarkował, że plecie od rzeczy i sam na siebie zły wyrok wydaje. Bo jeżeli go z piekła nie wyrzucą, to będzie w nim siedział, będzie gotował się w smole...

– Za co?... – mruknął starzec. – Cóżem ja komu w i n i e n?...

Sumienie jednak musiało mu coś wyrzucać, wnet bowiem poprawił się:

– Naturalnie, żem nic nikomu nie w i n i e n... Jak żyję, nie pożyczałem pieniędzy od nikogo!...

Ale i ten wykręt nie zaspokoił go.

---

[7] *listy zastawne* – papiery wartościowe, wystawiane przez instytucje kredytowe, zwykle dobrze oprocentowane.

[8] *wziąć w antrepryzę* – podjąć się dostawy lub robót.

Pan Łukasz był jakoś dziwnie rozstrojony. Asfalt pachniał coraz mocniej, a jego bolała głowa coraz gwałtowniej. Nie mógł opędzić się myśli o losie adwokata Kryspina, który już umarł, choć miał dopiero lat sześćdziesiąt – i umarł nagle...

A ten piękny komplet preferansistów, grających o liczmany, jakże prędko rozproszył się! Jeden sędzia umarł na apopleksję[9], mając lat pięćdziesiąt osiem. Drugi na suchoty – w pięćdziesiątym roku życia. Trzeci spadł ze schodów. Prokurator bodaj czy się sam nie otruł, a teraz przyszła kolej na adwokata...

Przy siedemdziesięcioletnim panu Łukaszu wszyscy oni byli młodzikami i pomimo to zeszli ze świata. Tam za grobem zebrało się już całe kółko preferansistów – i jeżeli nie grają jeszcze, to tylko z tego powodu, że on się jeszcze nie stawił.

– Brrr!... jakże mi zimno! – mruknął pan Łukasz. – A jeszcze ten asfalt... O, to byłby interes, gdyby mnie dym asfaltowy umorzył teraz, zaraz!... A tu proces nie rozstrzygnięty, stolarz nie zlicytowany, lokale nie wynajęte, mularz może wykraść swoje naczynia... A stróż, ten, gdybym już nie wstał, zrewiduje moje zwłoki i zabierze mi spod kaftanika trzydzieści tysięcy rubli. A ja nie będę go mógł nawet zaskarżyć!... Czy to być może, abym ja przeżył siedemdziesiąt lat? Wydaje mi się, że dzieciństwo, szkoły, biuro, preferans, że wszystko to odbyło się wczoraj. Ale kłopoty, procesy, samotność jakże długo ciągnęły się!...

Strach ogarnął pana Łukasza. On nigdy jeszcze tak poważnie nie myślał o życiu, nigdy nie zastanawiał się nad nim, tylko zbierał i gromadził, co mu wpadło pod rękę.

– Ej, czy te nowe, niesłychane myśli nie oznaczają bliskiego końca?...

Pan Łukasz chciał zerwać się, ale nogi odmówiły mu posłuszeństwa. Chciał zrzucić szalik z głowy, ale stracił władzę w rękach. W końcu chciał oczy otworzyć... Na próżno!...

– Umarłem! – westchnął czując, że mu i usta zdrętwiały.

Gdy panu Łukaszowi wróciła przytomność, nie leżał już na swym łóżku, ale stał w jakiejś dużej sieni przed żelaznymi drzwiami. Sień była sklepiona i miała ceglaną posadzkę. Przy drzwiach siedział ogromny zamek, przez którego dziurkę dokładnie widzieć można było sąsiednie mieszkanie.

Pan Łukasz zajrzał.

Miejsce akcji – obraz piekła

Zobaczył dwie sale, jedna za drugą. W pierwszej ktoś, bardzo podobny do adwokata Kryspina, czytał wielki zeszyt sądowych aktów. W drugiej sali był stół zielonym suknem przykryty i kilka prostych foteli obitych czarną skórą. W głębi, przy szafach zapełnionych aktami, czterej mężczyźni zdejmowali ubrania cywilne i wkładali zbyt ciasne albo zbyt obszerne, a w każdym razie mocno wyszarzane mundury ze złoconymi guzikami i haftem na kołnierzach.

Pan Łukasz zaniepokoił się. Ci czterej byli mu dobrze znani. Jeden z nich, kulawy, z bliznami na twarzy, bardzo przypominał sędziego, który stracił życie spadłszy ze schodów. Ten drugi, tłusty, z krótką szyją i siną twarzą, był niesłychanie podobny do sędziego zmarłego na apopleksję. Trzeci, chudy jak laska cynamonu, czysty szkielet

---

[9] *apopleksja* – wylew krwi do mózgu.

kaszlący – to sędzia, co umarł na suchoty. A czwarty – to prokurator, prokurator we własnej osobie, który ze wszystkimi kłócił się przy preferansie, wiecznie chorował na wątrobę i pod wpływem hipochondrii[10] połknął strychniny!...
Co to znaczy?... Czyżby pan Łukasz spał i marzył?...
Starzec uszczypnął się i teraz dopiero spostrzegł, że zamiast szlafroka ma na sobie długi czarny surdut watowany. Coś go ukłuło w brodę. To kołnierzyk, tak mocno wykrochmalony, że w życiu podobnego nie nosił. Uczuł w końcu, że nogi go trochę pieką. Spojrzał. Ależ on ma nowe buty!... Nowe i ciasne!
Nieograniczone zdumienie ogarnęło pana Łukasza. Starzec przestał rozumować, stracił pamięć, a nawet, co gorsze, obecność czterech zmarłych towarzyszów preferansa począł uważać za rzecz bardzo naturalną.
W takim nastroju ducha przycisnął wielką klamkę. Ciężkie drzwi odsunęły się i pan Łukasz wszedł do sali, sklepionej podobnie jak sień i przypominającej izby klasztorne albo hipoteczne.
W tej chwili jegomość czytający akta odwrócił się od pulpitu i pan Łukasz poznał w nim adwokata Kryspina. Prawnik zdawał się być nieco potłuczony, miał jednak cerę zdrową i minę dość swobodną.
– Więc ty żyjesz, Kryspinie? – zawołał pan Łukasz ściskając przyjaciela za rękę.
Adwokat spojrzał na niego badawczo.
– Twój dependent – mówił dalej Łukasz – napisał mi, że się pociąg z tobą rozbił...
– No tak.
– I domyślał się, że jesteś zabity...
– No tak – odparł adwokat obojętnie.
Pan Łukasz zawahał się, jakby nie dowierzając swoim organom akustycznym.
– Jakże – pytał – więc w tej katastrofie kolejowej t y zostałeś zabitym?...
– Rozumie się.
– Na śmierć?...
– Rozumie się! – odparł zniecierpliwiony adwokat. – Przecież kiedy ci sam mówię, że zostałem zabity na śmierć, to już musi być prawda.
Pan Łukasz zamyślił się. Według ziemskiej logiki to, co mówił jego przyjaciel, nazywało się nie „prawdą", lecz „niedorzecznością". W tej chwili jednak starzec uczuł w swojej głowie przebłyski jakiejś nowej logiki – więc adwokat, mówiący o swej śmierci w czasie przeszłym, wydał mu się zjawiskiem jeżeli nie zwykłym, to przynajmniej możliwym.
– Powiedzże mi, mój Kryspinie – rzekł Łukasz – powiedzże mi, a... pieniędzy nie ukradli ci?
– Bynajmniej, leżą nawet w tej sali.
I to powiedziawszy adwokat wskazał na jedną półkę, gdzie między stosem makulatury walały się listy zastawne.
Pan Łukasz oburzył się.
– Któż znowu tak robi, mój Kryspinie? Mogą ci jeszcze zginąć!... – zawołał.

---

[10] *hipochondria* – chorobliwa skłonność do doszukiwania się u siebie chorób lub wyolbrzymiania już istniejących.

– A cóż mnie to obchodzi? Listy zastawne nie mają tu żadnej wartości.

– Tylko złoto? – pochwycił Łukasz.

– Ani złoto. Bo i co nam po nim? Wikt mamy darmo, mieszkanie darmo, odzienie nie niszczy się, a w preferansa grywamy o grzechy powszednie.

Pan Łukasz nie rozumiał tego, co słyszy, ale też przestał się dziwić.

– Swoją drogą – rzekł do Kryspina – złoto nawet w tych warunkach ma swoje powaby. Posiada ono blask, dźwięk...

Adwokat zbliżył się do ściany i otworzył małe żelazne drzwiczki. W tej chwili Łukasz zobaczył straszliwy blask, buchający jakby z pieca, gdzie topi się stal, usłyszał okrutne jęki tysiąca głosów i brzęk łańcuchów.

Pan Łukasz zamknął oczy i zatkał uszy. Nigdy jeszcze nerwów jego nie wstrząsnęły równie silne wrażenia.

Adwokat zatrzasnął drzwiczki i rzekł:

– To ma lepszy dźwięk i blask aniżeli złoto. Prawda?

– Tak – odparł uspokojony Łukasz – ale złoto ma wagę i trwałość.

Kryspin przez chwilę milczał smutnie.

– Łukaszu – rzekł nagle – podaj no mi moją rękawiczkę. Ona leży na tym pulpicie.

Łukasz schwycił prędko czarną rękawiczkę zwyczajnych rozmiarów, lecz w tej chwili rzucił ją na ziemię. I – niesłychana rzecz! – drobny ten przedmiot upadł z łoskotem kilkusetfuntowej bryły żelaza.

– Co to znaczy? – zapytał przerażony.

– To, widzisz, jest materiał, z którego mamy odzienie. Krawat i rękawiczki ważą po pięćset funtów, buty po dwa tysiące funtów, surdut około stu tysięcy funtów i tak dalej!... Mamy zatem dosyć owej wagi, która ci się tak podoba w złocie.

Powiedzieliśmy, że pan Łukasz od chwili wejścia do tej sali nie dziwił się niczemu, tylko nic nie rozumiał. Obecnie począł nawet coś rozumieć, stopniowo coraz jaśniej, ale uczuł zarazem strach, z początku mały, potem większy, a nareszcie dosyć wielki. Aby więc rozproszyć swoje wątpliwości, a z nimi obawy, zapytał po cichu adwokata ścisnąwszy go czule za rękę:

– Kochany Kryspinie! powiedz mi, gdzie... niby gdzie... ja jestem?

Adwokat wzruszył ramionami.

– Czy jeszcze nie domyśliłeś się, że jesteś za grobem, tam gdzie zmarli zamieniają żywot doczesny na wieczny?

Pan Łukasz otarł pot z czoła.

– Nieszczęście! – zawołał – a toć ja zostawiłem dom i mieszkanie bez nadzoru...

W sąsiedniej sali rozległ się głos dzwonka.

– Kto tam jest? – zapytał nagle Łukasz.

– Nasi preferansowi towarzysze: sędziowie i prokurator.

– Więc możemy zrobić pulkę? – rzekł nieco weselej Łukasz. – Widziałem tam nawet stół...

Kryspin jednak był mniej wesoły.

– Mu tu robimy pulki – odparł – ale z tobą musimy naprzód załatwić czynność urzędową. Dowiedz się, że tamci panowie tworzą sąd szczegółowy, który zbada całe twoje życie i zakwalifikuje cię do pewnej kategorii piekła. Ja jestem twoim adwokatem, rozpatrzyłem się w aktach i obawiam się, czy będziesz mógł zasiąść z nami do puli!...

Gdyby teraz pan Łukasz miał przed sobą lustro, przekonałby się, że istotnie jest trupem – tak zmizerniał wysłuchawszy adwokata.

– Kryspinie! – rzekł nieszczęśliwy drżąc całym ciałem – więc wy jesteście w piekle?

– Bah!...

– I ja mam być w piekle?...

– Och!... – mruknął adwokat, jakby zdziwiony pytaniem.

– A jakimże prawem wy mnie sądzicie?

– Tu, widzisz, jest taki zwyczaj, że hultaje sądzą hultajów – odparł Kryspin.

– Mój kochany – rzekł Łukasz składając ręce – więc kiedy tak, to osądźcież mnie do tego oddziału, w którym sami bawicie!...

– My tylko tego pragniemy – odpowiedział adwokat – ale...

– Co ale?... Jakie ale?...

– Musisz dowieść sądowi, że w ciągu życia spełniłeś choć jeden czyn... bezinteresownie.

– Jeden? – zawołał pan Łukasz. – Chyba sto, tysiąc... Ja całe życie postępowałem tylko bezinteresownie.

Kryspin z powątpiewaniem pokiwał głową.

Mój Łukaszu – rzekł – ja z twoich aktów bynajmniej nie widzę tego. Gdybyś, jak mówisz, całe życie postępował bezinteresownie, to nie dostałbyś się do naszego towarzystwa, które w czwartym departamencie piekła tworzy ósmą sekcją jedenastego oddziału.

W sąsiednim pokoju odezwał się dzwonek po raz drugi.

Jednocześnie Łukasz usłyszał gruby głos sędziego, który zmarł na apopleksją:

– Czy nowo przybyły już gotów?

– Chodźmy! – rzekł adwokat biorąc Łukasza pod rękę.

Weszli. Sąd siedział w komplecie, ale żaden z jego członków nawet kiwnięciem głowy nie powitał Łukasza. Starzec obrzucił okiem salę. W dużych szafach leżały akta opatrzone nazwiskami. Łukasz naprędce odczytał niektóre i ze zdumieniem przekonał się, że są to nazwiska dobrze znanych mu właścicieli kamienic w Warszawie. Na jednych półkach spoczywały dokumenta samych preferansistów, na innych – samych wiściarzy, gdzie indziej takich, którzy grywali tylko w bezika...

Nad szafami widać było gęstą pajęczynę, pająki z twarzami sławnych lichwiarzy, które zajmowały się udręczaniem much. W tych biednych owadach pan Łukasz poznał najznakomitszych współczesnych rozrzutników.

Sala ta znajdowała się pod dozorem jednego z eks-urzędników cyrkułowych, który grzeszył braniem łapówek, a umarł z pijaństwa.

Prokurator zabrał głos.

– Dostojni sędziowie! – rzekł wskazując na Łukasza. – Ten oto człowiek, jak wam z odnośnych dokumentów wiadomo, przez ciąg siedemdziesięciu lat spędzonych na ziemi nikomu nie zrobił nic dobrego, a wielu krzywdził. Za takie postępowanie wyrokiem wyższej instancji zakwalifikowany został do jedenastego oddziału w czwartym departamencie piekła. Obecnie zaś chodzi o to tylko, czy ma być przyjęty do naszej sekcji, czy do innej, a może... posłany gdzie dalej. Zależy to od jego osobistych zeznań i dalszego postępowania. Czy adwokat obwinionego ma co do powiedzenia?

Pan Łukasz spostrzegł, że już w połowie prokuratorskiej mowy wszyscy sędziowie twardo zasnęli. Nie dziwiło go to jednak, gdyż jako zapamiętały procesowicz, bardzo często bywał na sądach tam – na ziemi.

Nigdy jeszcze pan Kryspin nie okazał tyle adwokackich przymiotów, co przy obronie dzisiejszej. Gmatwał sprawę, kręcił i kłamał tak znakomicie, że aż w zakratowanych oknach sali ukazały się zdziwione twarze diabłów. Ale sędziowie drzemali niewzruszeni, wiedząc, że nawet w piekle nie warto słuchać dowodzeń nie mających praktycznego gruntu.

Nareszcie adwokat upamiętał się i zawołał:

– A teraz, dostojni sędziowie, zacytuję wam jedną tylko, ale niezbitą prawdę na obronę mojego klienta. Oto... był on preferansistą, jakich mało.

– Prawda! – szepnęli rozbudzeni sędziowie.

– Mógł grać całą noc i nigdy się nie irytował.

– Prawda!...

– Skończyłem, panowie! – rzekł adwokat.

– I zrobiłeś pan bardzo dobrze – odezwał się prokurator. – A teraz zechciej nam wymienić jeden, jedyny czyn, który by obwiniony spełnił w życiu bezinteresownie. Inaczej, jak panu wiadomo, grzesznik ten nie może zostać przyjęty do naszej sekcji.

– A tak świetnie p o m a g a ł!... – szepnął sędzia, który zmarł skutkiem upadku ze schodów.

Wymowny adwokat umilkł i zagłębił się w rozpatrywaniu dokumentów. Widocznie nie miał już nic do powiedzenia.

Stan sprawy Łukasza był tak smutny, że wzruszył nawet prokuratora.

– Obwiniony! – zawołał oskarżyciel. – Czy nie przypominasz sobie choć jednego bezinteresownego czynu w życiu, byle dobrego?...

– Sędziowie! – rzekł pan Łukasz z głębokim ukłonem. – Kazałem przed domem wylać chodnik asfaltowy...

Komizm sytuacji

– Za który na dwa tygodnie pierwej podniosłeś komorne lokatorom – przerwał mu prokurator.

– Odnowiłem wygódkę!...

– Tak! ponieważ zmusiła cię do tego policja.

Łukasz pomyślał.

– Ożeniłem się!... – rzekł po chwili.

Ale prokurator tylko machnął ręką i surowo zapytał:

– Czy już nic więcej nie masz do powiedzenia?

– Panowie sędziowie! – zawołał Łukasz bardzo już przestraszony. – Ja wiele w życiu moim spełniłem czynów bezinteresownych, ale jestem stary... pamięć mi nie dopisuje...

Teraz adwokat zerwał się, jakby go pokropiono święconą wodą.

– Sędziowie! – rzekł – obwiniony ma rację. Poszukawszy znalazłby niewątpliwie w życiu swym niejeden czyn piękny, bezinteresowny, szlachetny, ale i cóż, kiedy go pamięć opuściła... Dlatego proszę, a nawet domagam się, ażeby sąd, ze względu na wiek i przestrach obwinionego, nie ograniczał się na jego zeznaniach, lecz... poddał go próbom, które w całym blasku okażą wszystkie wzniosłe jego przymioty...

Zgodzono się na projekt i sąd począł naradzać się nad rodzajem próby. Pan Łukasz tymczasem odwrócił głowę i spostrzegł za sobą jakąś nową figurę. Był to niby woźny sądowy, ale z miną tego pokątnego doradcy, który miał na ziemi słynny proces o kradzież, oszustwo i przywłaszczenie sobie tytułów.

– Zdaje mi się, że mam przyjemność znać pana dobrodzieja? – rzekł Łukasz wyciągając do woźnego rękę.

Woźnemu oczy zaiskrzyły się i już chciał schwycić rękę Łukasza, gdy nagle pan Kryspin odtrącił go mówiąc:

– Dajże pokój, Łukaszu!... Toż to diabeł... Dopiero byś dobrze wyszedł, gdyby cię raz złapał!...

Pan Łukasz bardzo się zmieszał, począł uważniej oglądać tę nową figurę, a nareszcie szepnął do adwokata:

– Jak też ludzie we wszystkim przesadzają! Mówiono mi zawsze, że diabeł ma rogi tak wielkie jak stary kozioł, a ten przecie nie ma większych niż młode cielę. Ledwie mu guzy znać...

W tej chwili sąd przywołał do siebie adwokata. Prezydujący szepnął mu coś i wnet potem Kryspin rzekł głośno do Łukasza:

– Czy zrobiłeś kiedy w życiu jaką ofiarę, na przykład na cel dobroczynny? Łukasz zawahał się.

– Niedobrze pamiętam – odparł – mam już lat siedemdziesiąt...

– A czy nie miałbyś ochoty teraz zrobić podobnej ofiary? – pytał adwokat i znacząco mrugnął.

Pan Łukasz wcale nie miał ochoty, ale spostrzegłszy owo mrugnięcie zgodził się. Podano mu papier i pióro, a pan Kryspin rzekł:

– Napisz deklarację, tak jakbyś ją pisał do „Kuriera".

Pan Łukasz usiadł, pomyślał, napisał i oddał kartkę.

Prokurator czytał:

– „Od Łukasza X, właściciela domu... na ulicy... pod numerem... rubli srebrem trzy (rs 3) składa się na cel dobroczynny. Tamże znajdują się narzędzia mularskie do sprzedania tudzież różne lokale do wynajęcia po cenach umiarkowanych."

| Pan Łukasz – skąpstwo |

Usłyszawszy taką deklarację sąd osłupiał, adwokat przygryzł wargi, a diabeł aż się za boki brał ze śmiechu.

– Obwiniony! – krzyknął prokurator. – Tyś napisał reklamę dla swego domu, ale nie deklarację. Kto robi ofiarę na cel dobroczynny i robi ją b e z i n t e r e s o w n i e, ten nie może jednocześnie załatwiać spraw majątkowych.

Po tej nauce podano Łukaszowi inny papier. Nieszczęśliwy, drżąc z trwogi, usiadł i napisał:

„Od nieznajomego dla ubogich kopiejek... piętnaście."

Ale wnet przemazał wyraz p i ę t n a ś c i e i napisał p i ę ć.

Sąd odczytał deklaracją, sędziowie pokiwali głowami, ale zgodzili się, że jak dla Łukasza, to i taka ofiara, byle bezinteresowna, wystarczy.

Wtem odezwał się diabeł:

– To w jakim celu dałeś pan, panie Łukaszu, te pięć kopiejek na ubogich?...

– Za zbawienie grzesznej duszy mojej, panie dobrodzieju! – odparł Łukasz.

Diabeł znowu wybuchnął śmiechem, sędzia prezydujący uderzył pięścią w stół, a adwokat począł rwać sobie włosy.

– Ach, ty stary ośle! – zawołał Kryspin na pana Łukasza. – Słyszałeś przecie, że masz zrobić ofiarę b e z i n t e r e s o w n ą, a więc ani na ogłoszenie o lokalach, ani nawet za zbawienie duszy!... Ale ty widać taki jesteś chciwy, że pięciu kopiejek nie możesz poświęcić dla biednych bez żądania nagrody, i jeszcze takiej jak zbawienie!...

Teraz sędziowie powstali ze swych miejsc. W ich groźnych i smutnych spojrzeniach pan Łukasz czytał dla siebie jakiś straszny wyrok.

– Woźny! – rzekł prezydujący – wyprowadź obwinionego do ostatniego kręgu piekła!

Ale diabeł machnął ręką.

– A nam co po takim pensjonarzu – rzekł – który własną duszę ocenia tylko na pięć kopiejek?

– Cóż my z nim zrobimy? – spytał prokurator.

– Co się panom podoba! – odparł diabeł, pogardliwie wzruszając ramionami.

– Więc zróbmy jeszcze jedną próbę – pochwycił adwokat.

I zbliżywszy się do prezydującego, coś z nim poszeptał.

Prezydujący naradził się z innymi sędziami i rzekł:

– Obwiniony! Między nami pozostać nie możesz, diabeł przyjąć cię nie chce, boś sam za nisko otaksował swoją duszę. Skazujemy cię więc na ostatnią próbę. Oto dusza twoja wejdzie w ten stary pantofel, który przed kilkoma dniami wyrzuciłeś na śmietnik... Dixi!

Pan Łukasz zdań o duszy słuchał obojętnie, ale gdy wspomniano o pantoflu, zainteresował się.

W tej chwili diabeł z lekka popchnął go ku zakratowanemu oknu sali sądowej; starzec wyjrzał i – o dziwy!...

...Zobaczył podwórko swojej kamienicy, okno swego mieszkania (po którym ktoś obecnie chodził), nareszcie śmietnik, a na jego szczycie swój pantofel.

– Ej! – mruknął – czy ja się tylko nie pośpieszyłem z wyrzuceniem jego?... Chociaż za dużo kosztowały reparacje...

Na podwórku ukazała się żebraczka, nędzna, obdarta. Jedną nogę miała owiniętą w brudne łachmany i mocno kulała.

Rozejrzała się po oknach, widocznie z zamiarem proszenia o jałmużnę. Ale że jakoś nikt nie wyglądał, więc zwróciła się ku śmietnikowi myśląc, że choć tam co znajdzie.

Spostrzegła pantofel Łukasza.

Z początku wydał się jej bardzo zły. Że jednak nie było nic lepszego od ręką, a chora noga widać bardzo jej dokuczała, więc... wzięła pantofel.

Pan Łukasz nie przeoczył ani jednego ruchu z tej sceny. Gdy zaś zobaczył, że uboga bierze pantofel i wychodzi z nim z podwórka, zawołał:

Komizm sytuacji

– Hej! hej! kobiecino, to mój pantofel!...

Żebraczka obejrzała się i odparła:

– A cóż wielmożnemu panu po takim łachu?

– Łach czy nie łach, ale zawsze on mój. Darmo go brać nie wypada, bo to wygląda na kradzież. Więc jeżeli nie chcecie mieć grzechu, to... zmówcie paciorek za duszę Łukasza!...

– Dobrze, panie! – rzekła baba i poczęła mruczeć pacierze.

„Jednakże ten pantofel miał jeszcze wielką wartość!" – pomyślał Łukasz.

A potem dodał głośno:

– Kobieto! kobieto!... Kiedy już wam darowałem takie obuwie, to zobaczcie przynajmniej, kto tam chodzi po moim mieszkaniu...

– Dobrze, panie! – odparła baba i poszła na górę ciężko utykając.

Po upływie kilku minut wróciła i rzekła:

– Nie wiem, panie, kto chodzi, bo mi drzwi nie chcieli otworzyć!... Niech będzie pochwalony...

Zabierała się do odejścia, ale pan Łukasz jeszcze nie dał jej spokoju.

– Matko! matko!... – zawołał. – Za taki porządny pantofel moglibyście sprowadzić mi tu stróża.

– A gdzie on jest? – spytała baba.

– Pewnie na ulicy, tam gdzie robią chodnik.

– Tam go nie ma, widziałam przecie.

– To może poszedł po wodę koło Zygmunta. Sprowadźcie go, jakeście poczciwi!...

– Mam lecieć do Zygmunta za ten pantofel? – zapytała baba.

– Rozumie się! – odparł pan Łukasz. – Przecie nie darmo.

Baba, choć nędzna, oburzyła się.

– O ty kutwo! – krzyknęła – a weźże sobie ten łach do piekła...

I rzuciła pantofel z taką siłą, że przeleciał przez kratę, świsnął nad głową panu Łukaszowi i upadł na stół okryty zielonym suknem.

Pan Łukasz obejrzał się.

Za nim stał sąd w całym komplecie, a zgryźliwy prokurator zobaczywszy pantofel na stole rzekł:

– Oto *corpus delicti*[11], materialny dowód nieograniczonej chciwości tego niegodziwca Łukasza.

A potem zwracając się do adwokata i stojącego za nim diabła dodał:

– Róbcie z obwinionym, co chcecie. Nam już go ani sądzić, ani skazywać nie wypada!

Dostojnicy zmienili swoje urzędowe uniformy na cywilną odzież, w której ich pochowano, i wyszli nie patrząc nawet na Łukasza. Tylko sędzia, który umarł na apopleksją i zawsze był prędki, przestąpiwszy próg sali plunął ze wzgardą.

---

[11] *corpus delicti* (łac.) – dowód rzeczowy.

Diabeł śmiał się jak opętany, a adwokat Kryspin o mało nie rzucił się z pięściami na Łukasza.

– O, ty egoisto! chciwcze!... – zawołał. – Zaklęliśmy duszę twoją w ten stary pantofel myśląc, że choć w takiej powłoce odda ona komu usługę bezinteresowną. I stało się to, czegośmy pragnęli: żebraczka znalazła pantofel, miałaby choć na godzinę pożytek z niego, a ty spełniłbyś mimo woli czyn moralny. Ale gdzie tam!... Chciwość twoja jest tak wielka, żeś wszystko zepsuł... Nawet zgubiłeś na wieki pantofel, który, raz ożywiony przez taką nędzną duszę, musi obecnie iść do ostatniego kręgu piekła!...

Rzeczywiście diabeł zdjął pantofel ze stołu i rzucił go w luft, z którego wylatywały straszne płomienie, skąd rozlegały się jęki i brzęk łańcuchów.

– A co z nim zrobisz?... – zapytał diabła adwokat wskazując na Łukasza nogą.

– Z tym egzemplarzem?... – odparł diabeł. – Wyrzucę go z piekła, ażeby nas nie kompromitował!... Niech wraca na ziemię, niech na wieki wieków dusi swoje listy zastawne i banknoty, niech trzyma kamienicę, niech licytuje biednych lokatorów i krzywdzi własne dzieci. Tu zagnoiłby piekło swoją wstrętną osobą, a tam krzywdząc ludzi może nam oddać usługi.

Pana Łukasza, gdy słuchał tego, opanowały myśli ponure.

– Za pozwoleniem! – spytał – więc gdzież ja ostatecznie będę?

– Nigdzie! – odparł z gniewem adwokat. – O niebie ani czyśćcu sam chyba nie myślisz, a z piekła, pomimo całej naszej protekcji, wyrzucają cię. No – dodał – bywaj zdrów i złam kark!...

I ażeby nie podać ręki panu Łukaszowi, schował obie ręce do kieszeni i wyszedł.

Pan Łukasz stał osłupiały i stałby tak przez całą wieczność, gdyby diabeł nie wykrzyknął potrąciwszy go obcasem:

– Ruszaj, stary!...

Wyszli z gmachu sądowego na ulicę i biegli prędko, zgraja bowiem uliczników piekielnych, zobaczywszy ich, poczęła wrzeszczeć:

– Patrzcie! patrzcie!... tego kutwę Łukasza wyprowadzają ciupasem[12] z piekła...

Diabeł o mało nie spłonął ze wstydu, że musi towarzyszyć podobnemu nędznikowi, ale pan Łukasz, widocznie całkiem już pozbawiony ambicji, zachował zimną krew i zamiast opłakiwać swoją hańbę oglądał się po piekle. Diabeł aż pluł ze złości i udając, że go bolą zęby, podwiązał sobie twarz kolorową chustką od nosa, ażeby go nie poznano.

Ponieważ szli bardzo prędko, pan Łukasz zatem widział niewiele. Zdawało mu się jednak, że piekło jest dość podobne do Warszawy i że kary, trapiące grzeszników, są raczej dalszym ciągiem ich żywota aniżeli jakimiś wymyślnymi mękami.

Miejsce akcji – piekło: zestawienie z wyglądem Warszawy

W przelocie zauważył, że zarząd miejski po całych dniach jeździ drabiniastymi wozami po piekielnych brukach, nie lepszych od warszawskich. W oknie jednej z księgarń spostrzegł broszurę pt. *O zastosowaniu asfaltu do mąk piekielnych i o jego wyższości nad zwyczajną smołą*, co mu się bardzo podobało,

---

[12] *ciupasem* – pod zbrojnym dozorem, przymusowo.

wnioskował bowiem, że przedsiębiorstwo asfaltowe razem ze swoim żywym i martwym inwentarzem dostało się tam, gdzie je pan Łukasz w gniewie wysłał.

Spotkał tu młodych lewków warszawskich, którzy mieli zwyczaj zaczepiać kobiety na ulicach. Za karę dano im haremy złożone z ofiar ich dzikiej namiętności. Tylko każda huryska miała pełnych osiemdziesiąt lat, głowę łysą, zęby wprawiane, była chuda jak szkielet, trzęsła się jak żelatyna i okazywała niepojętą zazdrość tudzież pretensją do nieustannych hołdów.

W ratuszu kilkanaście komitetów naradzało się nad kanalizacją, oczyszczeniem miasta, drożyzną mięsa i tym podobnymi kwestiami. Ponieważ co dzień gadano o jednym i tym samym bez dalszych skutków, więc członkowie szanownych zebrań z nudów i rozpaczy aż wyskakiwali oknami na bruk i rozbijali się na miazgę jak dojrzałe kawony. Na nieszczęście, za każdym razem zbierano ich pogruchotane szczątki, jako tako sklejano i znowu posyłano do sali obrad.

Widział także pan Łukasz cierpienia literatów.

Redaktorowie pism przez całą wieczność dmuchali w olbrzymie samowary obejmujące od kilku do kilkunastu tysięcy szklanek wody, na próżno usiłując doprowadzić ją do stanu wrzenia. Pracowali niezmiernie, aż do skołowacenia, lecz woda wciąż była letnia. W końcu poczęła nawet cuchnąć, ale pozostała letnią.

Nie mniejszą mękę cierpieli recenzenci teatralni, którzy z mocy wyższych wyroków zamienili się na baletników, śpiewaków, aktorów, grywali sztuki po dwa razy na dzień i musieli czytywać swoje własne recenzje, pisywane niegdyś o innych, a dziś zastosowane do siebie. Co gorsze, że publiczność wierząca w drukowane słowo, nie licząc się z trudnościami ich stanowiska, nieograniczenie ufała ich recenzjom i bardzo znęcała się nad autorami-aktorami.

Tylko twórcy popularno-ekonomicznych broszur nie cierpieli żadnych mąk, ponieważ ich prace literackie dawano do studiowania najzakamienialszym grzesznikom. Czytając je, nieszczęśni wyrywali sobie włosy, kąsali własne ciało i strasznie przeklinali swoich katów. Skutkiem tego popularni ekonomiści cieszyli się w piekle dość znacznym rozgłosem.

Wszystko to widział pan Łukasz szybko przebiegając ulice Erebu w towarzystwie gromady małoletnich urwisów, którzy krzyczeli:

– Patrzcie! patrzcie!... Oto jest Łukasz, kamienicznik warszawski, którego z piekła wyprowadzają ciupasem!...

Nareszcie diabeł konwojujący Łukasza nie mógł już dłużej wytrzymać. Nigdy jeszcze jego cierpliwej dumy nie wystawiono na podobne szykany. Stracił zimną krew i schwycił Łukasza za kołnierz...

Na pół umarły z trwogi egoista uczuł tak silne kopnięcie w miejsce położone między piętami i karkiem, że wyleciał w powietrze z prędkością kuli armatniej.

Nie mógł prawie tchu złapać.

Silny ból otrzeźwił pana Łukasza.

Kiedy otworzył oczy, przekonał się, że leży na podłodze, przy łóżku. Szlafrok miał rozrzucony, jakby skutkiem gwałtownych ruchów, a szalik spadł mu z głowy i zwiesił się z poduszki.

Starzec dźwignął się z trudnością. Rozejrzał się. To jego własne łóżko, jego mieszkanie i jego szlafrok. Te same sprzęty i ten sam zapach asfaltu, którym wylewają chodnik przed domem.

Rzucił okiem na zegar. Szósta – i mrok już zapełnia pokój. Jest więc szósta wieczór. Ostatnia zaś godzina, jaką słyszał, była trzecia.

Co robił od trzeciej do szóstej?

Chyba spał...

Tak jest, niezawodnie spał, ale jakież przykre sny go dręczyły!...

Sny?

Jużci, chyba że sny... Niezawodnie, że sny!... Piekło, jeżeli istnieje, musi wyglądać całkiem inaczej, a jego towarzysze preferansowi nie pełnią tam prawdopodobnie obowiązku sędziów.

W każdym jednak razie sen ów był dziwny, dziwnie jasny, jakby proroczy, i głęboko wyrył się w umyśle pana Łukasza.

Ale czy to był sen?... Jeżeli sen, to w takim razie dlaczego pan Łukasz doświadcza w okolicy krzyża tępego bólu, jakby od uderzenia diabelskim kolanem?...

– Sen?... Nie sen!... Sen!... Nie sen!... – powtarzał sobie starzec i dla ostatecznego sprawdzenia swoich wątpliwości powlókł się do okna, włożył okulary i uważnie począł przypatrywać się śmietnikowi.

Widział tam słomę, papiery, skorupy, ale między nimi pantofla nie było...

Gdzież pantofel?... Rozumie się, że w piekle!

Pana Łukasza ciarki przebiegły. Otworzył lufcik i krzyknął do zamiatającego stróża:

– Józef! A gdzie podział się ze śmietnika mój pantofel?

– A podniosła go jakaś baba – odparł stróż.

– Cóż to za baba? – pytał starzec coraz bardziej zatrwożony.

– Jakaś biedna wariatka. Wciąż gadała do siebie, modliła się za dusze zmarłe i nawet kołatała do pańskiego mieszkania – mówił stróż.

Panu Łukaszowi robiło się na przemian zimno i gorąco, ale pytał dalej:

– Jakże ona wyglądała? Poznałbyś ją?...

– Co bym nie miał poznać. Miała jedną nogę owiniętą w gałgan i bardzo kulała.

Pan Łukasz zaczął zębami szczękać.

– I czy ona wzięła ze sobą pantofel?

– Z początku wzięła – mówił stróż – ale potem zaczęła kogoś kląć i tak gdzieś rzuciła pantofliskiem, że go znaleźć nie można. Jakby się w piekło zapadł!... Choć, co prawda, nie ma czego żałować, bo już był wielki gałgan...

Ale pan Łukasz nie słuchał końca mowy Józefa. Gwałtownie zamknął lufcik i prawie bez sił padł na starą kanapę mrucząc:

– Więc to nie był sen?... To była rzeczywistość!... Więc istotnie wypędzono mnie nawet z piekła!...

Odtąd – szeptał dalej – do końca świata będę żył w tej kamienicy, między tymi gratami, nosząc na piersiach listy zastawne, które t a m... nie mają żadnej wartości...

I co mi po tym?...

Pierwszy raz w życiu pan Łukasz zadał sobie pytanie: c o m u p o t y m? Co mu po tej kamienicy, w której nie ma wygody? po sprzętach i gratach, próchniejących w natłoku? nareszcie co po pieniądzach, za które nigdy nic nie użył i które nic nie znaczą wobec wieczności? A wieczność już się zaczęła dla niego!... Wieczność jednostajna i strasznie nudna, bez zmian, nadziei, a nawet niepokojów. Za rok, za sto i za tysiąc lat pan Łukasz będzie nosił na piersiach listy zastawne, a skryte szuflady biurek będzie napełniał bankocetlami[13], srebrem i złotem, o ile takowe wpadnie mu kiedy do rąk. Za sto i za tysiąc lat będzie posiadał swoją ponurą kamienicę i będzie się procesował o nią naprzód z własną córką i zięciem, potem z ich dziećmi, później z wnukami i prawnukami. Nigdy już w miłym towarzystwie przyjaciół nie usiądzie do preferansa, ale za to wiecznie będzie patrzył na te sprzęty, chaotycznie ustawione i kurzem pokryte, na sczerniałe obrazy, na podartą kanapę, na swój szlafrok rozsypujący się i zatłuszczony i... na ten szaflik z mularskimi narzędziami.

> **Pan Łukasz – przemiana**

O czym pomyślał, na co spojrzał, wszystko przypominało mu karę wieczną, straszną tym, że była niezmienna, nieruchoma, jakby skamieniała. Takie życie, jakie on dzisiaj prowadzi, można wyczerpać w jednym dniu, a znudzić się nim za tydzień. Ale pędzić je przez wieki wieków – to już okrutna męczarnia!

Zdawało mu się, że paka listów zastawnych pali mu piersi. Wyjął więc je spod kaftanika i rzucił do komody. Ale i tam nie dawały mu pokoju.

– Co mi po nich? – szeptał. – Mam je i straszna rzecz! nie uwolnię się od nich nigdy...

W tej chwili zapukano do drzwi.

Wbrew zwyczajowi, pan Łukasz, nie uchylając lufcika, otworzył – i zobaczył mularza.

– Zlituj się wielmożny pan – błagał mularz trzymając pokornie czapkę w rękach – i oddaj mi moje statki. Ja tam procesować się z panem nie będę, bom ubogi. Bez statków roboty nie dostanę, a na kupienie nowych nie mam pieniędzy...

– A weź sobie twoje statki, tylko je prędko wynoś! – krzyknął pan Łukasz kontent, że pozbędzie się choć szaflika.

Istotnie mularz bardzo prędko wyniósł statki do sieni, ale zdziwienia ukryć nie mógł. Patrzył na pana Łukasza miętosząc czapkę, a pan Łukasz patrzył na niego.

– No, czy ci brakuje czego? – zapytał starzec.

– Jużci, brakuje mi... zapłaty za robotę – odparł zapytany nieśmiało.

Pan Łukasz poszedł do biurka i wysunął jedną z licznych szufladek.

– Ile ci się należy?...

– Pięć rubli, wielmożny panie. A co ja miałem straty, żem robić przez ten czas nie mógł!... – mówił mularz chcąc prędzej wydobyć pieniądze.

– Ileżeś miał strat?... Tylko mów prawdę – spytał pan Łukasz.

– Chyba ze sześć rubli – odparł mularz myśląc z obawą, czy też stary zwróci mu jego należność.

Wnet jednak przekonał się z największym zdumieniem, że pan Łukasz wypłacił mu jedenaście rubli, jak orzech zgryzł...

---

[13] *bankocetle* – pieniądze papierowe, banknoty.

Mularz nie chciał wierzyć własnym oczom, oglądał pieniądze i błogosławił pana Łukasza. Ale starzec prędko zamknął przed nim drzwi, mrucząc do siebie:

– Chwała Bogu, żem się choć pozbył szaflika i jedenastu rubli... Byle tylko nie wróciły...

Niebawem zapukano po raz drugi. Pan Łukasz znowu drzwi otworzył i spotkał się oko w oko z żoną stolarza.

– Panie! – zawołała kobieta klękając na progu – po raz ostatni błagam cię, nie licytuj nas. My się później wypłacimy... Ale dziś, czy pan wie, że nie mam ani na doktora dla chorego męża, ani nawet na łyżkę strawy dla niego i dla dzieci...

I mówiąc płakała tak żałośnie, że starzec uczuł ból w sercu. Pobiegł do biurka, wyjął stamtąd dwa ruble i wciskając je w ręce kobiecie rzekł:

– No, no!... niech pani nie płacze. Tu ma pani trochę pieniędzy na najpilniejsze rzeczy, a później... dodam więcej. Licytacją odwołam, w mieszkaniu was zostawię i pomagać będę, byleście tylko... uciekali się do mnie w razie rzeczywistej potrzeby, bez żadnych zachcianek do wyzyskiwania starego człowieka.

Stolarzowa oniemiała i patrzyła na pana Łukasza błędnymi oczyma. On odsunął ją lekko od progu, zamknął drzwi i szepnął jakby się sprzeczając z kimś:

– Otóż nie będzie licytacji, ani jutro, ani nigdy!... A swoją drogą znowu ubyło dwa ruble. To już trzynaście...

Wnet jednak wzięły górę nad nim smutne myśli. Każdy bowiem przedmiot stojący w pokoju, a było ich bardzo wiele, ranił go jak sztylet.

„Kto zechce wziąć te graty? – mówił do siebie. – Czy ja będę mógł wyprowadzić się kiedy stąd, kiedy już taka klątwa wisi nade mną, że muszę całą wieczność przepędzać w tym domu!...”

Pan Łukasz był jakiś znużony, więc zapalił świecę, rozebrał się i legł spać.

Zasnął twardo, bez marzeń. Ale następnego poranku przypomniał sobie piekielne widzenia, jednostajną wieczność, brak celu w życiu – i posmutniał.

Stróż przyniósł mu bułkę i trochę gorącej wody. Pan Łukasz przyrządził sobie herbatę, wypił ją i znowu medytował nad swym nieszczęściem.

W południe ten sam stróż zaopatrzył go obiadem z taniej kuchni i wyszedł nic nie mówiąc. Pan Łukasz był pewny, że już dziś nie zobaczy twarzy ludzkiej, a na miasto iść nie śmiał obawiając się, ażeby mu nie przypomniało zbyt wyraźnie piekła.

Wtem, około czwartej, począł ktoś gwałtownie dobijać się do drzwi. Pan Łukasz otworzył i o mało nie padł na ziemię. Przed nim stał adwokat Kryspin.

Starzec nie mogąc myśli zebrać milczał. Adwokat zaś był jakiś niezadowolony. Wszedł na środek pokoju i rzekł pochmurnie:

– No, ciesz się!... Wygrałeś sprawę, ale przed trybunałem boskim!...

Szalona radość opanowała starca.

– Ja wygrałem sprawę przed trybunałem boskim?... zawołał. – Jakim sposobem?... Więc mnie już nie wyrzucą z piekła?...

– Czyś zwariował, Łukaszu?... – spytał adwokat zdziwiony.

– Słyszę przecie, co mówisz...

– Kiedy mówię – rzekł adwokat – żeś wygrał sprawę przed trybunałem boskim, to znaczy, żeś ją przegrał w sądzie ludzkim i że albo musimy wynaleźć kruczek do nowego procesu, albo oddać twojej córce ten dom... Rozumiesz?...

Pan Łukasz począł trochę rozumieć.

– Trybunał boski... trybunał boski... – mruczał starzec, a potem nagle zapytał adwokata:

– Za pozwoleniem!... Więceś ty nie zginął w tym pociągu, który się rozbił?...

– Ja nim nawet nie jechałem. Ale co ty mówisz, Łukaszu?

– Zaraz! – przerwał mu starzec. – Więc nie zabiłeś się i nie byłeś w piekle?

Do pokoju wpadł stróż trzymając w ręku pantofel.

– Panie! – zawołał – jest pantofel, znalazłem go za beczką...

Pan Łukasz obejrzał swój pantofel i nie mógł dostrzec na nim ani śladu ognia.

– Więc i mój pantofel nie był w piekle?... – szeptał starzec.

– Ty masz bzika, Łukaszu! – krzyknął rozgniewany adwokat. – Ja ci mówię, żeś przegrał proces, a ty mi pleciesz o piekle.

– Widzisz, miałem wczoraj dziwny i przykry sen...

– Co tam! – przerwał Kryspin – sen mara, Bóg wiara!... Teraz nie o sny chodzi, ale o to, czy wynosisz się z kamienicy, czy też dalej procesujesz się z córką?

Pan Łukasz zamyślił się. Myślał, rozmyślał, rozważał, nareszcie rzekł stanowczo:

– Proces!...

– Tak to rozumiem! – odparł adwokat. – Ale, ale!... Była dziś u mnie stolarzowa i powiedziała, że odwołujesz licytacja na ich ruchomość. Czy to prawda?...

Pan Łukasz aż skoczył.

– A niechze Bóg broni! – wykrzyknął. – Wczoraj byłem trochę rozstrojony, obiecałem, że cofnę licytacją, i nawet (wstyd mi wyznać!) dałem babie dwa ruble... Ale dziś jestem już zupełnie trzeźwy i uroczyście odwołuję wszystkie nierozsądne obietnice.

Pan Łukasz – powrót do dawnych wad

– No tak! – rzekł adwokat z uśmiechem, ściskając Łukasza za rękę. – Teraz poznaję cię... Bo kiedym tu wszedł, wydawałeś mi się jakby innym człowiekiem!

– Ten sam, ten sam do śmierci!... Zawsze twój Łukasz!... – odparł rozrzewniony starzec. – Żal mi tylko trzynastu rubli, które pozwoliłem sobie wydrwić.

Po tej odpowiedzi obaj panowie ucałowali się serdecznie.

MICHAŁKO

Roboty przy kolei skończono. Podradczyk[1] wypłacił, komu co należało, oszukał, kogo można, i ludzie poczęli rozchodzić się gromadami, każdy do swojej wsi. Koło karczmy, co stała przy plancie, do południa było gwarno. Jeden obwarzankami napełniał kobiałkę, drugi kupował wódkę do domu, inny – upijał się na miejscu. Potem porobili zawiniątka z grubych płacht i zawiesiwszy je przez ramiona odeszli wołając:

– Bywaj zdrów, „durny Michałku"!...

A on został.

Został na szarym polu i nie patrzył nawet za swoimi, tylko na błyszczące szyny, co biegły aż tam, het! nie wiadomo gdzie. Wiatr rozrzucał mu ciemne włosy, rozwiewał białą parciankę[2] i z daleka przynosił – ostatnią zwrotkę pieśni odchodzących.

Wkrótce za krzakami jałowcu skryły się płachty, parcianki i okrągłe czapki. W końcu i pieśń umilkła, a on wciąż stał z założonymi rękoma, bo – nie miał gdzie iść. Jak ten zając, co w tej oto chwili przeskakuje szyny, tak on, chłopski sierota, gniazdo miał w polu, a spiżarnię – gdzie Bóg da.

Michałko – przedstawienie postaci

Za piaszczystym wzgórzem rozległo się gwizdanie, zakłębił się dym i zaturkotało. Nadjechał roboczy pociąg i zatrzymał się przed nie wykończoną stacją. Otyły maszynista i jego młodziutki pomocnik zeskoczyli z lokomotywy i pobiegli do karczmy. Toż samo zrobili brekowi[3]. Został tylko inżynier, który przypatrywał się zamyślony pustej okolicy i przysłuchiwał szmerowi pary w kotle.

Chłop znał inżyniera, więc ukłonił mu się nisko, do ziemi.

– A to ty, „durny Michałku"! Cóż tutaj robisz? – zapytał inżynier.

– Nic, panie! – odparł chłop.

– Dlaczego nie wracasz do wsi?

– Nie mam po co, panie.

Inżynier zaczął nucić, a potem rzekł:

– Jedź do Warszawy. Tam zawsze znajdziesz robotę.

– Kiedy nie wiem, gdzie to.

– Siadaj na wagon, to się dowiesz.

„Durny Michałko" skoczył na wagon jak kot i usiadł na stosie kamieni.

– A pieniędzy trochę masz? – spytał inżynier.

– Mam, panie, rubla i czterdzieści groszy, i złoty dziesiątkami...

---

[1] *podradczyk* – urzędnik niższego szczebla.
[2] *parcianka* – odzież parciana, ze zgrzebnej tkaniny.
[3] *brekowy* – pracownik kolejowy.

Inżynier począł znowu nucić i oglądać się po okolicy, a w lokomotywie wciąż warczało. Wreszcie z karczmy wybiegła obsługa pociągu z butelkami i węzełkami. Maszynista i jego pomocnik siedli na lokomotywę – i ruszono.

O jaką milę drogi stąd, na zakręcie, ukazały się dymy i wieś uboga, zbudowana między błotami. Na jej widok Michałko ożywił się. Zaczął się śmiać, wołać (choćby go nie usłyszano z takiej odległości), machać czapką... Aż jadący na wysokim koźle[4] brekowy ofuknął go:

– A ty się czego wychylasz? Jeszcze zlecisz i diabli cię wezmą...

– Bo to nasza wieś, panie, o tam, o!...

– No, więc kiedy wasza, to siedź spokojnie – odparł brekowy.

Michałko usiadł spokojnie, jak mu kazano. Tylko że go coś bardzo nudziło w sercu, więc zaczął mówić pacierz. Ach! jakżeby on wrócił do swojej wsi, z gliny i słomy ulepionej, tam – między błota... Ale nie miał po co. Choć go nazywali „durnym", tyle przecie rozumiał, że na świecie mniej przymiera się z głodu i łatwiej o nocleg aniżeli we wsi. O! na świecie chleb jest bielszy, na mięso można choć popatrzeć, domów więcej i ludzie nie tacy mizerni jak u nich.

Michałko – wy-jazd do miasta: opis przeżyć

Wymijali stację za stacją zatrzymując się tu dłużej, tam krócej. O zachodzie słońca kazał inżynier dać chłopu jeść, a on za to – do nóg mu się ukłonił.

Wjechali w nową całkiem okolicę. Nie było tu rozlewających się bagien, ale wzgórzyste pola, kręte i szybko płynące rzeczki. Znikły kurne[5] chaty i stodoły plecione z wici[6], a ukazały się piękne dwory i murowane budynki, lepsze niż u nich kościoły – albo karczmy.

Nocą stanęli pod miastem zbudowanym na górze. Zdawało się, że domy włażą jeden na drugi, a w każdym tyle światła, co gwiazd na niebie. Na stu pogrzebach nie zobaczyłbyś tylu świec, co w tym mieście...

Grało coś bardzo pięknie, ludzie chodzili tłumem śmiejąc się i rzechocząc, choć już była taka noc wielka, że we wsi słyszałbyś tylko wołanie upiora i ujadanie strwożonych psów.

Michałko nie zasnął. Inżynier kazał mu dać funt kiełbasy i bułkę chleba, a potem – przepędzili go na inny wagon, który wiózł piasek. Było tu miękko jak w puchu. Ale chłop nie kładł się, tylko siedział w kuczki, jadł kiełbasę z chlebem, aż mu oczy wyłaziły na wierzch, i myślał:

„Nie bój się, jakie to są dziwne rzeczy na świecie!..."

Po kilkugodzinnym postoju, nad ranem, pociąg ruszył i jechali truchtem. Na jednej stacji wśród lasu zatrzymali się dłużej, a brekowy powiedział chłopu, że inżynier pewnie wróci nazad, bo przyszła po niego depesza.

Istotnie inżynier zawołał do siebie chłopa.

– Ja muszę jechać na powrót – rzekł. – A ty sam czy puścisz się do Warszawy?

– Bo ja wiem! – szepnął chłop.

---

[4] *kozioł* – wysokie siedzenie w powozie.

[5] *kurna chata* – dawny wiejski dom mieszkalny bez komina; dym z paleniska rozchodził się po izbie.

[6] *pleciona z wici* – z łodyg roślinnych.

– No, przecie nie zginiesz między ludźmi?

– Komu ja, panie, zginę, kiedy nie mam nikogo!...

Rzeczywiście, komu on miał zginąć!

– A więc jedź – mówił inżynier. – Tam zaraz przy stacji budują nowe domy. Będziesz nosił cegłę i nie umrzesz z głodu, byleś się nie rozpił. Potem może ci być lepiej. Na wszelki wypadek masz rubla.

Chłop wziął rubla, uścisnął inżynierowi kolana i usiadł na swój wagon z piaskiem. Wnet ruszyli.

W drodze zapytał brekowego:

– Daleko stąd, panie, do naszej stacji?

– Chyba za czterdzieści mil. Czy ja wiem!

– A piechotą, panie, długo by szedł?...

– Może ze trzy tygodnie. Wreszcie nie wiem.

Niezmierny strach ogarnął chłopa. Po co on puścił się, nieszczęśliwy, tak daleko, że aż trzy tygodnie iść potrzeba do domu!...

W ich wsi opowiadano nieraz o zarobku, co go wicher porwał i prędzej, niż przeżegnać się można, zaniósł i cisnął o dwie mile – już trupa. Czy z nim nie stało się to samo? Czy ta maszyna ziejąca ogniem, której boją się starzy ludzie, nie jest gorsza od wichru?... A gdzie go ona wyrzuci!

Na tę myśl schwycił się krawędzi wagonu i zamknął oczy. Teraz uczuł, jak go niesie, jak strasznie huczy, jak go wiatr bije po twarzy i śmieje się: hu! hu! hu!... hi! hi! hi!...

Porwałaż go dopiero burza, porwała!... Tyle, że nie od matki ani od ojca, ani od własnej chaty, tylko z pola, sierotę.

Rozumiał, że jest z nim coś niedobrze, ale – cóż na to poradzić? Źle mu jest, gorzej mu pewnie będzie, lecz że już było źle, gorzej i najgorzej, więc otworzył oczy i puścił się wagonu. Taka wola boska. Od tego on przecie biedny chłop, żeby dźwigał nędzę na karku, a w sercu obawę i żal...

Lokomotywa przeraźliwie zagwizdała. Michałko spojrzał przed siebie i zobaczył z daleka jakby las domów zasnutych płachtą dymu.

– Czy to pali się gdzie? – zapytał brekowego.

– To Warszawa!...

Chłopa znowu ścisnęło za piersi. Jak on tam ośmieli się wejść w ten dym?

Stacja. Michałko wysiadł. Pocałował brekowego w rękę i rozejrzawszy się poszedł z wolna do sklepu, gdzie na szyldach wymalowane były kufle z czerwonym piwem i zielona wódka we flaszkach. Nie ciągnęła go tam pijatyka, ale co innego.

Za szynkiem widać było murujący się dom, a przed sklepem stali mularze. Więc przypomniał sobie radę inżyniera i poszedł zapytać o robotę.

Mularze, chwaty chłopcy, powalani wapnem i cegłą, sami go zaczepili.

– A cóż to za jeden?... A skądżeś to?... Jak twojej matce na imię?... Kto ci taką czapkę uszył?

Jeden ciągnął go za rękaw, drugi mu czapkę wbił na oczy. Parę razy obrócili go w kółko, tak że nie wiedział już, skąd przyszedł.

– Skądeś to, chłopaku?...

– Z Wilczołyków, panie! – odparł Michałko.

Ale że mówił śpiewającym głosem i miał minę bardzo zakłopotaną, więc mularze poczęli się chórem śmiać.

On stał między nimi i choć go trochę sponiewierali, śmiał się także.

„To ci dopiero wesoły naród, nie bój się!" – myślał.

Ten jego śmiech i uczciwa mina przejednały mu ludzi. Uspokoili się, zaczęli go wypytywać. A gdy powiedział, że szuka roboty, kazali mu iść za sobą.

– Głupi, bestia, ale zdaje się, że dobry chłopak – mówił jeden z majstrów.

– Trza go wziąć – dodał drugi.

– A wkupisz[7] się ty? – pytał Michałka czeladnik.

– Kiedy nie wiem jak?

– Postawisz garniec wódki – dodał drugi.

– Albo dostaniesz basarunek![8] – wtrącił trzeci ze śmiechem.

Po namyśle chłop odparł:

– Jużci, wolę dostać niż dawać...

Mularzom się i to podobało. Wsunęli mu znowu parę razy czapkę na oczy, ale ani upominali się o wódkę, ani mu nie sprawili basarunku.

Tak zabawiając się zaszli na miejsce i wzięli się do roboty. Majstrowie wleźli na wysokie rusztowania, a dziewuchy i wyrostki zaczęły cegłę nosić. Michałkowi, jako nowotnemu[9], kazano przerabiać gracą[10] wapno z piaskiem.

Tym sposobem zaciągnął się do mularki.

Na drugi dzień dali mu do pomocy dziewuchę tak ubogą jak on. Za całe odzienie miała starą chustkę, dziurawą spódnicę i koszulinę – pożal się Boże! Nie była wcale ładna. Miała śniadą i chudą twarz, nos krótki, zadarty i niskie czoło. Ale Michałko nie był wybredny. Ledwie stanęła przy nim z gracą, zaraz nabrał do niej ciekawości, jak zwyczajnie chłop do dziewuchy. A kiedy spojrzała na niego spod wypłowiałej chustki, uczuł, że mu jakoś ciepło we środku. Nawet ośmielił się tak, że do niej zagadał:

– Skądeście to? Z dalekaście od Warszawy? Dawno robicie z mularzami?

O takie ją tam rzeczy wypytywał mówiąc: w y. Ale że ona zaczęła mu mówić: t y, więc i on jej – ty.

– Nie męcz się – mówił – już ja zrobię i za ciebie, i za siebie.

I robił sprawiedliwie, aż się z niego pot lał strumieniami; a dziewczyna tylko suwała gracą po wierzchu wapna tam i na powrót.

Od tej pory chodzili dwójką przez cały dzień zawsze razem i zawsze sami. Niekiedy łączył się z nimi jeden czeladnik. Dziewusze nawymyślał, z chłopa nakpił, i tyle. Wieczorem zaś Michałko zostawał spać w murującym się domu, bo nie miał gdzie, a jego towarzyszka szła w miasto razem z innymi i z owym czeladnikiem, który jej wciąż wymyślał, a czasem i dał w kark.

---

[7] *wkupić się* – zdobyć zaufanie poprzez postawienie napitku, by zostać przyjętym do jakiejś grupy.

[8] *basarunek* – lanie, łomot.

[9] *nowotny* – nowy, nowo przyjęty.

[10] *graca* – narzędzie w postaci trójkątnej stalowej ramki z trzonkiem, służące do gaszenia wapna i przygotowywania zaprawy murarskiej.

– Czegoś nie lubi dziewuchy – mówił sobie Michałko. – Ale trudna rada! Od tego przecie jest czeladnik, żeby nas poszturgiwał...

Za to on sam starał się jej wynagradzać krzywdę, jak umiał. Robił wciąż za siebie i za nią. Na śniadanie dzielił się z nią chlebem, a na obiad kupował jej barszczu za pięć groszy, bo dziewucha prawie nigdy nie miała pieniędzy.

Gdy przeznaczyli ich do noszenia cegieł na górę, chłop nie mógł już wyręczać swojej przyjaciółki, bo jej pilnowali majstrowie.

Ale po giętkich rusztowaniach chodził za nią krok w krok, a jak się bał, ażeby nie potknęła się i żeby cegły jej nie przywaliły!

Widząc taką troskliwość chłopa ów zły czeladnik drwił sobie i pokazywał go innym. Inni się także śmieli i krzyczeli na Michałka z góry:

– Na, głupi, na!...

Raz w południe odwołał czeladnik dziewkę na bok, czegoś od niej chciał, nawet poturbował ją mocniej niż zwykle. Po tej rozmowie spłakana przyszła do Michałka pytając, czy nie ma pożyczyć jej dwudziestu groszy.

Czego by on dla niej nie miał! Więc prędko rozwiązał węzełek, gdzie były pieniądze przywiezione jeszcze ze stacji, i dał jej żądaną sumę.

Dziewucha odniosła dwadzieścia groszy czeladnikowi i od tej pory nie było prawie dnia, ażeby jej chłop nie pożyczał na wieczne oddanie. A kiedy zapytał raz nieśmiało:

– Na co ty dajesz pieniądze temu piekielnikowi?

– A bo już tak! – odparła.

Jednego dnia czeladnik pokłócił się z pisarzem i rzucił robotę. Nie dosyć, że sam rzucił, ale jeszcze kazał dziewczynie, jakby jakiej słudze, zrobić to samo – i iść za nim.

Dziewczyna zawahała się. Lecz gdy pisarz pogroził, że jeżeli nie dotrzyma do wieczora, to nie zapłaci jej za cały tydzień, wzięła się znowu do cegieł. Prostemu człowiekowi miły jest przecie grosz, jeszcze zapracowany tak krwawo.

Czeladnik wpadł w złość.

– Idziesz, psiawiaro – krzyczał – czy nie idziesz?

– Jakże pójdę, kiedy mi nie chcą zapłacić? Dobrze by było za tego rubla spódniczynę sobie przynajmniej kupić!...

– No! – wrzasnął czeladnik – to teraże mi się na oczy nie pokazuj, progu nie przestąp, bo cię na śmierć zabiję!...

I poszedł ku miastu.

Wieczorem jak zwykle mularze rozbiegli się. W nowym domu został na nocleg Michałko i – dziewucha.

– Nie idziesz? – spytał ją chłop zdziwiony.

– Gdzież pójdę, kiedy powiedział, że mnie wygna...

Teraz dopiero Michałko zaczął się czegoś domyślać.

– Toś ty z nim siedziała? – rzekł z odcieniem żalu w głosie.

– A jużci – szepnęła, zawstydzona.

– I jemuś wszystek swój zarobek oddawała, choć cię bijał?

– A ino...

– Po cóżeś ty tak paskudnie robiła?...

– Bom go lubiła – odparła cicho dziewka kryjąc się między słupy rusztowań. Chłopu stało się tak, jakby go kto nożem kolnął. Nie darmo ludzie śmieli się z niego!...

Michałko przysunął się do dziewki.

– Ale teraz nie będziesz go lubić? – zapytał.

– Nie! – odparła i zaczęła rzewnie płakać.

– Ino mnie będziesz lubić?

– Tak.

– Ja cię nie będę rozbijał ani twoich pieniędzy zabierał.

– Jużci prawda!

– Ze mną będzie ci ładniej...

Dziewucha nie odpowiadała nic, tylko płakała jeszcze mocniej i trzęsła się. Noc była chłodna i wilgotna.

– Zimno ci? – spytał chłop.

– Zimno.

Posadził ją na kupie cegieł, szlochającą. Zdjął parciankę i otulił dziewuchę, a sam został w jednej koszuli.

– Nie płacz!... nie płacz! – mówił. – Tylko jedną noc przesiedzisz tak. Masz przecie rubla, to jutro wynajmiemy za niego stancją[11], a spódniczynę ja sam kupię ci za swoje. Ino nie płacz...

Ale dziewucha nie zważała na to, co mówił Michałko. Podniosła głowę i słuchała. Zdawało jej się, że z ulicy dolatuje odgłos znajomych kroków.

Stąpanie zbliżało się. Jednocześnie ktoś zaczął gwizdać i wołać:

– Chodź do domu... Ty!... Gdzie tam jesteś?

– Tu jestem! – zawołała dziewucha zrywając się.

Wybiegła na ulicę, gdzie stał czeladnik.

– Tu jestem! – powtórzyła.

– A pieniądze masz? – spytał czeladnik.

– Mam! O tu... Naści! – rzekła podając mu rubla.

Czeladnik schował rubla do kieszeni. Potem schwycił dziewkę za włosy i zaczął ją bić mówiąc:

– A na drugi raz słuchaj się, bo cię na próg nie puszczę... Rublem się nie wykupisz!... A słuchaj!... a słuchaj! – powtarzał okładając ją pięściami.

– O dla Boga!... – wołała dziewka.

– A słuchaj!... A słuchaj, co ci każę...

Nagle puścił dziewuchę, czując, że go ujęła za kark potężna ręka. Z trudnością odwrócił głowę i zobaczył roziskrzone oczy Michałka.

Czeladnik był chwat Mazur, więc grzebnął[12] Michałka pięścią w łeb, aż mu w uszach zadzwoniło. Ale chłop nie popuścił mu karku. Owszem, ścisnął jeszcze lepiej.

---

[11] *stancja* – mieszkanie odnajmowane uczniom, studentom, sezonowym robotnikom, często wraz z utrzymaniem.

[12] *grzebnął* (gwar.) – uderzył.

– A uduś mnie, ty złodziejski portrecie... to zobaczysz! – stęknął chrapliwym głosem czeladnik.

– To jej nie bij! – rzekł chłop.

– Nie będę – mruknął i wysadził język.

Michałek otworzył garść, a czeladnik aż się zatoczył. Złapał kilka razy powietrza, a potem przemówił:

– Kiedy nie chce, żebym ją bił, to niech za mną nie chodzi. Lubi mnie, to i owszem, ale ja biję, bo mam taki obyczaj!... Co mi po dziewce, żeby jej walić nie można?... Niech idzie na złamanie karku!

– To pójdzie... Wielka rzecz! – odparł chłop.

Ale dziewucha złapała go za ręce.

– Daj ty już spokój – mówiła do Michałka drżąc i ściskając go. – Nie mieszaj się między nas...

Chłop oniemiał.

– A ty chodź do domu – rzekła do czeladnika biorąc go pod ramię. – Co cię tam ma kto poniewierać na ulicy...

Czeladnik wyrwał się jej i rzekł ze śmiechem:

– Idź sobie do niego! On cię nie będzie bił... On ci przecie pieniądze dawał...

– Iii! daj mi tam spokój... – ofuknęła dziewucha i poszła naprzód.

– Widzisz, z babą trzeba jak z psem!... – rzekł czeladnik wskazując ręką na dziewuchę. – Wal ją, a ona za tobą w ogień pójdzie...

I zniknął. Tylko w ciszy nocnej rozlegał się jego złośliwy śmiech.

Chłop stał, spoglądał za nimi, przysłuchiwał się. Następnie wrócił między rusztowania i patrzył na to miejsce, gdzie jeszcze przed chwilą siedziała dziewucha.

W głowie czuł zamęt, a piersiami nie mógł tchu złapać. Ledwie co powiedziała mu, że tylko jego będzie lubić – i zaraz odeszła. Dopiero co – on był tak szczęśliwy, tak było tu dobrze z żyjącą istotą, jeszcze z dziewuchą, a teraz – jak pusto i smutno!

> Michałko – historia z dziewczyną: opis przeżyć

Dlaczego ona odeszła?... Jużci dlatego, że taka jej wola, tak jej się podobało!... Cóż on na to poradzi, chociaż jest dobry i silny?... Instynktownie szanował jej przywiązanie do czeladnika, nie gniewał się, że daną mu obietnicę złamała, nie myślał narzucać gwałtem swoich uczuć. Ale pomimo to tak mu było żal jej, tak było żal...

Wyżartymi przez wapno rękami otarł oczy i podniósł swoją parciankę rozrzuconą na stosie cegieł i jeszcze jakby ciepłą. Wyszedł znowu na ulicę, postał tam.

Nic nie widać, tylko wśród mgły połyskują czerwone ogniki latarń.

Wrócił między chłodne mury i legł na ziemi. Ale zamiast spać wzdychał ciężko, samotny, tęskniący za swoją dziewuchą.

Za swoją, bo ona przecie sama powiedziała mu, że tylko jego będzie lubić!

Nazajutrz wziął się chłop jak zwykle do roboty.

Ale szła mu niesporo. Był znużony, a i ten budynek jakoś mu obmierzł. Gdzie stąpił, czego się dotknął, na co spojrzał, wszystko przypominało mu dziewuchę i gorzki zawód. Ludzie także kpili z niego i wołali:

– A co, głupi Michałku, prawda, że drogie dziewki w Warszawie?

Drogie, bo drogie! Chłop wydał na swoją wszystkie oszczędności, przymierał z głodu, nic sobie nie sprawił, nie miał z niej żadnej pociechy i jeszcze go tak brzydko opuściła.

Źle mu tu było, wstyd. Więc gdy usłyszał, że w Warszawie lepiej płacą pomocnikom mularskim, wybrał się tam pierwszy raz.

Szedł za jednym czeladnikiem, który obiecał zaprowadzić go na ulicę, gdzie najwięcej stawiają domów.

Wybrali się wczesnym rankiem i tęgi kawał czasu sunęli się do Wisły. Chłop, kiedy zobaczył most, aż gębę otworzył. Na tę chwilę i dziewucha wywietrzała mu z głowy.

Przy budce strażniczej zawahał się.

– Co ci to? – spytał ów czeladnik.

– Nie wiem, panie, czy mnie tędy puszczą? – odparł Michałko.

– Głupiś! – zgromił go czeladnik. – Jakby cię kto zaczepił, to mu powiedz, że idziesz ze mną!

„Jużci prawda" – pomyślał chłop i dziwił się, że mu taka odpowiedź pierwej nie przyszła do głowy.

Potem dziwił się łazienkom i berlinkom[13], że nie tonęły na wodzie, choć wielkie, a potem nie mógł dać wiary, że cały most był – z czystego żelaza.

Miejsce akcji – Warszawa: wygląd miasta

„Musi w tym być jakieś złodziejstwo – mówił do siebie. – Tyle żelaza to chyba na świecie nie ma!..."

Tak sobie szli, czeladnik i Michałko, jeden za drugim, przez most, przez Nowy Zjazd, przez ulicę. Koło Zamku chłop zdjął czapkę i przeżegnał się myśląc, że to kościół. Przed Bernardynami mało go omnibus nie rozjechał. Przed figurą Matki Boskiej, obok Dobroczynności, chciał uklęknąć i mówić pacierz, tak że ledwie odciągnął go czeladnik.

Na ulicach hałas, powozów szeregi, ludzi tłum. Michałko jednym ustępował z drogi, na innych wpadał i aż bladł ze strachu, żeby go nie wyprali. W końcu w głowie mu się na szczęt zamąciło – i zgubił czeladnika.

– Panie!... panie! – począł krzyczeć, zrozpaczony, i pędem biegł przez ulicę.

Ktoś go zatrzymał mówiąc:

– Cicho ty, sobaka!... Tu krzyczeć nie wolno!

– A bo mi mój pan zginął!

– Jaki pan?

– Czeladnik mularski.

– O, to pan!... A gdzież tobie potrzeba?

– Tam gdzie dom murują...

– Jaki dom?

– Taki... z cegły – odparł chłop.

– Ot, głupi!... No, to i tutaj dom murują... I tam! I tu!

– Kiedy nie widzę...

Wzięto go za ramię i zaczęto pokazywać.

– O, patrz! Tu jeden dom budują... Tu drugi...

---

[13] *łazienki, berlinki* – krypy, rzeczne statki.

– Aha! ha! – rzekł Michałko i poszedł do tego drugiego, bo nie trzeba było przebiegać przez ulicę.

Dobrawszy się na miejsce, zapytał o czeladnika. Tu go jednak nie znalazł, więc wskazano mu inny dom. Ale i tam o czeladniku Nastazym nie słyszano; musiał przeto chłop iść dalej.

Tym sposobem obiegł kilka ulic i obejrzał kilkanaście rozpoczętych budowli pytając w duchu, gdzie mieszkają ci ludzie, co im dopiero teraz domy murują.

Stopniowo oddalał się od środka miasta. Gwar uliczny słabnął, przechodnie ukazywali się rzadziej, powozów prawie nic było. Za to liczba rusztowań, stosów cegieł i czerwonych murów powiększyła się.

Chłop stracił już nadzieję znalezienia czeladnika i pomyślał o wyszukaniu roboty. Wstąpił do pierwszej fabryki przy drodze, stanął między robotnikami i patrzył. Czasami wmieszał się do rozmowy albo komu usłużył. Jednemu pomógł układać cegłę, drugiemu podał szaflik, a tym, którzy gracowali wapno, powiedział, że nie tak się robi, tylko tak. I zaraz pokazał, aż ochlapał majstra od stóp do głów.

– Co się tu kręcisz, kundlu jakiś? – zapytał go pisarz.

– Roboty szukam, panie.

– Tu nie ma dla ciebie roboty.

– Nie ma teraz, to może znajdzie się potem. A państwu przecie nie ubędzie, jak któremu pomogę.

Pisarz, sprytna sztuka, zmiarkował, że chłop nie musi pachnąć groszem. Wyjął swoją książeczkę, ołówek, zaczął przekreślać, rachować – i w końcu przyjął Michałka.

Ludzie mówili, że zarabiał na nim dwadzieścia groszy dziennie – e x t r a.

W tej fabryce był chłop do jesieni. Z głodu nie umarł, za nocleg nie zapłacił, ale też nawet butów sobie nie kupił. Tyle tylko, że upił się parę razy przy świętej niedzieli jak wieprzak. Chciał nawet awanturę zrobić w szynku, ale mu czasu zabrakło, bo go wyrzucili za drzwi.

Dom rósł jak rzeżucha. Jeszcze oficyn nie wykończyli mularze, a już front był dachem obity, otynkowany, oszklony, i nawet ludzie zaczęli się sprowadzać.

W końcu września rozpadały się deszcze. Robotę przerwano i pomocników odprawiono. W ich liczbie był Michałko.

Pisarz z tygodnia na tydzień urywał mu coś z płacy mówiąc, że razem odda. Gdy zaś przyszedł obrachunek ostateczny, chłop, choć niepiśmienny, zmiarkował, że go chyba pisarz oszwabił. Dał mu trzy ruble, a należało się z pięć albo i ze sześć.

Michałko wziął trzy ruble, zdjął czapkę i zaczął skrobać się w głowę przestępując z nogi na nogę. Ale pisarz był tak zajęty swoją książeczką, że ledwie w dziesięć pacierzy spostrzegł chłopa i spytał go surowo:

– No, czego jeszcze chcesz?

– Musi, panie, mnie się więcej należy – rzekł chłop z pokorą.

Pisarz zaczerwienił się. Wlazł na Michałka, potrącił go piersiami i powiedział:

– A paszport ty masz?... Coś ty za jeden?...

Michałkowi zamknęło gębę; pisarz mówił dalej:

– Ty może myślisz, chamski gnacie, żem ja cię nakręcił?...

– A ino...

– Więc chodź ze mną na policję, a ja ci dokumentnie pokażę, żeś ty złodziej i obieżyświat...

Paszport i policja zaniepokoiły Michałka. Rzekł zatem:

– Niech tam moja krzywda będzie panu pisarzowi na zdrowie!

I opuścił fabrykę.

A że widać i pisarza nie bardzo ciągnęło do policji, choć go tam znali, więc skończyło się na strachu...

Chłop znalazł się teraz jak w szczerym polu. Minął swoją ulicę, wszedł na drugą i trzecią, wszędzie wstępując, gdzie zobaczył czerwone ściany i parę słupów wbitych w ziemię. Ale roboty były już ukończone albo kończyły się, a gdy pytał, czy go tu nie przyjmą – nawet nie odpowiadano.

Przełaził tak jeden dzień i drugi, omijając stójkowych, żeby go nie zaczepili o paszport. Garkuchni z ciepłą strawą nie mógł znaleźć, więc żył kiszkami ze krwi i słoniny, chlebem, śledziem, a popijał wódką.

Wydał już rubla nie używszy nic dobrego. Sypiał pod parkanami i tęsknił za towarzystwem ludzkim, bo nie miał do kogo gęby otworzyć.

Przyszła mu myśl, że może by lepiej wrócić do domu. Więc pytał przechodniów, gdzie tu do kolei. Idąc za ich wskazówkami trafił na kolej, ale – nie na swoją.

Zobaczył jakąś stację wielką, ludną i pełno domów wkoło niej, a szyn ani śladu. Zmieszał się bardzo i zląkł nie wiedząc, co się stało. Aż mu dopiero jakaś litościwa dusza wytłomaczyła, że są jeszcze trzy inne koleje, ale – za Wisłą.

Teraz przypomniał sobie, że szedł tu przez most. Więc przenocowawszy gdzieś w rowie pytał się nazajutrz o drogę do mostu. Opowiedzieli mu dokładnie, gdzie teraz iść prosto, gdzie na lewo, a gdzie na prawo i gdzie skręcić. Zapamiętał sobie wszystko, ale jak zaczął iść i skręcać, tak trafił do Wisły, a mostu nie znalazł.

Wrócił tedy ku miastu. Na nieszczęście deszcz zaczął padać. Ludzie chowali się pod parasole, a kto parasola nie miał, uciekał. Michałko nie śmiał na taką ulewę zaczepiać przechodniów i pytać o drogę.

W czasie największej nawałnicy stanął pod murem skulony, zziębnięty w swojej przemokłej parciance, i pocieszał się tym, że deszcz choć umyje mu bose nogi.

I gdy tak stał pobladły, a z długich włosów woda spływała mu za koszulę, zatrzymał się przed nim jakiś pan.

– A co to – ubogi?... – zapytał pan.

– N i.

Pan zrobił parę kroków naprzód i znowu wrócił z pytaniem:

– Ale jeść ci się chce?

– N i.

– I nie zimno ci?

– N i.

– Osioł jakiś! – mruknął pan.

A potem dodał:

– Ale dziesiątkę byś wziął?

– Jakby pan dali, to bym wziął.

Pan dał mu złotówkę i odszedł mrucząc.

Potem znowu zatrzymał się, patrzył na chłopa, jakby wahał się, ale nareszcie poszedł naprawdę.

Michałko trzymał w garści złotówkę i mówił do siebie zdziwiony:

„Nie bój się, jakie to tu są dobre panowie!"

Wtem przyszło mu na myśl, że taki dobry pan może by mu pokazał drogę do mostu?... Ale – już było za późno.

Noc nadeszła, zapalono latarnie i deszcz się wzmógł. Chłop szukał ulic, gdzie było najciemniej. Skręcił raz i drugi. Spostrzegł nowe budowle i nagle poznał ulicę, na której przed kilkoma dniami pracował.

Oto tu bruk się kończy. Tu parkan. Tam skład węgli, a tam jego dom. W kilku oknach palą się światła, a przez otwartą bramę widać nie wykończone oficyny.

Chłop wszedł na podwórze. Gdzie jak gdzie, ale tu sprawiedliwie należał mu się nocleg. Przecie on ten dom budował.

– Hej! hej! a gdzie to? – krzyknął za nim od schodów człowiek odziany w tęgi kożuch.

Musiało już być chłodno na dworze.

Michałko odwrócił się.

– To ja – rzekł. – Idę spać do piwnicy.

Człowiek w kożuchu oburzył się.

– A cóż to, dziadowski hotel, żebyście noclegi odprawiali?

– Ja tu przecie robiłem całe lato – odparł zafrasowany chłop.

W sieni ukazała się stróżowa niespokojna o męża.

– Co się tu dzieje?... Kto to?... Może złodziej? – pytała.

– I, nie! Tylko ten oto gada, że robił przy fabryce, więc mu się tu nocleg należy... Durnowaty!...

Michałkowi zaświeciły oczy. Roześmiał się i pobiegł do stróża.

– To wy z naszej wsi? – zawołał przejęty radością.

– A bo co? – spytał stróż.

– A bo tak na mnie wołacie jak w naszej wsi... Ja przecie „durny Michałko"!

Stróżowa zachichotała, a jej mąż wzruszył ramionami.

– Żeś ty durny, to widać – rzekł. – Ale ja nie ze wsi, ino z miasta... Z Łapów! – dodał takim tonem, że aż zesmutniały chłop westchnął:

– Oj! oj! To pewnie musi być takie miasto wielkie jak Warszawa?

– Takie, nie takie – odparł stróż – ale zawsze miasto porządne.

Po chwili milczenia rzekł:

– A ty swoją drogą wynoś się, bo tu sypiać nie wolno.

Chłopu ręce opadły. Żałośnie spojrzał na stróża i spytał:

– Gdzież ja pójdę, kiedy tak leje?

Trafność tej uwagi uderzyła stróża. Jużci prawda: gdzie on pójdzie, kiedy tak leje?

– Ha! – odparł – to i zostań, kiedy tak leje. Ino niech ci się w nocy nie zechce kraść. A jutro zmykaj skoro świt, żeby cię gospodarz nie wypatrzył. Bo to bystry pan!

Michałko podziękował, poszedł do oficyn i po omacku wlazł do znajomej piwnicy. Roztarł skostniałe z zimna ręce, wykręcił zmoczoną parciankę i legł na okruchach cegieł i na wiórach, które sobie dawniej zniósł w to miejsce.

Gorąco mu nie było, owszem – nawet trochę chłodno i mokro. Ale on od dziecka przywykł do nędzy, więc na obecne niewygody wcale nie zważał. Gorzej go nudziła myśl: co począć? Czy szukać roboty w Warszawie, czy wracać do domu? Jeżeli szukać roboty, to gdzie i jakiej? A jeżeli wracać do domu, to którędy i po co? Głodu nie obawiał się. Miał przecie dwa ruble, a zresztą – alboż głód dla niego nowina?

– Ha! wola boska – szepnął.

Przestał kłopotać się jutrem i cieszył się dniem dzisiejszym. Na dworze deszcz lał ciurkiem. Jak by to źle było spać dziś w rowie, a jak porządnie jest tutaj!

I zasnął, zwyczajnie jak strudzony chłop, który gdy mu się co przyśni, to mówi, że go nawiedzały dusze.

A jutro... Będzie, co Bóg da!

Z rana wypogodziło się, nawet błysnęło słońce. Michałko jeszcze raz podziękował stróżowi za nocleg i wyszedł. Był zupełnie rześki, choć mu się od wczorajszego deszczu lepiły włosy, a parcianka stężała jak skóra.

Chwilę postał przed bramą namyślając się, gdzie iść: w lewo czy w prawo? Na rogu zobaczył otwarty szynk, więc wstąpił na śniadanie. Wypił duży kielich wódki i weselszy powlókł się w tę stronę, gdzie było widać rusztowania.

„Czy szukać roboty?... Czy wracać do domu?..." – myślał.

Wtem, gdzieś niedaleko, rozległ się huk podobny do krótkiego grzmotu; potem drugi – głośniejszy.

Chłop spojrzał.

O pareset kroków, na prawo, widać było szczyty rusztowań, a nad nimi jakby czerwony dym...

Stało się coś niezwykłego. Michałka ogarnęła ciekawość. Popędził w tamtą stronę poślizgując się i brnąc w kałużach.

Na nie brukowanej ulicy, gdzie stało ledwie parę domów, kręcili się strwożeni ludzie. Krzyczeli i pokazywali rękami nie wykończoną budowlę, przed którą leżały deski, połamane słupy i świeże gruzy. Nad wszystkim unosił się czerwony pył cegły.

Chłop przybiegł bliżej. Tam już zobaczył, co się zdarzyło. Oto – nowy dom upadł.

Cała jedna ściana rozsypała się od góry do dołu, a druga – w większej połowie.

W poszczerbionych murach wisiały futryny, a duże belki przeznaczone do dźwigania sufitów opadły, pogięły się i potrzaskały jak wióry.

W oknach sąsiednich domów ukazały się zalęknione kobiety. Ale na ulicy prócz robotników było ledwie kilka osób. Wieść o wypadku nie zdążyła jeszcze do środka miasta.

Pierwszy oprzytomniał główny majster.

– Czy nie zginął kto? – pytał, drżący.

– Zdaje się, że nie. Wszyscy byli na śniadaniu.

Majster począł rachować swoich, ale wciąż mylił się.

– Czeladnicy są?...

– Jesteśmy!...

– A pomocnicy?...

– Jesteśwa!...

– Jędrzeja nie ma!... – odezwał się jeden głos.

Obecni na chwilę zaniemieli.

– Tak, on był we środku...

– Trzeba go szukać!... – rzekł majster ochrypniętym głosem.

I poszedł ku przewróconemu domowi, a za nim kilku śmielszych.

Michałko machinalnie zbliżył się także.

– Jędrzeju!... Jędrzeju!... – wołał majster.

– Usuń się pan! – ostrzegli go. – Ta ściana ledwo wisi.

– Jędrzeju!... Jędrzeju!...

Z wnętrza domu odpowiedział jęk.

W jednym miejscu ściana była rozdarta na szerokość drzwi. Majster zabiegł z tamtej strony, zajrzał i schwycił się oburącz za głowę. Potem jak szalony popędził do miasta.

Za ścianą wił się w boleściach człowiek. Obie nogi zdruzgotała i przycisnęła mu belka. Nad nim wisiało urwisko muru, który pękał coraz mocniej i lada chwilę mógł się oberwać.

Jeden z cieślów począł oglądać miejscowość, a skamienieli z trwogi robotnicy patrzyli mu w oczy, gotowi pójść, jeżeli ratunek jest możliwy.

Ranny konwulsyjnie wykręcił się i stanął na dwu rękach. Był to chłop. Miał czarne z bólu usta, szarą twarz i zapadnięte oczy. Patrzył na ludzi stojących o kilkanaście kroków od niego, jęczał, ale wzywać o ratunek nie śmiał. Mówił tylko:

– Boże mój!... Boże miłosierny!...

– Tu nie można wejść! – rzekł głucho cieśla.

Gromada cofnęła się w tył.

Między nimi stał Michałko, przerażony może więcej niż inni.

Strach, co się w nim działo!... Czuł wszystek ból rannego, jego bojaźń, rozpacz, a jednocześnie czuł jakąś siłę, która popychała go naprzód...

Michałko przed
uratowaniem
człowieka –
opis przeżyć

Zdawało mu się, że w tłumie nikt, tylko on jeden ma obowiązek i – musi ratować człowieka, co przyszedł tu ze wsi na zarobek. I w tej chwili, kiedy inni mówili sobie: „pójdę!", on myślał:

„Nie pójdę! Nie chcę!..."

Obejrzał się bojaźliwie. Stał sam jeden przed gromadą, bliżej muru niż inni.

– Nie pójdę!... – szeptał i – podniósł drąg, który leżał mu prawie przy nogach.

Między ludźmi zaszemrano:

– Patrzcie!... Co on robi?...

– Cicho!

– Boże miłosierny, zmiłuj się! – wołał ranny szlochając z bólu.

– Idę! idę!... – rzekł Michałko i – wszedł między gruzy.

– Zginiecie obaj!... – krzyknął cieśla.

Michałko już był przy nieszczęśliwym. Zobaczył jego zdruzgotane nogi, kałużę krwi i pociemniało mu w oczach.

– Bracie mój! bracie!... – szeptał ranny i objął go za kolana.

Punkt
kulminacyjny

Chłop podsunął drąg pod belkę i rozpaczliwym ruchem podważył ją. Rozległo się trzeszczenie, a z wysokości drugiego piętra spadło kilka kawałków cegły.

– Wali się!... – krzyknęli robotnicy rozbiegając się.

Ale Michałko nie słyszał, nie myślał, nie czuł nic. Silnym ramieniem podparł znowu drąg i już całkiem usunął belkę ze zmiażdżonych nóg leżącego człowieka.

Z góry posypały się gruzy. Czerwony pył zakłębił się, zgęstniał i wypełnił wnętrze budynku. Za ścianą słychać było jakieś szamotanie się. Ranny jęknął głośniej i nagle ucichł.

W otworze rozdartej ściany ukazał się Michałko, zgięty, z trudnością dźwigający rannego. Powoli przeszedł niebezpieczną granicę i stanąwszy przed tłumem zawołał z naiwną radością:

– Jedzie!... jedzie!... Ino mu tam jeden but ostał!...

Robotnicy schwycili rannego, który omdlał, i ostrożnie zanieśli do najbliższej bramy.

– Wody!... – wołali.

– Octu!...

– Po doktora!...

Michałko powlókł się za nimi myśląc:

„To ci dobry naród w tej Warszawie. Nie bój się!"

Zobaczył, że ma ręce zakrwawione, więc umył je w kałuży i – stanął pod bramą domu, gdzie leżał ranny. Do środka nie pchał się. Alboż on doktór? czy mu co poradzi?

Tymczasem ulica poczęła się bardzo zaludniać. Biegli ciekawi, pędziły dorożki, a nawet z daleka słychać było dzwonki straży ogniowej, którą także ktoś zaalarmował.

Nowy tłum już takich, co byli chciwi wrażeń, skupił się przed bramą, a gorętsi pięściami torowali sobie drogę dla zobaczenia krwawej hecy.

Jednemu z nich stojący przy furtce Michałko zawadzał.

– Usuń się, gapiu jakiś! – krzyknął jegomość widząc, że bosy chłop nie bardzo ustępuje pod naciskiem jego ręki.

– A bo co?... – spytał Michałko zdziwiony tym zapędem.

– Coś ty za jeden, zuchwalcze jakiś? – wrzasnął ciekawy. – Co to, nie ma policji, żeby takich próżniaków rozpędzała?...

„Oj! na złe idzie!..." – pomyślał chłop i zląkł się, żeby go za taki występek nie wsadzono do kozy.

I nie chcąc budzić licha, wcisnął się między gromadę...

W kilka minut później zaczęto z bramy wołać tego, który biedaka wyniósł spośród gruzów.

Nie odezwał się nikt.

– Jak on wygląda? – pytano.

– To chłop. Miał białą sukmanę, okrągłą czapkę i był bosy...

– Nie ma tam takiego na ulicy?...

Poczęto szukać.

– Był tu taki – krzyknął ktoś – ale poszedł!...

Rozbiegła się policja, rozbiegli się robotnicy i – nie znaleźli Michałka.

Warszawa, 1880 roku

KATARYNKA

Na ulicy Miodowej[1] co dzień około południa można było spotkać jegomościa w pewnym wieku, który chodził z placu Krasińskich[2] ku ulicy Senatorskiej[3]. Latem nosił on wykwintne, ciemnogranatowe palto, popielate spodnie od pierwszorzędnego krawca, buty połyskujące jak zwierciadła – i – nieco wyszarzany cylinder.

> **Miejsce akcji – Warszawa; Pan Tomasz – wygląd**

Jegomość miał twarz rumianą, szpakowate faworyty[4] i siwe, łagodne oczy. Chodził pochylony, trzymając ręce w kieszeniach. W dzień pogodny nosił pod pachą laskę; w pochmurny – dźwigał jedwabny parasol angielski.

Był zawsze głęboko zamyślony i posuwał się z wolna. Około Kapucynów[5] dotykał pobożnie ręką kapelusza i przechodził na drugą stronę ulicy, ażeby zobaczyć u Pika[6], jak stoi barometr i termometr, potem znowu zawracał na prawy chodnik, zatrzymywał się przed wystawą Mieczkowskiego[7], oglądał fotografie Modrzejewskiej – i szedł dalej.

W drodze ustępował każdemu, a potrącony uśmiechał się życzliwie.

Jeżeli kiedy spostrzegał ładną kobietę, zakładał binokle, aby przypatrzyć się jej. Ale że robił to flegmatycznie, więc zwykle spotykał go zawód.

Ten jegomość był to – pan Tomasz.

Pan Tomasz trzydzieści lat chodził ulicą Miodową i nieraz myślał, że się na niej wiele rzeczy zmieniło. Toż samo ulica Miodowa pomyśleć by mogła o nim.

Gdy był jeszcze obrońcą, biegał tak prędko, że nie uciekłaby przed nim żadna szwaczka wracająca z magazynu do domu. Był wesoły, rozmowny, trzymał się prosto, miał czuprynę i nosił wąsy

> **Pan Tomasz – przeszłość**

zakręcone ostro do góry. Już wówczas sztuki piękne robiły na nim wrażenie, ale czasu im nie poświęcał, bo szalał – za kobietami. Co prawda, miał do nich szczęście i nieustannie był swatany. Ale cóż z tego, kiedy pan Tomasz nie mógł nigdy znaleźć ani jednej chwili na oświadczyny będąc zajęty jeżeli nie praktyką, to – schadzkami. Od Frani szedł do sądu, z sądu biegł do Zosi, którą nad wieczorem opuszczał, ażeby z Józią i Filką zjeść kolację.

Gdy został mecenasem, czoło, skutkiem natężonej pracy umysłowej, urosło mu aż do ciemienia, a na wąsach pokazało się kilka srebrnych włosów. Pan Tomasz pozbył

---

[1] *Miodowa* – ulica w centrum Warszawy.

[2] *plac Krasińskich* – plac w centrum Warszawy.

[3] *Senatorska* – ulica w Warszawie.

[4] *faworyty* – bokobrody.

[5] *Kapucyni* – kościół oo. Kapucynów na Miodowej.

[6] *Pik* – sklep zegarmistrzowski.

[7] *Mieczkowski* – sklep fotograficzny.

się już wówczas młodzieńczej gorączki, miał majątek i ustaloną opinią znawcy sztuk pięknych. A że kobiety wciąż kochał, więc począł myśleć o małżeństwie. Najął nawet mieszkanie z sześciu pokojów złożone, urządził w nim na własny koszt posadzki, sprawił obicia, piękne meble – i szukał żony.

Ale człowiekowi dojrzałemu trudno zrobić wybór. Ta była za młoda, a tamtą uwielbiał już zbyt długo. Trzecia miała wdzięki i wiek właściwy, ale nieodpowiedni temperament, a czwarta posiadała wdzięki, wiek i temperament należyty, ale... nie czekając na oświadczyny mecenasa wyszła za doktora...

Pan Tomasz jednak nie martwił się, ponieważ panien nie brakło. Ekwipował[8] się powoli, coraz usilniej dbając o to, ażeby każdy szczegół jego mieszkania posiadał wartość artystyczną. Zmieniał meble, przestawiał zwierciadła, kupował obrazy.

Nareszcie porządki jego stały się sławne. Sam nie wiedząc kiedy, stworzył u siebie galerią sztuk pięknych, którą coraz liczniej odwiedzali ciekawi. Że zaś był gościnny, przyjęcia robił świetne i utrzymywał stosunki z muzykami, więc nieznacznie zorganizowały się u niego wieczory koncertowe, które nawet damy zaszczycały swoją obecnością.

Pan Tomasz był wszystkim rad, a widząc w zwierciadłach, że czoło przerosło mu już ciemię i sięga w tył do białego jak śnieg kołnierzyka, coraz częściej przypominał sobie, że bądź co bądź trzeba się ożenić. Tym bardziej że dla kobiet wciąż czuł życzliwość.

Raz, kiedy przyjmował liczniejsze niż zwykle towarzystwo, jedna z młodych pań rozejrzawszy się po salonach zawołała:

– Co za obrazy... A jakie gładkie posadzki!... Żona pana mecenasa będzie bardzo szczęśliwa.

– Jeżeli do szczęścia wystarczą jej gładkie posadzki – odezwał się na to półgłosem serdeczny przyjaciel mecenasa.

W salonie zrobiło się bardzo wesoło. Pan Tomasz także uśmiechnął się, ale od tej pory, gdy mu kto wspomniał o małżeństwie, machał niedbale ręką, mówiąc:

– Iii!...

W tych czasach ogolił wąsy i zapuścił faworyty. O kobietach wyrażał się zawsze z szacunkiem, a dla ich wad okazywał dużą wyrozumiałość.

Pan Tomasz – fascynacja sztuką

Nie spodziewając się niczego od świata, bo już i praktykę porzucił, mecenas całe spokojne uczucie swoje skierował do sztuki. Piękny obraz, dobry koncert, nowe przedstawienie teatralne były jakby wiorstowymi słupami na drodze jego życia. Nie zapalał się on, nie unosił, ale – smakował.

Na koncertach wybierał miejsca odległe od estrady, ażeby słuchać muzyki nie słysząc hałasów i nie widząc artystów. Gdy szedł do teatru, obeznawał się wprzódy z utworem dramatycznym, ażeby bez gorączkowej ciekawości śledzić grę aktorów. Obrazy oglądał wówczas, gdy było najmniej widzów, i spędzał w galerii całe godziny.

Jeżeli podobało mu się coś, mówił:

– Wiecie, państwo, że to jest wcale ładne.

Należał do tych niewielu, którzy najpierwej poznają się na talencie. Ale utworów miernych nigdy nie potępiał.

---

[8] *ekwipować* – zaopatrywać w coś, wyposażać.

– Czekajcie, może się jeszcze wyrobi! – mówił, gdy inni ganili artystę.

I tak zawsze był pobłażliwy dla niedoskonałości ludzkiej, a o występkach nie rozmawiał.

Na nieszczęście, żaden śmiertelnik nie jest wolny od jakiegoś dziwactwa, a pan Tomasz miał także swoje. Oto – nienawidził kataryniarzy i katarynek.

Gdy mecenas usłyszał na ulicy katarynkę, przyśpieszał kroku i na parę godzin tracił humor. On, człowiek spokojny – zapalał się, jak był cichy – krzyczał, a jak był łagodny – wpadał w gniew na pierwszy odgłos katarynkowych dźwięków.

Z tej swojej słabości nie robił przed nikim tajemnicy, nawet tłumaczył się.

– Muzyka – mówił, wzburzony – stanowi najsubtelniejsze ciało ducha, w katarynce zaś duch ten przeradza się w funkcją machiny i narzędzie rozboju. Bo kataryniarze są po prostu rabusie!

Zresztą – dodawał – katarynka rozdrażnia mnie, a ja mam tylko jedno życie, którego mi nie wypada trwonić na słuchanie obrzydliwej muzyki.

> **Pan Tomasz – stosunek do katarynek**

Ktoś złośliwy, wiedząc o wstręcie mecenasa do grających machin, wymyślił niesmaczny żart – i... wysłał mu pod okna dwu kataryniarzy. Pan Tomasz zachorował z gniewu, a następnie odkrywszy sprawcę wyzwał go na pojedynek.

Aż sąd honorowy trzeba było zwoływać dla zapobieżenia rozlewowi krwi o rzecz tak małą na pozór.

Dom, w którym mecenas mieszkał, przechodził kilka razy z rąk do rąk. Rozumie się, że każdy nowy właściciel uważał za obowiązek podwyższać wszystkim komorne, a najpierwej panu Tomaszowi. Mecenas z rezygnacją płacił podwyżkę, ale pod tym warunkiem wyraźnie zapisanym w umowie, że katarynki grywać w domu nie będą.

Niezależnie od kontraktowych zastrzeżeń pan Tomasz wzywał do siebie każdego nowego stróża i przeprowadzał z nim taką mniej więcej rozmowę:

– Słuchaj no, kochanku... A jak ci na imię?...

– Kazimierz, proszę pana.

– Słuchajże, Kazimierzu! Ile razy wrócę do domu późno, a ty otworzysz mi bramę, dostaniesz dwadzieścia groszy. Rozumiesz?...

– Rozumiem, wielmożny panie.

– A oprócz tego będziesz brał ode mnie dziesięć złotych na miesiąc, ale wiesz za co?...

– Nie mogę wiedzieć, jaśnie panie – odpowiedział wzruszony stróż.

– Za to, ażebyś na podwórze nigdy nie wpuszczał katarynek. Rozumiesz?...

– Rozumiem, jaśnie wielmożny panie.

Lokal mecenasa składał się z dwu części. Cztery większe pokoje miały okna od ulicy, dwa mniejsze – od podwórza. Paradna połowa mieszkania przeznaczona była dla gości. W niej odbywały się rauty, przyjmowani byli interesanci i stawali krewni albo znajomi mecenasa ze wsi. Sam pan Tomasz ukazywał się tu rzadko i tylko dla sprawdzenia, czy wywoskowano posadzki, czy starto kurz i nie uszkodzono mebli.

> **Miejsce akcji – mieszkanie pana Tomasza**

Całe zaś dnie, o ile nie przepędzał ich za domem, przesiadywał w gabinecie od podwórza. Tam czytywał książki, pisywał listy albo przeglądał dokumenta znajomych, którzy prosili go o radę. A gdy nie chciał forsować wzroku, siadał na fotelu naprzeciw okna i zapaliwszy cygaro zatapiał się w rozmyślaniach. Wiedział on, że myślenie jest ważną funkcją życiową, której nie powinien lekceważyć człowiek dbający o zdrowie. Z drugiej strony podwórza, wprost okien pana Tomasza, znajdował się lokal, wynajmowany osobom mniej zamożnym. Długi czas mieszkał tu stary urzędnik sądowy, który spadłszy z etatu przeniósł się na Pragę. Po nim najął pokoiki krawiec; lecz że ten lubił niekiedy upijać się i hałasować, więc wymówiono mu mieszkanie. Później sprowadziła się tu jakaś emerytka, wiecznie kłócąca się ze swoją sługą.

Ale od św. Jana staruszkę, już bardzo zgrzybiałą i wcale zasobną, pomimo jej kłótliwego usposobienia wzięli na wieś krewni, a do lokalu sprowadziły się dwie panie z małą, może ośmioletnią dziewczynką.

Kobiety utrzymywały się z pracy. Jedna szyła, druga wyrabiała pończochy i kaftaniki na maszynie. Młodszą z nich i przystojniejszą dziewczynka nazywała mamą, a starszej mówiła: pani.

I u mecenasa, i u nowych lokatorów okna przez cały dzień były otwarte. Kiedy więc pan Tomasz usiadł na swoim fotelu, doskonale mógł widzieć, co się dzieje u jego sąsiadek.

**Miejsce akcji –
mieszkanie
niewidomej
dziewczynki**

Były tam sprzęty ubogie. Na stołach i krzesłach, na kanapie i na komodzie leżały tkaniny przeznaczone do szycia i kłębki bawełny na pończochy.

Z rana kobiety same zamiatały mieszkanie, a około południa najemnica przynosiła im niezbyt obfity obiad. Zresztą każda z nich prawie nie odstępowała od swojej turkoczącej maszyny.

**Dziewczynka –
wygląd,
zachowanie**

Dziewczynka zwykle siedziała przy oknie. Było to dziecko z ciemnymi włosami i ładną twarzyczką, ale blade i jakieś nieruchawe. Czasami dziewczynka za pomocą dwu drutów wiązała pasek z bawełnianych nici. Niekiedy bawiła się lalką, którą ubierała i rozbierała powoli, jakby z trudnością. Czasami nie robiła nic, tylko siedząc w oknie przysłuchiwała się czemuś.

Pan Tomasz nie widział nigdy, ażeby dziecię to śpiewało lub biegało po pokoju, nie widział nawet uśmiechu na bledziutkich ustach i nieruchomej twarzy.

„Dziwne dziecko!" – mówił do siebie mecenas i począł przypatrywać się jej uważniej.

Spostrzegł raz (było to w niedzielę), że matka dała jej mały bukiecik. Dziewczynka ożywiła się nieco. Rozkładała i układała kwiaty, całowała je. W końcu związała na powrót w bukiecik, włożyła go w szklankę wody i usiadłszy w swoim oknie rzekła:

– Prawda, mamo, że tu jest smutno...

Mecenas zgorszył się. Jak mogło być smutno w domu, w którym on od tylu lat miał dobry humor!

Jednego dnia mecenas znalazł się w swoim gabinecie około czwartej. W tej godzinie słońce stało naprzeciw mieszkania jego sąsiadek, a świeciło i dogrzewało bardzo mocno. Pan Tomasz spojrzał na drugą stronę podwórza i widać zobaczył coś niezwykłego, gdyż z pośpiechem założył na nos binokle.

Oto, co spostrzegł:

Mizerna dziewczynka oparłszy głowę na ręku położyła się prawie na wznak w swoim oknie – i – szeroko otwartymi oczyma patrzyła prosto w słońce. Na jej twarzyczce, zwykle tak nieruchomej, grały teraz jakieś uczucia: niby radość, a niby żal... – Ona nie widzi! – szepnął mecenas opuszczając binokle. W tej chwili doświadczył kłucia w oczach na samą myśl, że ktoś może wpatrywać się w słońce, które ziało żywym ogniem.

Istotnie, dziewczynka było niewidoma od dwu lat. W szóstym roku życia zachorowała na jakąś gorączkę; przez kilka tygodni była nieprzytomna, a następnie tak opadła z sił, że leżała jak martwa, nie poruszając się i nic nie mówiąc.

Dziewczynka – historia choroby

Pojono ją winem i bulionami, więc stopniowo przychodziła do siebie. Ale pierwszego dnia, kiedy ją posadzono na poduszce, zapytała matki:

– Mamo, czy to jest noc?...

– Nie, moje dziecko... A dlaczego ty tak mówisz?

Ale dziewczynka nie odpowiedziała: spać się jej chciało. Tylko nazajutrz, gdy w południe przyszedł lekarz, spytała znowu:

– Czy to jeszcze jest noc?...

Wtedy zrozumiano, że dziewczynka nie widzi. Lekarz zbadał jej oczy i zaopiniował, że trzeba czekać.

Ale chora im bardziej odzyskiwała siły, tym mocniej niepokoiła się swoim kalectwem...

– Mamo, dlaczego ja mamy nie widzę?...

– Bo tobie oczki zasłoniło. Ale to przejdzie.

– Kiedy przejdzie?...

– Niedługo.

– Może jutro, proszę mamy?

– Za kilka dni, moja dziecino.

– A jak przejdzie, to niech mi mama zaraz powie. Bo mi jest bardzo smutno!...

Mijały dni i tygodnie w ciągłym oczekiwaniu. Dziewczynka poczęła już wstawać z łóżeczka. Nauczyła się chodzić po pokoju omackiem; sama ubierała się i rozbierała powoli i ostrożnie.

Ale wzrok nie wracał.

Jednego razu mówiła:

– Prawda, mamo, że ja mam niebieską sukienkę?...

– Nie, dziecko, masz popielatą

– Mama ją widzi?

– Widzę, moje kochanie.

– Tak jak i w dzień?

– Tak.

– Ja także będę widziała wszystko za kilka dni?... Nie, może za miesiąc...

Ale ponieważ matka nie odpowiedziała jej nic, więc mówiła dalej:

– Prawda, mamo, że na dworze ciągle jest dzień?... A w ogrodzie są drzewa, tak jak dawniej?... Czy do nas przychodzi ten biały kotek z czarnymi łapami?... Prawda, mamo, że ja widziałam siebie w lustrze?... Nie ma tu lustra?...

Matka podaje jej lusterko.

– Trzeba patrzyć tutaj, o tu, gdzie jest gładkie – mówiła dziewczynka przykładając lustro do twarzy. – Nic nie widzę! – rzekła. – Czy i mama nie widzi mnie w lusterku?

– Widzę cię, moja ptaszyno.

– Jakim sposobem?... – zawołała dziewczynka żałośnie. – Przecie jeżeli ja nie widzę siebie, to już w lustrze nie powinno być nic...

A tamta, co jest w lustrze, czy ona mnie widzi, czy nie widzi?...

Ale matka rozpłakała się i wybiegła z pokoju.

Najmilszym zajęciem kaleki było dotykać rękoma drobnych przedmiotów i poznawać je.

Jednego dnia przyniosła jej matka lalkę porcelanową, ładnie ubraną, za rubla. Dziewczynka nie wypuszczała jej z rąk, dotykała jej noska, ust, oczu, pieściła się nią.

Poszła spać bardzo późno wciąż myśląc o swej lalce, którą ułożyła w pudełku wysłanym watą.

W nocy zbudził matkę szmer i szept. Zerwała się z pościeli, zapaliła świecę i zobaczyła w kąciku swoją córkę już ubraną i bawiącą się lalką.

– Co ty robisz, dziecino? – zawołała. – Dlaczego nie śpisz?

– Bo już przecie jest dzień, proszę mamy – odparła kaleka.

Dla niej dzień i noc zlały się w jedno i trwały zawsze...

Dziewczynka – sposób „oglądania" świata

Stopniowo pamięć wzrokowych wrażeń poczęła zacierać się w dziewczynce. Czerwona wiśnia stała się dla niej wiśnią gładką, okrągłą i miękką, błyszczący pieniądz był twardym, i dźwięcznym krążkiem, na którym znajdowały się jakieś znaki w płaskorzeźbie. Wiedziała, że pokój jest większy od niej, dom większy od pokoju, ulica od domu. Ale wszystko to jakoś – skróciło się w jej wyobraźni.

Uwaga jej skierowała się na zmysł dotyku, powonienia i słuchu. Jej twarz i ręce nabrały takiej wrażliwości, że zbliżywszy się do ściany czuła o kilka cali lekki chłód. Zjawiska odległe oddziaływały na nią tylko przez słuch. Przysłuchiwała się więc po całych dniach.

Poznawała posuwisty chód stróża, który mówił piskliwym głosem i zamiatał podwórko. Wiedziała, kiedy jedzie z drzewem chłopski wózek drabiniasty, kiedy – dorożka, a kiedy – kary wywożące śmiecie.

Najmniejszy szelest, zapach, oziębienie się albo rozgrzanie powietrza nie uszło jej uwagi. Z niepojętą bystrością pochwytywała drobne te zjawiska i wysnuwała z nich wnioski.

Raz matka zawołała służącej.

– Nie ma Janowej – rzekła kaleka siedząc jak zwykle w kąciku. – Poszła po wodę.

– A skąd wiesz o tym? – zapytała zdziwiona matka.

– Skąd?... Przecież wiem, że brała konewkę z kuchni, potem poszła na drugie podwórze i napompowała wody. A teraz rozmawia ze stróżem.

Istotnie zza parkanu dolatywał szmer rozmowy dwu osób, ale tak niewyraźny, że tylko z wysiłkiem można go było usłyszeć.

Lecz nawet rozszerzona sfera zmysłów niższych nie mogła kalece zastąpić wzroku. Dziewczynka uczuła brak wrażeń i zaczęła tęsknić.

Pozwolono jej chodzić po całym domu i to ją nieco uspokajało. Wydeptała każdy kamień na podwórzu, dotknęła każdej rynny i beczki. Ale największą przyjemność robiły jej – podróże do dwu całkiem odmiennych światów: do piwnicy i na strych. W piwnicy powietrze było chłodne, ściany wilgotne.

Przygłuszony turkot uliczny dolatywał z góry; inne odgłosy niknęły. To była noc dla ociemniałej.

Na strychu zaś, szczególniej w okienku, działo się całkiem inaczej. Tam hałasu było więcej niż w pokoju. Kaleka słyszała turkot wozów z kilku ulic; tu skupiały się krzyki z całego domu. Twarz jej owiewał ciepły wiatr. Słyszała świergot ptaków, szczekanie psów i szelest drzew w sąsiednim ogrodzie. Tu był dla niej dzień...

Nie dość na tym. Na strychu częściej niż w pokoju świeciło słońce, a gdy dziewczynka skierowała na nie przygasłe oczy, zdawało jej się, że coś widzi. W wyobraźni budziły się cienie kształtów i barw, ale takie niewyraźne i pierzchliwe, że nic przypomnieć sobie nie mogła...

W tej właśnie epoce matka połączyła się ze swoją przyjaciółką i przeniosła się do domu, w którym mieszkał pan Tomasz. Obie kobiety cieszyły się z nowego lokalu, ale dla niewidomej zmiana miejsca była prawdziwym nieszczęściem.

Dziewczynka musiała siedzieć w pokoju. Na strych i do piwnicy nie wolno było chodzić. Nie słyszała ptaków ani drzew, a na podwórzu panowała straszna cisza. Nigdy tu nie wstępowali handlarze starzyzny ani druciarze, ani śmieciarki. Nie puszczano bab śpiewających pieśni pobożne ani dziada, który grał na klarnecie, ani kataryniarzy.

Jedyną jej przyjemnością było wpatrywanie się w słońce, które przecie nie zawsze jednakowo świeciło i bardzo prędko kryło się za domami.

Dziewczynka znowu poczęła tęsknić. Zmizerniała w ciągu kilku dni, a na jej twarzy ukazał się wyraz zniechęcenia i martwości, który tak dziwił pana Tomasza.

> **Dziewczynka – tęsknota, nuda**

Nie mogąc widzieć, kaleka chciała przynajmniej słuchać wciąż najrozmaitszych odgłosów. A w domu było cicho...

– Biedne dziecko! – szeptał nieraz pan Tomasz przypatrując się smutnemu maleństwu.

„Gdybym mógł dla niej co zrobić?" – myślał widząc, że dziecko jest coraz mizerniejsze i co dzień niknie.

Zdarzyło się w tych czasach, że jeden z przyjaciół mecenasa miał proces i jak zwykle oddał mu do przejrzenia papiery z prośbą o radę. Wprawdzie pan Tomasz nie stawał już w sądach, ale jako doświadczony praktyk umiał wskazać najwłaściwszy kierunek akcji i wybranemu przez siebie adwokatowi udzielał pożytecznych objaśnień.

Sprawa obecna była zawikłana. Pan Tomasz im więcej wczytywał się w papiery, tym bardziej zapalał się. W emerycie ocknął się adwokat. Nie wychodził już z mieszkania, nie sprawdzał, czy starto kurz w salonach, tylko zamknięty w swoim gabinecie, czytał dokumenta i notował.

Wieczorem stary lokaj mecenasa przyszedł z codziennym raportem. Doniósł, że pani doktorowa wyjechała z dziećmi na letnie mieszkanie, że zepsuł się wodociąg, że odźwierny, Kazimierz, zrobił awanturę ze stójkowym i poszedł na tydzień – do kozy. Zapytał w końcu: czy pan mecenas nie zechce widzieć się z nowo przyjętym stróżem?...

Ale mecenas, pochylony nad papierami, palił cygaro, puszczał kółka dymu, a na wiernego sługę nawet nie spojrzał.

Na drugi dzień pan Tomasz jeszcze siedział nad aktami; około drugiej zjadł obiad i znowu siedział. Jego rumiana twarz i szpakowate faworyty na szafirowym tle pokojowego obicia przypominały „studia z natury". Matka ociemniałej dziewczynki i jej wspólniczka robiąca pończochy na maszynie podziwiały mecenasa i mówiły, że wygląda na czerstwego wdowca, który ma zwyczaj od rana do wieczora drzemać nad biurkiem.

Tymczasem mecenas, choć przymykał oczy, nie drzemał wcale, tylko rozmyślał nad sprawą.

Obywatel X w roku 1872 zapisał swemu siostrzeńcowi folwark, a w roku 1875 – synowcowi kamienicę. Synowiec twierdził, że obywatel X był wariatem w roku 1872, a siostrzeniec dowodził, że X oszalał dopiero w roku 1875. Zaś mąż rodzonej siostry nieboszczyka składał nie ulegające wątpliwości świadectwa, że X i w roku 1872, i w 1875 działał jak obłąkany, a cały swój majątek jeszcze w roku 1869, czyli w epoce zupełnej świadomości, zapisał siostrze.

Pana Tomasza proszono o zbadanie, kiedy naprawdę X był wariatem, a następnie o pogodzenie trzech powaśnionych stron, z których żadna nie chciała słuchać o ustępstwach.

Gdy tak mecenas nurzał się w powikłanych kombinacjach, zdarzył się dziwny, trudny do pojęcia wypadek.

Na podwórzu, pod samym oknem pana Tomasza odezwała się – katarynka!...

Punkt kulminacyjny – pan Tomasz – reakcja na dźwięk katarynki

Gdyby zmarły X wstał z grobu, odzyskał przytomność i wszedł do gabinetu, aby pomóc mecenasowi w rozwiązywaniu trudnych zagadnień, z pewnością pan Tomasz nie doznałby takiego uczucia jak teraz, gdy usłyszał katarynkę!...

I żeby to przynajmniej była katarynka włoska, z przyjemnymi tonami fletowymi, dobrze zbudowana, grająca ładne kawałki! Gdzie tam! jakby na większą szykanę katarynka była popsuta, grała fałszywie ordynaryjne walce i polki, a tak głośno, że szyby drżały. Na domiar złego, trąba, od czasu do czasu odzywająca się w niej, ryczała jak wściekłe zwierzę.

Wrażenie było potężne. Mecenas osłupiał. Nie wiedział, co myśleć i co począć. Chwilami gotów był przypuścić, że przy odczytywaniu pośmiertnych rozporządzeń chorego na umyśle obywatela X jemu samemu pomieszało się w głowie i że uległ halucynacjom.

Ale nie, to nie były halucynacje. To była rzeczywista katarynka, z popsutymi piszczałkami i bardzo głośną trąbą!

W sercu mecenasa, tego wyrozumiałego, tego łagodnego człowieka, zbudziły się dzikie instynkta. Uczuł żal do natury, że go nie stworzyła królem dahomejskim, który ma prawo zabijać swoich poddanych, i pomyślał, z jaką rozkoszą położyłby w tej chwili kataryniarza trupem!

A ponieważ u ludzi tego temperamentu, co pan Tomasz, bardzo łatwo w gniewnym uniesieniu przechodzi się od zuchwałych projektów do najstraszniejszych czynów, więc mecenas skoczył jak tygrys do okna i postanowił – zwymyślać kataryniarza najgorszymi wyrazami.

Już wychylił się i otworzył usta, aby krzyknąć: „Ty... próżniaku jakiś!..." – gdy wtem usłyszał dziecięcy głos.

Spojrzał naprzeciwko.

Mała niewidoma dziewczynka tańczyła po pokoju klaszcząc w ręce. Blada jej twarz zarumieniła się, usta śmiały się, a pomimo to z zastygłych oczu płynęły łzy jak grad.

Dziewczynka – reakcja na dźwięk katarynki

Ona, biedactwo, w tym domu spokojnym dawno już nie doświadczyła tylu wrażeń! Jak pięknym zjawiskiem wydawały się jej fałszywe tony katarynki! Jak wspaniałym był ryk trąby, która mecenasa mało nie przyprawiła o apopleksję.

Na dobitkę, kataryniarz widząc uciechę dziecka zaczął przytupywać wielkim obcasem w bruk i od czasu do czasu pogwizdywać niby lokomotywa przed spotkaniem się pociągów.

Boże! jak on ślicznie gwizdał...

Do gabinetu mecenasa wpadł wierny lokaj ciągnąc za sobą stróża i wołając:

– Ja mówiłem temu gałganowi, jaśnie panie, żeby natychmiast wygnał kataryniarza! Mówiłem, że od jaśnie pana dostanie pensją, że my mamy kontrakt... Ale ten cham! Tydzień temu przyjechał ze wsi i nie zna naszych obyczajów. No, teraz posłuchaj – krzyczał lokaj targając za ramię oszołomionego stróża – posłuchaj, co ci sam jaśnie pan mecenas powie!

Kataryniarz grał już trzecią sztuczkę tak fałszywie i wrzaskliwie jak dwie pierwsze.

Niewidoma dziewczynka była upojona.

Mecenas odwrócił się do stróża i rzekł ze zwykłą sobie flegmą, choć był trochę blady:

– Słuchaj no, kochanku... A jak ci na imię?...

– Paweł, jaśnie panie.

– Otóż, mój Pawle, będę ci płacił dziesięć złotych na miesiąc, ale wiesz za co?...

– Za to, ażebyś na podwórze nigdy nie puszczał katarynek! – wtrącił śpiesznie lokaj.

– Nie – rzekł pan Tomasz. – Za to, ażebyś przez jakiś czas co dzień puszczał katarynki. Rozumiesz?

– Co pan mówi?... – zawołał służący, którego nagle rozzuchwalił ten niepojęty rozkaz.

– Ażeby, dopóki się z nim nie rozmówię, puszczał co dzień katarynki na podwórze – powtórzył mecenas wsadzając ręce w kieszenie.

– Nie rozumiem pana!... – odezwał się służący z oznakami obrażającego zdziwienia.

– Głupiś, mój kochany! – rzekł mu dobrotliwie pan Tomasz.

– No, idźcie do roboty – dodał.

Lokaj i stróż wyszli, a mecenas spostrzegł, że jego wierny sługa coś towarzyszowi swemu szepcze do ucha i pokazuje palcem na czoło...

Pan Tomasz uśmiechnął się i jakby dla stwierdzenia ponurych domysłów famulusa wyrzucił katarynce dziesiątkę.

Następnie wziął kalendarz, wyszukał w nim listę lekarzy i zapisał na kartce adresy kilku okulistów. A że kataryniarz odwrócił się teraz do jego okna i za jego dziesiątkę począł przytupywać i wygwizdywać jeszcze głośniej, co już okrutnie drażniło mecenasa, więc zabrawszy kartkę z adresami doktorów wyszedł mrucząc:

– Biedne dziecko!... Powinienem był zająć się nim od dawna...

KAMIZELKA

Niektórzy ludzie mają pociąg do zbierania osobliwości kosztowniejszych lub mniej kosztownych, na jakie kogo stać. Ja także posiadam zbiorek, lecz skromny, jak zwykle w początkach.

Jest tam mój dramat, który pisałem jeszcze w gimnazjum na lekcjach języka łacińskiego... Jest kilka zasuszonych kwiatów, które trzeba będzie zastąpić nowymi, jest... Zdaje się, że nie ma nic więcej oprócz pewnej bardzo starej i zniszczonej kamizelki. Oto ona. Przód spłowiały, a tył przetarty. Dużo plam, brak guzików, na brzegu dziurka, wypalona zapewne

Kamizelka – opis przedmiotu

papierosem. Ale najciekawsze w niej są ściągacze. Ten, na którym znajduje się sprzączka, jest skrócony i przyszyty do kamizelki wcale nie po krawiecku, a ten drugi, prawie na całej długości, jest pokłuty zębami sprzączki.

Patrząc na to od razu domyślasz się, że właściciel odzienia zapewne co dzień chudnął i wreszcie dosięgnął tego stopnia, na który kamizelka przestaje być niezbędną, ale natomiast okazuje się bardzo potrzebnym zapięty pod szyję frak z magazynu pogrzebowego.

Wyznaję, że dziś chętnie odstąpiłbym komu ten szmat sukna, który mi robi trochę kłopotu. Szaf na zbiory jeszcze nie mam, a nie chciałbym znowu trzymać chorej kamizelczyny między własnymi rzeczami. Był jednak czas, żem ją kupił za cenę znakomicie wyższą od wartości, a dałbym nawet i drożej, gdyby umiano się targować. Człowiek miewa w życiu takie chwile, że lubi otaczać się przedmiotami, które przypominają smutek.

Smutek ten nie gnieździł się u mnie, ale w mieszkaniu bliskich sąsiadów. Z okna mogłem co dzień spoglądać do wnętrza ich pokoiku.

Jeszcze w kwietniu było ich troje: pan, pani i mała służąca, która sypiała o ile wiem, na kuferku za szafą. Szafa była ciemnowiśniowa. W lipcu, jeżeli mnie pamięć nie zwodzi, zostało ich tylko dwoje: pani i pan, bo służąca przeniosła się do takich

Małżeństwo – obserwacje narratora

państwa, którzy płacili jej trzy ruble na rok i co dzień gotowali obiady.

W październiku została już tylko   pani, sama jedna. To jest niezupełnie sama, ponieważ w pokoju znajdowało się jeszcze dużo sprzętów: dwa łóżka, stół, szafa... Ale na początku listopada sprzedano z licytacji niepotrzebne rzeczy, a przy pani ze wszystkich pamiątek po mężu została tylko kamizelka, którą obecnie posiadam.

Lecz w końcu listopada pewnego dnia pani zawołała do pustego mieszkania handlarza starzyzny i sprzedała mu swój parasol za dwa złote i kamizelkę po mężu za czterdzieści groszy. Potem zamknęła mieszkanie na klucz, powoli przeszła dziedziniec, w bramie oddała klucz stróżowi, chwilę popatrzyła w swoje niegdyś okno, na które padały drobne płatki śniegu, i – znikła za bramą.

**Scena
z żydowskim
handlarzem –
realizm: język,
zachowanie**

Na dziedzińcu został handlarz starzyzny. Podniósł do góry wielki kołnierz kapoty, pod pachę wetknął dopiero co kupiony parasol i owinąwszy w kamizelkę ręce czerwone z zimna, mruczał:

– Handel, panowie... handel!...

Zawołałem go.

– Pan dobrodziej ma co do sprzedania? – zapytał wchodząc.

– Nie, chcę od ciebie coś kupić.

– Pewnie wielmożny pan chce parasol?... – odparł Żydek.

Rzucił na ziemię kamizelkę, otrząsnął śnieg z kołnierza i z wielką usilnością począł otwierać parasol.

– A fajn mebel!... – mówił. – Na taki śnieg to tylko taki parasol... Ja wiem, że wielmożny pan może mieć całkiem jedwabny parasol, nawet ze dwa. Ale to dobre tylko na lato!...

– Co chcesz za kamizelkę? – spytałem.

– Jake kamyzelkie?... – odparł, zdziwiony, myśląc zapewne o swojej własnej.

Ale wnet opamiętał się i szybko podniósł leżącą na ziemi.

– Za te kamyzelkie?... Pan dobrodziej pyta się o te kamyzelkie?...

A potem, jakby zbudziło się w nim podejrzenie, spytał:

– Co wielmożnego pana po take kamyzelkie?!...

– Ile chcesz za nią?

Żydowi błysnęły żółte białka, a koniec wyciągniętego nosa poczerwieniał jeszcze bardziej.

– Da wielmożny pan... rubelka! – odparł roztaczając mi przed oczyma towar w taki sposób, ażeby okazać wszystkie jego zalety.

– Dam ci pół rubla.

– Pół rubla?... taki ubjór?... to nie może być! – mówił handlarz.

– Ani grosza więcej.

– Niech wielmożny pan żartuje zdrów!... – rzekł klepiąc mnie po ramieniu. – Pan sam wi, co taka rzecz jest warta. To przecie nie jest ubjór na małe dziecko, to jest na dorosłe osoby...

– No, jeżeli nie możesz oddać za pół rubla, to już idź. Ja więcej nie dam.

– Ino nich się pan nie gniewa! – przerwał mięknąc. – Na moje sumienie, za pół rubelka nie mogę, ale – ja zdaję się na pański rozum... Niech pan sam powie: co to jest wart, a ja się zgodzę!... Ja wolę dołożyć, byle to się stało, co pan chce.

– Kamizelka jest warta pięćdziesiąt groszy, a ja ci daję pół rubla.

– Pół rubla?... Niech będzie już pół rubla!... – westchnął wpychając mi kamizelkę w ręce. – Niech będzie moja strata, byle ja z gęby nie robił... ten wjatr!...

I wskazał ręką na okno, za którym kłębił się tuman śniegu.

Gdym sięgnął po pieniądze, handlarz, widocznie coś przypomniawszy sobie, wyrwał mi jeszcze raz kamizelkę i począł szybko rewidować jej kieszonki.

– Czegóż ty tam szukasz?

– Możem co zostawił w kieszeni, nie pamiętam! – odparł najnaturalniejszym tonem, a zwracając mi nabytek dodał:

– Niech jaśnie pan dołoży choć dziesiątkę!...
– No, bywaj zdrów! – rzekłem otwierając drzwi.
– Upadam do nóg!... Mam jeszcze w domu bardzo porządne futro...
I jeszcze zza progu, wytknąwszy głowę, zapytał:
– A może wielmożny pan każe przynieść serki owczych?...
W parę minut znowu wołał na podwórzu: „Handel! handel!..." – a gdym stanął w oknie, ukłonił mi się z przyjacielskim uśmiechem.

Śnieg zaczął tak mocno padać, że prawie zmierzchło się. Położyłem kamizelkę na stole i począłem marzyć to o pani, która wyszła za bramę nie wiadomo dokąd, to o mieszkaniu, stojącym pustką obok mego, to znowu o właścicielu kamizelki, nad którym coraz gęstsza warstwa śniegu narasta...

Jeszcze trzy miesiące temu słyszałem, jak w pogodny dzień wrześniowy rozmawiali ze sobą. W maju pani raz nawet – nuciła jakąś piosenkę, on śmiał się czytając „Kuriera Świątecznego". A dziś...

Do naszej kamienicy sprowadzili się na początku kwietnia. Wstawali dość rano, pili herbatę z blaszanego samowaru i razem wychodzili do miasta. Ona na lekcje, on do biura.

Małżeństwo – przeszłość, relacja narratora

Był to drobny urzędniczek, który na naczelników wydziałowych patrzył z takim podziwem jak podróżnik na Tatry. Za to musiał dużo pracować, po całych dniach. Widywałem nawet go i o północy, przy lampie, zgiętego nad stolikiem.

Żona zwykle siedziała przy nim i szyła. Niekiedy spojrzawszy na niego przerywała swoją robotę i mówiła tonem upominającym:

– No, już dość będzie, połóż się spać.
– A ty kiedy pójdziesz spać?...
– Ja... jeszcze tylko dokończę parę ściegów...
– No... to i ja napiszę parę wierszy...
Znowu oboje pochylali głowy i robili swoje. I znowu po niejakim czasie pani mówiła:
– Kładź się!... kładź się!...
Niekiedy na jej słowa odpowiadał mój zegar wybijając pierwszą.

Byli to ludzie młodzi, ani ładni, ani brzydcy, w ogóle spokojni. O ile pamiętam, pani była znacznie szczuplejsza od męża, który miał budowę wcale tęgą. Powiedziałbym, że nawet za tęgą na tak małego urzędnika.

Małżeństwo – wygląd postaci, sposób życia

Co niedzielę, około południa, wychodzili na spacer trzymając się pod ręce i wracali do domu późno wieczór. Obiad zapewne jedli w mieście. Raz spotkałem ich przy bramie oddzielającej Ogród Botaniczny od Łazienek. Kupili sobie dwa kufle doskonałej wody i dwa duże pierniki, mając przy tym spokojne fizjognomie mieszczan, którzy zwykli jadać przy herbacie gorącą szynkę z chrzanem.

W ogóle biednym ludziom niewiele potrzeba do utrzymania duchowej równowagi. Trochę żywności, dużo roboty i dużo zdrowia. Reszta sama się jakoś znajduje.

Moim sąsiadom, o ile się zdaje, nie brakło żywności, a przynajmniej roboty. Ale zdrowie nie zawsze dopisywało.

Mąż – choroba

Jakoś w lipcu pan zaziębił się, zresztą nie bardzo. Dziwnym jednak zbiegiem okoliczności dostał jednocześnie tak silnego krwotoku, że aż stracił przytomność.

Było to już w nocy. Żona utuliwszy go na łóżku, sprowadziła do pokoju stróżowę, a sama pobiegła po doktora. Dowiadywała się o pięciu, ale znalazła ledwie jednego, i to wypadkiem, na ulicy.

Doktór, spojrzawszy na nią przy blasku migotliwej latarni, uznał za stosowne ją przede wszystkim uspokoić. A ponieważ chwilami zataczała się, zapewne ze zmęczenia, a dorożki na ulicy nie było, więc podał jej rękę i idąc tłomaczył, że krwotok jeszcze niczego nie dowodzi.

– Krwotok może być z krtani, z żołądka, z nosa, z płuc rzadko kiedy. Zresztą, jeżeli człowiek zawsze był zdrów, nigdy nie kaszlał...

– O, tylko czasami! – szepnęła pani zatrzymując się dla nabrania tchu.

– Czasami? to jeszcze nic. Może mieć lekki katar oskrzeli.

– Tak... to katar! – powtórzyła pani już głośno.

– Zapalenia płuc nie miał nigdy?...

– Owszem!... – odparła pani, znowu stając.

Trochę się nogi pod nią chwiały.

– Tak, ale zapewne już dawno?... – pochwycił lekarz.

– O, bardzo... bardzo dawno!... – potwierdziła z pośpiechem.

Żona – miłość do męża

– Jeszcze tamtej zimy.

– Półtora roku temu.

– Nie... ale jeszcze przed Nowym Rokiem... O, już dawno!

– A!... Jaka to ciemna ulica, a w dodatku niebo trochę zasłonięte... – mówił lekarz.

Weszli do domu. Pani z trwogą zapytała stróża: co słychać? – i dowiedziała się, że nic. W mieszkaniu stróżowa także powiedziała jej, że nic nie słychać, a chory drzemał.

Lekarz ostrożnie obudził go, wybadał i także powiedział, że to nic.

– Ja zaraz mówiłem, że to nic! – odezwał się chory.

– O, nic!... – powtórzyła pani ściskając jego spotniałe ręce. – Wiem przecie, że krwotok może być z żołądka albo z nosa. U ciebie pewnie z nosa... Tyś taki tęgi, potrzebujesz ruchu, a ciągle siedzisz... Prawda, panie doktorze, że on potrzebuje ruchu?...

– Tak! tak!... Ruch jest w ogóle potrzebny, ale małżonek pani musi parę dni poleżyć. Czy może wyjechać na wieś?

– Nie może... – szepnęła pani ze smutkiem.

– No – to nic! Więc zostanie w Warszawie. Ja będę go odwiedzał, a tymczasem – niech sobie poleży i odpocznie.

Gdyby się zaś krwotok powtórzył... – dodał lekarz.

– To co, panie? – spytała żona blednąc jak wosk.

– No, to nic. Mąż pani wypocznie, tam się zasklepi...

– Tam... w nosie? – mówiła pani składając przed doktorem ręce.

– Tak... w nosie! Rozumie się. Niech pani uspokoi się, a resztę zdać na Boga. Dobranoc.

Słowa doktora tak uspokoiły panią, że po trwodze, jaką przechodziła od kilku godzin, zrobiło się jej prawie wesoło.

– No, i cóż to tak wielkiego! – rzekła, trochę śmiejąc się, a trochę popłakując.
Uklękła przy łóżku chorego i zaczęła całować go po rękach.

– Cóż tak wielkiego! – powtórzył pan cicho i uśmiechnął się. – Ile to krwi na wojnie
z człowieka upływa, a jednak jest potem zdrów!...

– Już tylko nic nie mów – prosiła go pani.

Na dworze zaczęło świtać. W lecie, jak wiadomo, noce są bardzo krótkie.

Choroba przeciągnęła się znacznie dłużej, niż myślano. Mąż nie chodził już
do biura, co mu tym mniej robiło kłopotu, że jako urzędnik najemny nie potrzebował
brać urlopu, a mógł wrócić, kiedy by mu się podobało i – o ile znalazłby miejsce.
Ponieważ gdy siedział w mieszkaniu, był zdrowszy, więc pani wystarała się jeszcze
o kilka lekcyj na tydzień i za ich pomocą opędzała domowe potrzeby.

Wychodziła zwykle do miasta o ósmej rano. Około pierwszej wracała na parę
godzin do domu, ażeby ugotować mężowi obiad na maszynce, a potem znowu wybie-
gała na jakiś czas.

Za to już wieczory spędzali razem. Pani zaś, aby nie próżnować, brała trochę
więcej do szycia.

Jakoś w końcu sierpnia spotkała się pani z doktorem na ulicy. Długo chodzili
razem. W końcu pani schwyciła doktora za rękę i rzekła błagalnym tonem:

– Ale swoją drogą niech pan do nas przychodzi. Może też Bóg da!... On tak się
uspokaja po każdej pańskiej wizycie...

Doktór obiecał, a pani wróciła do domu jakby spłakana. Pan też, skutkiem przy-
musowego siedzenia, zrobił się jakiś drażliwy i zwątpiały. Zaczął wymawiać żonie, że
jest zanadto o niego troskliwa, że on mimo to umrze, a w końcu zapytał:

– Czy nie powiedział ci doktór, że ja nie przeżyję kilku miesięcy?

Pani zdrętwiała.

– Co ty mówisz? – rzekła. – Skąd ci takie myśli?...
Chory wpadł w gniew.

> **Żona – kłam-
> stwa z miłości**

– Oo, chodźże tu do mnie, o tu!... – mówił gwałtownie, chwytając ją za ręce. –
Patrz mi prosto w oczy i odpowiadaj: nie mówił ci doktór?

I utopił w niej rozgorączkowane spojrzenie. Zdawało się, że pod tym wzrokiem
mur wyszeptałby tajemnicę, gdyby ją posiadał.

Na twarzy kobiety ukazał się dziwny spokój. Uśmiechała się łagodnie, wytrzymu-
jąc to dzikie spojrzenie. Tylko jej oczy jakby szkłem zaszły.

– Doktór mówił – odparła – że to nic, tylko że musisz trochę wypocząć...

Mąż nagle puścił ją, zaczął drżeć i śmiać się, a potem machając ręką rzekł:

– No, widzisz, jakim ja nerwowy!... Koniecznie ubrdało mi
się, że doktór zwątpił o mnie... Ale... przekonałaś mnie... Już
jestem spokojny!...

> **Mąż – lęki
> i obawy człowie-
> ka śmiertelnie
> chorego**

I coraz weselej śmiał się ze swoich przywidzeń.

Zresztą taki atak podejrzliwości nigdy się już nie powtórzył.

Łagodny spokój żony był przecie najlepszą dla chorego wskazówką, że stan jego nie
jest złym.

Bo i z jakiej racji miał być zły?

Był wprawdzie kaszel, ale – to z kataru oskrzeli. Czasami, skutkiem długiego siedzenia, pokazywała się krew – z nosa. No, miewał też jakby gorączkę, ale właściwie nie była to gorączka, tylko – taki stan nerwowy. W ogóle czuł się coraz zdrowszym. Miał nieprzepartą chęć do jakichś dalekich wycieczek, lecz – trochę sił mu brakło. Przyszedł nawet czas, że w dzień nie chciał leżyć w łóżku, tylko siedział na krześle ubrany, gotowy do wyjścia, byle go opuściło to chwilowe osłabienie.

Niepokoił go tylko jeden szczegół.

Pewnego dnia kładąc kamizelkę uczuł, że jest jakoś bardzo luźna.

– Czyżbym aż tak schudł?... – szepnął.

– No, naturalnie, że musiałeś trochę zmizernieć – odparła żona. – Ale przecież nie można przesadzać...

Mąż – bezgraniczne zaufanie do żony

Mąż bacznie spojrzał na nią. Nie oderwała nawet oczu od roboty. Nie, ten spokój nie mógł być udany!... Żona wie od doktora, że on nie jest tak znowu bardzo chory, więc nie ma powodu martwić się.

W początkach września nerwowe stany, podobne do gorączki, występowały coraz silniej, prawie po całych dniach.

– To głupstwo! – mówił chory. – Na przejściu od lata do jesieni najzdrowszemu człowiekowi trafia się jakieś rozdrażnienie, każdy jest nieswój... to mnie tylko dziwi: dlaczego moja kamizelka leży na mnie coraz luźniej?... Strasznie musiałem schudnąć, i naturalnie dopóty nie mogę być zdrowym, dopóki mi ciała nie przybędzie, to darmo!...

Mąż – przebieg choroby

Żona bacznie przysłuchiwała się temu i musiała przyznać, że mąż ma słuszność.

Chory co dzień wstawał z łóżka i ubierał się, pomimo że bez pomocy żony nie mógł wciągnąć na siebie żadnej sztuki ubrania. Tyle przynajmniej wymogła na nim, że na wierzch nie kładł surduta, tylko paltot.

– Dziwić się tu – mówił nieraz, patrząc w lustro – dziwić się tu, że ja nie mam sił. Ależ jak wyglądam!...

– No, twarz zawsze łatwo się zmienia – wtrąciła żona.

– Prawda, tylko że ja i w sobie chudnę...

– Czy ci się nie zdaje? – spytała pani z akcentem wielkiej wątpliwości.

Zamyślił się.

– Ha! może i masz rację... Bo nawet... od kilku dni uważam, że... coś... moja kamizelka...

– Dajże pokój! – przerwała pani – przecież nie utyłeś...

– Kto wie? Bo, o ile uważam po kamizelce, to...

– W takim razie powinny by ci wracać siły.

– Oho! chciałabyś tak zaraz... Pierwej muszę przecież choć cokolwiek nabrać ciała. Nawet powiem ci, że choć i odzyskam ciało, to i wtedy jeszcze nie zaraz nabiorę sił...

A co ty tam robisz za szafą?... – spytał nagle.

– Nic. Szukam w kufrze ręcznika, a nie wiem... czy jest czysty.

– Nie wysilajże się tak, bo aż ci się głos zmienia... to przecież ciężki kufer...

Istotnie, kufer musiał być ciężki, bo pani aż porobiły się wypieki na twarzy. Ale była spokojna.

Odtąd chory coraz pilniejszą zwracał uwagę na swoją kamizelkę. Co parę zaś dni wołał do siebie żonę i mówił:

– No... patrzajże. Sama się przekonaj: wczoraj mogłem tu jeszcze włożyć palec, o – tu... A dziś już nie mogę. Ja istotnie zaczynam nabierać ciała!...

Ale pewnego dnia radość chorego nie miała granic. Kiedy żona wróciła z lekcji, powitał ją z błyszczącymi oczyma i rzekł bardzo wzruszony:

– Posłuchaj mnie, powiem ci jeden sekret... Ja z tą kamizelką, widzisz, trochę szachrowałem. Ażeby ciebie uspokoić, co dzień sam ściągałem pasek, i dlatego – kamizelka była ciasna...

Małżeństwo – rola kamizelki

Tym sposobem dociągnąłem wczoraj pasek do końca. Już martwiłem się myśląc, że się wyda sekret, gdy wtem dziś... Wiesz, co ci powiem?... Ja dziś, daję ci najświętsze słowo, zamiast ściągać pasek, musiałem go trochę rozluźnić!... Było mi formalnie ciasno, choć jeszcze wczoraj było cokolwiek luźniej...

No, teraz i ja wierzę, że będę zdrów... Ja sam!... Niech doktór myśli, co chce...

Długa mowa tak go wysiliła, że musiał przejść na łóżko. Tam jednak, jako człowiek, który bez ściągania pasków zaczyna nabierać ciała, nie położył się, ale jak w fotelu oparł się w objęciach żony.

– No, no!... – szeptał – kto by się spodziewał?... Przez dwa tygodnie oszukiwałem moją żonę, że kamizelka jest ciasna, a ona dziś naprawdę sama ciasna!...

– No... no!...

I przesiedzieli tuląc się jedno do drugiego cały wieczór.

Chory był wzruszony jak nigdy.

– Mój Boże! – szeptał całując żonę po rękach – a ja myślałem, że już tak będę chudnął do... końca. Od dwu miesięcy dziś dopiero, pierwszy raz, uwierzyłem w to, że mogę być zdrów.

Mąż – wiara w wyzdrowienie

Bo to przy chorym wszyscy kłamią, a żona najwięcej. Ale kamizelka – ta już nie skłamie!...

Dziś patrząc na starą kamizelkę widzę, że nad jej ściągaczami pracowały dwie osoby. Pan – co dzień posuwał sprzączkę, ażeby uspokoić żonę, a pani co dzień – skracała pasek, aby mężowi dodać otuchy.

Narrator o kamizelce

„Czy znowu zejdą się kiedy oboje, ażeby powiedzieć sobie cały sekret o kamizelce?..." – myślałem patrząc na niebo.

Nieba prawie już nie było nad ziemią. Padał tylko śnieg taki gęsty i zimny, że nawet w grobach marzły ludzkie popioły.

Któż jednak powie, że za tymi chmurami nie ma słońca?...

NA WAKACJACH

Wieczorem, jak zwykle, przyszedł do mnie mój szkolny kolega. Mieszkaliśmy obaj na wsi o kilka wiorst od siebie i widywaliśmy się prawie co dzień. Był to przystojny blondyn, którego łagodne oczy mogły rozmarzyć niejedną kobietę. Mnie pociągał jego niewzruszony spokój i trzeźwość umysłu.

Tego dnia spostrzegłem, że mu coś dolega; patrzył w ziemię i gorączkowo uderzał się po nogach szpicrutą[1]. Nie uważałem za stosowne pytać go o powód widocznego zakłopotania, ale on sam zaczął.

– Wiesz – odezwał się – miałem dziś głupi wypadek.

Zdziwiłem się; było rzeczą prawie niepodobną, ażeby „głupi wypadek" mógł zdarzyć się tak panującemu nad sobą człowiekowi.

– Mieliśmy – mówił dalej – z rana we wsi pożar. Spaliła się chałupa...

– A tyś może skoczył w ogień?... – przerwałem mu trochę drwiącym tonem.

Wzruszył ramionami i zdawało mi się, że się lekko zarumienił; zresztą może mu padł na twarz blask zachodzącego słońca.

– Zapaliły się – ciągnął po przerwie – konopie na strychu u chłopa, a w kilka minut później strzecha. Czytałem w tej chwili jakiś zajmujący rozdział Saya[2], ale na widok kłębów czarnego dymu i płomyków wydobywających się ze szczelin przy kominie, opanowała mnie filisterska ciekawość[3] i powlokłem się na miejsce. Ludzie byli przy robocie, więc zastałem zaledwie kilka osób: dwie baby lamentujące nad nieszczęściem, organiścinę, która obrazem św. Floriana zażegnywała pożar, i chłopa, który medytował trzymając w obu rękach pustą konewkę. Od nich usłyszałem, że chałupa zamknięta, bo gospodarz z kobietą wyszli w pole.

„Oto nasz system budowania!... – pomyślałem. – Dom płonie, jakby go prochem nabito..."

Istotnie, w ciągu paru minut cały dach stał w płomieniu: dym gryzł w oczy, a ogień tak mocno przypiekał, że z obawy o żakietę musiałem cofnąć się o parę kroków.

Tymczasem nadbiegło więcej ludzi z osękami, siekierami i wodą: jedni poczęli wywracać płot, któremu nic nie groziło, inni leli wodę z konewek w taki sposób, że nie tknąwszy ognia, przemoczyli do nitki zgromadzonych, a jedną babę wywrócili na ziemię. Nie robiłem im żadnych uwag wiedząc, że nic nie grozi dalszym budynkom; chata zaś była nie do uratowania.

---

[1] *szpicruta* – bat używany do jazdy konnej.

[2] *rozdział Saya* – zapewne rozdział z książki ekonomisty franc. Jana Baptysty Saya.

[3] *filisterska ciekawość* – próżna, samolubna.

Nagle ktoś krzyknął: „Tam jest dziecko, ten mały Stasiek!..." – „Gdzie?..." – spytano. – „W chałupie, śpi w nieckach pod oknem... Ino który wybij szybę, a jeszcze wyciągniesz żywego..."

Nikt się jednak nie ruszył. Słoma na dachu już spłonęła, a krokwie żarzyły się jak rozpalone druty.

Wyznaję, że gdym to usłyszał, serce drgnęło mi w niezwykły sposób.

**Świadek pożaru
– opis refleksji**

„Jeżeli nikt nie idzie – pomyślałem – więc ja pójdę... Na uratowanie chłopca wystarczy pół minuty. Czasu aż nadto, ale – jakież piekielne gorąco!..."

„No, ruszże się który! – wołały baby. – O wy, psie dusze, nie warciśta nazywać się chłopami!..." – „To leź sama w ogień, kiedyś taka mądra! – ofuknął ktoś z tłumu. – Tam pewna śmierć, a dziecko, słabe jak kurczę, i tak już nie żyje..."

„Ładnie! – pomyślałem – nikt nie idzie, a ja jeszcze się waham! Chociaż – szepnęła mi rozwaga – jakie licho ciągnie mnie do bezcelowej awantury?... Czy ja wiem, gdzie leży dzieciak?... Może wypadł z niecek?..."

Belki już były zwęglone i z głuchym trzaskiem zaczęły się wyginać.

„Ale trzeba w końcu wedrzeć się tam – myślałem – każda sekunda jest droga. Dzieciak przecie nie może spalić się jak robak. – Lecz jeżeli już nie żyje?... – odpowiedziało zastanowienie – w takim razie szkoda nawet surduta..."

Z daleka odezwał się straszny krzyk kobiecy: „Ratujcie dziecko!..." – „Trzymajcie ją!... – zawołano w odpowiedzi. – Skoczy w ogień i zginie..."

Usłyszałem za sobą jakieś szamotanie i ten sam krzyk: „Puszczajcie!... to moje dziecko!..." – „Ciągnij ją wpół!..." – odpowiedziano.

Nie mogłem wytrzymać i rzuciłem się naprzód. Owionął mnie żar, dym, dach zatrzeszczał, jakby go rozdarto, z komina posypały się cegły. Poczułem, że mi się tlą włosy, i – cofnąłem się rozgniewany. „Co za głupi sentymentalizm – pomyślałem – dla garstki ludzkich popiołów robić z siebie straszydło?... Jeszcze powiedzą, że tanim kosztem chciałem zostać bohaterem!..."

**Dziewczyna –
uratowanie
dziecka**

Wtem potrąciła mnie jakaś młoda dziewczyna biegnąca do chaty. Usłyszałem brzęk wybitych szyb, a gdy nagły wiatr odgarnął tuman dymu, zobaczyłem ją w oknie tak silnie pochyloną do wnętrza izby, że widać było jej nie umyte nogi.

„Co ty robisz wariatko?! – krzyknąłem, tam już jest trup, nie dziecko..." – „Jagna! chodzi tu!..." – zawołano z tłumu.

Pułap zapadł się, aż iskry sypnęły do nieba. Dziewczyna znikła w dymie, a mnie pociemniało w oczach.

„Ja-gna!..." – powtórzył lamentujący głos.

„Zara!... zara!..." – odpowiedziała dziewczyna przebiegając koło mnie z powrotem.

Z wysiłkiem dźwigała w rękach chłopca, który obudziwszy się wrzeszczał wniebogłosy.

– Więc dziecko żyje? – spytałem.

– Jak najzdrowsze.

– A dziewczyna... czy to jego siostra?

— Gdzież tam! – odparł – zupełnie obca; nawet służy u innego gospodarza i ma najwyżej piętnaście lat.

— I nic się jej nie stało?

— Opaliła sobie chustkę i trochę włosów. Idąc tu widziałem ją; skrobała przed sienią kartofle i coś sobie nuciła fałszywym głosem. Chciałem jej wyrazić moje uznanie, nagle jednak przyszły mi na myśl: jej dziki zapał i mój rozsądny takt wobec cudzego

Świadek pożaru – dziewczyna: kontrast postaw

nieszczęścia, i... taki mnie wstyd ogarnął, że nie śmiałem do niej przemówić ani wyrazu.

My już tacy!... – dodał i począł szpicrózgą ścinać rosnące przy drodze badyle.

Na niebie zaczęły się pokazywać gwiazdy i chłodny wiatr przyniósł od stawu rechotanie żab i kwilenie zabierających się do snu ptaków wodnych. Zwykle o tej porze obaj układaliśmy projekta na przyszłość, lecz dziś żaden ust nie otworzył. Za to zdawało mi się, że dokoła nas szepczą krzaki:

— Wy już tacy!...

PRZYGODA STASIA

Bohaterem opowiadania jest osoba, która ma – trochę więcej niż łokieć wzrostu, około 30 funtów wagi i ledwie od półtora roku odbywa doczesną wędrówkę. Tę klasę obywateli kraju ludzie dorośli przezywają dziećmi i w ogóle nie traktują dość poważnie.

Narrator – informacje o Stasiu: autorska ironia

Dlatego z pewną obawą przedstawiam czytelnikom niedużego Stasia i przede wszystkim proszę ich o cierpliwość. Jest to dziecię tak ładne i czyste, że mogłaby je ucałować każda dama używająca czteroguzikowych rękawiczek. Włosy ma lniane, oczy duże szafirowe, zgrzebną koszulkę i tyle zębów, ile potrzeba do pójścia na własny chleb. Prócz tego posiada on kołyskę pomalowaną w czarne i zielone kwiaty na żółtym tle tudzież wózek, którego jedyną wadę stanowi to, że każde koło zdaje się toczyć w innym kierunku.

Czułbym się niepocieszonym, gdyby powyższe zalety nie zdobyły sympatii dla Stasia, który na nieszczęście obok nich nie posiada żadnej niezwykłej cechy. Staś jest dzieckiem legalnym i nie podrzuconym; nie okazuje najmniejszych zdolności do kradzieży lub do gry na jakim instrumencie, a co gorsza – nawet cień głupkowatości nie daje mu prawa do tytułu dobrze urodzonego.

A jednak – jest to dziecię niepospolite; tak przynajmniej twierdzi jego ojciec, Józef Szarak, z profesji[1] kowal, jego matka, Małgorzata ze Stawińskich, i dziadek Stawiński, młynarz, nie licząc kumów, przyjaciół i wszystkich osób czcigodnych, które miały możność stracić zimną krew przy obchodzie ceremonii chrztu świętego.

Samo urodzenie Stasia zależało od nieprawdopodobnej kombinacji faktów. Naprzód bowiem musiał Pan Bóg stworzyć dwie rodziny: kowali Szaraków i młynarzy Stawińskich; po wtóre – sprawić to, aby jedna z nich miała syna, a druga córkę; a po trzecie – zepsuć we młynie pewną sztukę żelazną i do odkucia jej sprowadzić młodego Szaraka w tej właśnie porze, kiedy serce Małgosi rozwinęło się niby kwiat lilii wodnej na stawie jej ojca. „Istny cud!...", jak słusznie mawiała stara Grzybina dzieląca czas pomiędzy zamawianie chorób i żebranie, które to specjalności nadają starkom[2] wiejskim prawa do rozumienia się na cudach.

Ponieważ według jednozgodnej opinii kobiet doświadczonych Staś „wdał się" w matkę, ośmielimy się więc jej przede wszystkim poświęcić kilka wyrazów. Jest to tym niezbędniejsze, że kowalowa odegra rolę bohaterki w zdarzeniu, które (ze smutkiem wyznajemy) nie będzie ani kryminalnym występkiem, ani romansem wołającym o pomstę do nieba.

Przy grobli, którą tylko w piątej porze roku można przejechać, obok wielkiego stawu, w którym obficie rosły badyle wodne i przeglądał się olszowy gaj, stał młyn.

---

[1] *profesja* – zawód.
[2] *starka* – stara kobieta, staruszka.

Był to czarny i stary budynek, z oknami o drobnych szybkach, i posiadał przy prawym boku dwa ogromne koła, dzięki którym trząsł się i klekotał od lat trzydziestu, sporo grosza napędzając właścicielowi – Stawińskiemu.

Młynarz miał syna i córkę, właśnie Małgosię. Syna posłał w świat, aby zbadał sposoby otrzymywania najdelikatniejszej mąki, a córkę chował przy sobie. Nie brakło jej niczego, bo ojciec ani na szmatki dziewczynie, ani na domowe porządki nie żałował pieniędzy. Brakło jej tylko pieszczot.

Stary nie był złym człeczyną; obejście jednak miał chłodne, odzywał się rzadko a ostro i tonął w interesach. To młynarczyków pilnował, aby zboża ludziom nie kradli, to frasować się musiał, aby chrząkającym pod podłogą młyna wieprzkom dziesięcinę z otrąb regularnie odsypywano, to znowu liczył procenta od sum wypożyczonych, odbierał jedne kwoty, a inne w ruch puszczał...

W takich postawiona warunkach Małgosia żyła tylko z naturą, a kochała swój młyn... Kiedy w dzień pracowała w sadzie albo karmiła kury i kaczki wielkie i tłuste, albo pieściła się z krowami, które na głos jej biegły jak psy – młyn szumiał i trajkotał poważne, niesłychane melodie. W jego warkocie odzywały – się wszystkie instrumenta: skrzypce, bębny, organy; ale grały coś takiego, czego żadna kapela, żaden by organista nie powtórzył.

Natura wydawała się Małgosi bardzo wielkim jeziorem, którego zwierciadło sięgało aż do nieba, a kroplami były: wsie rozrzucone po polu, gaj olszynowy, łąka, młyn, grusze po miedzach, kwiaty jej sadu, ptaki i ona sama... Niekiedy przypatrując się obłokom, co wychodziły spoza czarnego płotu lasów, przeglądały się w stawie i biegły za zębate wzgórze – słuchając szumu wiatru, co marszczył wodę i zboże na polach, albo jęku trzciny chwiejącej się na bagnie, zapytywała: czy własny jej byt nie jest tylko odbiciem się wszystkiego, co widzi i słyszy dokoła, jak te obrazy drzew i nieba, które odbijają się na falach stawu?... Wówczas bez żadnego powodu łzy nabiegały jej do oczu. Przeciągała się, jakby z ramion miały jej wyrosnąć skrzydła i porwać nad obłoki, i śpiewała na nieznaną nutę rzeczy, jakich nie było w żadnej pieśni ludowej. Aż ojciec wychodził z młyna i mówił markotny:

– Co ty wyśpiewujesz, dziewucho?... Dałabyś lepiej spokój, bo się ludzie śmieją!...

Zawstydzona Małgosia milkła, ale za to przyjaciel młyn każdy wyraz jej i każdą nutę powtarzał, tylko że jeszcze składniej i piękniej. I czy podobna było nie kochać go, choć wyglądał jak straszna głowa niebywałego zwierzęcia na kilkunastu nogach osadzona – choć ział z paszczy gorącem i pyłem, a wył i trząsł się, jakby jadących groblą chciał pogruchotać ogromnymi kłami?

We święta młyn cichnął. Tylko zardzewiałe chorągiewki na dachu skwierczały żałośnie, a przy stawidłach szemrały cienkie strumienie wody, z płaczem upadając na śliskie koła. Wówczas, jeżeli latem wieczór był ciepły, siadała Małgosia w czółno i płynęła het! na ogromny staw, skąd tylko było widać wierzchy młyna.

Tu, zadumana nad głębią, gdzie jak cienie mknęły ryby okrągłookie, przysłuchiwała się szelestom tataraku na kępach, krzykom zwołujących się ptaków wodnych albo zwiesiwszy głowę na krawędź czółna, patrzyła, jako z dna stawu wypływają gwiazdy jedna za drugą, a na powierzchni fali drży długi snop księżycowego światła. Niekiedy widywała cieńsze od pajęczyny szaty, które dziewice wodne wieszały na kroplach nocnej rosy... To welon... to płaszcz, a to... suknia powłóczysta... Płynęła ku nim, lecz wiatr odrzucał je na łąkę, nad którą wnet tworzyło się jezioro mgły srebrnobiałej, pełne pląsających blasków i cieniów... Kto się tam bawił i dlaczego jej nie dopuszczano?...

Tymczasem nadchodziła północ. Łódka poczynała drżeć, między kępami rozlegały się ciche pluskania, poza trzciną zapalały się światła tajemnicze i blade. Zdradziecka mgła zasnuwała drogę Małgosi i słychać było, jakby ktoś szeptał po kępach: „Hej, hej!... nie wyjdzie stąd dziewczyna!..."

Ale nad samotną czuwał młyn, wierny przyjaciel. Nagle drobnoszybne oczy jego w oponę mgły rzuciły płomienie, czarne wielonożne cielsko poczęło dygotać i w tej samej chwili doleciał uszu otumanionej dziewczyny znany jej, hukliwy głos, który wołał z gorączkowym pośpiechem:

– Małgoś!... Małgoś!... Małgoś!... Małgoś!...

Teraz dziewucha spokojnie odkładała wiosło, bo porwany w ogromną paszczę młyna prąd wody sam ku stawidłom niósł czółna. Kładła się na dnie łódki jak senne dziecię w łagodnie bujanej kołysce, z uśmiechem patrzyła na blade płomyki skaczące z gniewu nad bagnem i na chłodne, wilgotne sieci dziewic wodnych, które ją omotać chciały. A stary młyn coraz mocniej gniewał się i krzyczał: „Małgoś!... Małgoś!... Małgoś!.. Małgoś!..." – niespokojny o swoją dziewczynę. Wreszcie dziób łódki uderzał o belkowanie mostu.

Jednej nocy, wyskoczywszy po takiej wędrówce na brzeg, zobaczyła na moście ojca. Stał oparty o poręcz i z uwagą patrzył na siejącą[3] się wodę. W Małgosi serce zadrżało na myśl, że i on czuwa nad nią, choć taki z pozoru obojętny. Wbiegła na most i przytuliwszy się do ramienia ojca, rozmarzona spytała:

– Tatuniu! a kogościе tu wyglądali?...

– Myślałem, że chłopi ryby kradną! – odparł stary i ziewnął. Potem, podrapawszy się, z wolna pociągnął do chaty.

Nigdy jeszcze Małgosia nie czuła się tak samotną i opuszczoną jak w tej chwili i nigdy mocniej nie pragnęła, aby przecie i ją ktoś kochał. Teraz zdawało się jej, że stolarz z miasteczka, skąpy

> **Małgosia – opis przeżyć**

i brzydki wdowiec, który jadł za trzech, miał płaskie piersi i nogi rozbiegnięte jak widły, że stolarz ten jest człowiekiem bardzo dorzecznym. A już o mielniku, który dzierżawił wiatrak o dwie mile stąd, często się śmiał i w ogóle za głupkowatego uchodził, nie mogła myśleć bez wzruszenia!... Nawet podobne do podługowatych worków z mąką chłopaki jej ojca, ludzie ordynarni i kłótliwi, w obecnym nastroju duszy wydawali się jej osobami posiadającymi dużo zalet, choć kilka miesięcy temu patrzeć na nich nie mogła bez cklіwości.

* * *

---

[3] *siejąca się* – migocąca, błyszcząca.

W tym ciężkim położeniu znowu młyn postanowił przyjść jej z pomocą i pewnego dnia – pękł we środku z wielkim hałasem... Aż omączone młynarczyki pobladły ze strachu, a Stawiński rzucił czapką o ziemię!... Czym prędzej wstrzymano wodę i poczęto radzić, a nawet zaczepiać wszystkich, którzy przejeżdżali po grobli. W całym domu zapanował bezrząd. Chłopcy sejmikowali na moście, ku zgorszeniu podróżnych. Stary nie chciał jeść obiadu i począł kląć się na wszystkich świętych, że pewno niedługo umrze, a wieprzki, które mieszkały pode młynem, widząc, że nikt im nie sypie otrębów, kwiczały, jak gdyby nadchodził koniec świata.

Wśród zamętu ze sto razy wymieniono nazwisko kowala Szaraka, a wreszcie jeden z chłopców zaprzągł konika do wozu i pojechał w stronę miasta. Małgosię ogarnął taki strach, jak onego dnia, kiedy to zaziębiwszy się wyglądała felczera, który miał jej stawiać bańki. Przeczesała włosy, wciągnęła nowe trzewiki i wybiegła przed młyn, który, narobiwszy takiego kwasu wszystkim, rozwalał się teraz nad groblą i wyszczerzał zęby – bardzo kontent!...

Zaczerniała noc, powiał wiatr chłodny i dziewczyna musiała iść do swej komory. Ledwie układła się, gdy zatrajkotało na dworze i jakiś głos obcy doleciał ją od strony młyna. „O Jezu!...” – pomyślała Małgosia i pędem odziawszy się, dalejże ładować[4] wódkę, rozdmuchiwać ogień i grzać kiełbasę z sosem. W kwadrans wszystko było gotowe, czego by rozespana służąca i przez godzinę nie zrobiła.

Tymczasem kowal, obejrzawszy młyn jak baba chorego, przyszedł ze Stawińskim do chaty. Już w sieni zaleciała go woń wereszczaki[5] i aż uśmiechnął się, tak mu było przyjemnie, że go młynarz szanuje i do północy z kolacją czeka. Zdziwił się jednak zobaczywszy w izbie stół ślicznie nakryty, na nim dymiący półmisek i dwa krzesła naprzeciw siebie, ale gospodyni – ani okrucha!

Zafrasowany młynarz przepił do niego wódką, zaprosił do jedzenia i sam jadł milcząc, jak to było w jego zwyczaju. Dopiero po kolacji odezwał się:

– Małgoś!... a trzeba by do młyna posłać poduszkę i derkę, bo pan kowal będą nocowali u nas.

Wyszła Małgosia czerwona, że aż jej wstyd było. Ze złości na siebie miętosiła fartuch w ręku i patrzyła w ziemię. Ale kiedy podniosła źrenice i ujrzała młodą, wesołą twarz kowala i jego oczy spod czarnych brwi błyszczące, parsknęła śmiechem i wybiegła do sieni wydać rozkazy służącej. Kowal także się śmiał, sam nie wiedząc z czego, a ciągle zmartwiony Stawiński muczał pod nosem:

– At! czysta koza!... Ludzi rzadko widuje i dlatego taka chichotliwa... Głupie to jeszcze, ma dopiero osiemnaście lat...

Na drugi dzień Szarak o świcie wziął się do roboty, lecz nim wyrychtował kowadło i przy ognisku miech urządził, już mu podano śniadanie. Pierwszy raz w życiu Stawiński przyznał, że jego córka jest dobra gospodyni i dba o gości! Ale młynarskie serce jego nie mogło się oprzeć wzruszeniu, gdy zobaczył, jak Małgosia frasuje się o młyn, jak tam często zagląda i o wszystko zapytuje Szaraka. Mniej mu się już podobało to, że kowal duża gada w ciągu roboty albo pokazuje takie na przykład sztuki,

---

[4] *ładować* – tu: przygotowywać.

[5] *wereszczaka* – świeża słonina usmażona z cebulą, podawana z sosem.

jak chwytanie gołymi palcami żelaza do białości rozgrzanego. Milczał jednak stary widząc, że majstrowi pali się robota w ręku i że choć pobaraszkuje chwilę, to jak zacznie kuć – aż ziemia stęka!...

Naprawianie trwało parę dni. W ciągu tego czasu kowal i młynarzówna zaprzyjaźnili się bardzo, a wieczory przepędzali stanowczo razem i tylko we dwójkę, bo uspokojony Stawiński począł znowu zajmować się interesami i na córkę mniej zważał. Otóż ostatniego wieczora siedząc pod chatą na ławce taką młodzi prowadzili rozmowę, półgłosem co prawda, bo im tak szło najskładniej.

– To pan Józef mieszka o pół mili za miastem, na górce? – spytała dziewczyna.

– Ale! ale!... na onej, co do łąki idzie, co to jest płot chruściany i trochę drzewin – odparł kowal.

– Jaki by tam sad był! Zaraz bym nasadziła buraków, kartofli, fasoli i kwiatów, żeby to moje!

Kowal spuścił głowę i milczał.

– I chatę pan Józef ma ładną. To ta, co przy niej studnia z żurawiem?

– Jużci, że ta, ale co nieładna, to nieładna!... Nie ma komu dbać o nią...

– Żeby tak na mnie – mówiła Małgosia – obieliłabym ją jak się patrzy, w okna bym dała firanki i doniczki, w izbie zawiesiłabym wszystkie te obrazy, co mam... Czemu pan Józef tak nie zrobi, zaraz by mu przecie było weselej?...

Kowal westchnął.

– Ech! – rzekł – żebyśmy tak bliżej mieszkali, to by mi Małgosia zaraz ochoty dodała i poradziła, gdzie co zrobić!...

– Oj! oj!... sama bym nawet zrobiła, jakby pan Józef poszedł do kuźni...

– Ale na taką dalekość – ciągnął kowal biorąc dziewczynę za palec – to by pewnie Małgosia nie chciała odejść starego?

Teraz młynarzówna umilkła.

– Okrutnie mi się Małgosia podobała, sprawiedliwie mówię!... Psiakość!... jak człowiek teraz wróci do domu, to rady sobie nie da... Ale Małgosi nic po tym!... Małgosi to by się jaki rządca patrzył?...

– Ja przecie wiem, co pan Józef jest wart! – ofuknęła go dziewczyna odwracając głowę. – O żadnych tam rządcach nie myślę, tylko o tym, żeby...

I znowu umilkła, ale teraz kowal wziął ją już za całą rękę.

– No – spytał nagle kowal – a poszłaby Małgosia za mnie?...

Tchu jej zabrakło.

– Ja tam nie wiem!... – odparła.

W tej chwili Szarak schwycił ją wpół i pocałował w odchylone usta.

– I-i-i... z takimi żartami!... – syknęła obrażona, wyrwała mu się z objęć i wpadła do chaty zasuwając drzwi za sobą.

Tej nocy żadne z nich nie spało.

Na drugi dzień zakręcono ostatnie śruby i podniesiono stawidła. Potok wody lunął z szumem na usychające z nudów koła, które zachwiały się i zaczęły obracać. Młyn szedł doskonale!...

Stawiński, aby się nie zdradzić, przyciął wargi, ale mu ręce drżały z radości. Obejrzał wszystko, nawymyślał młynarczykom, a wreszcie zaprosił kowala po pieniądze do chaty i postawił butelkę miodu.

Kiedy wykładał na stół najnowsze papierki, Szarak drapał się w ucho i markotnie uśmiechał. Młynarz spostrzegł to i zapytał:

– A co, synku, jeszcze ci krzywda, żeś mi dwadzieścia i trzy ruble z kieszeni wypłoszył?

Komizm sytuacji – kowal targuje się o Małgosię

– Za takie wyrychtowanie młyna to by mi się córka od was należała! – szepnął Józef.

– Co?... – krzyknął stary – może wolisz dziewuchę niż pieniądze?...

– Wolę i to, i to...

Stawiński spojrzał mu bystro w oczy.

– Ale ja za nią teraz gotówki nie dam, dopiero po mojej śmierci – rzekł.

– Dłużej mnie niż wam na świecie! – odparł Szarak i pocałował go w rękę. – Bez wyprawy przecie dziewuchy nie oddacie, a mnie już samemu tak nudno, osobliwie, jak zima przyjdzie, że...

Za otwartym oknem mignęła się głowa Małgosi.

– A chodź ino tu!... – zawołał ojciec.

– Ja tam nie pójdę!... – odparła zasłaniając oczy – niech tatunio sami uradzą!...

Stawiński pokiwał głową.

– Oj, kowalu! kowalu!... – rzekł – nie straciłeś tu, jak widzę, czasu na próżno. Ha! kiedy takie zrządzenie boskie, to ci oddam dziewuchę, boś dobry majster i wiem, żeś dostatni... Ino mi nie krzywdź dziecka, bo tego bym ci nie darował...

Małgosia i kowal – wesele

W kilka tygodni później odjedzono, odpito i odtańcowano wesele Małgosi z kowalem. Przy okazji pogodziło się ze sobą dwóch od dawna zwaśnionych sąsiadów, a pokłóciło czterech. Jeden z młynarczyków Stawińskiego, podpiwszy sobie nieco, przysiągł, że się z desperacji utopi, lecz poprzestał tylko na upiciu się dokładniejszym. Natomiast pewien gospodarz, który od dawna miał zamiar wyrzec się wódki, wleciał niechcący w staw i od swej żony otrzymał energiczne napomnienie. Już w pierwszym dniu wesela widłonogi stolarz i wiecznie śmiejący się posiadacz wiatraka, którzy obaj konkurowali o Małgosię, zaczęli rozprawiać znajomym i nieznajomym, jako dziewczyna ma defekt, a jej ojciec bawi się lichwą, skutkiem czego we młynie straszy, i ludziom wykrada zboże z worków. Każdy z zawiedzionych konkurentów upewniał, że nigdy by się z młynarówną nie ożenił, a tymczasem – państwo młodzi wyjechali do kuźni...

Tu Małgosia święcie dopełniła obietnic. Odnowiła chatę, oplotła ją dzikim winogradem, ozdobiła wewnątrz obrazami i sprzętami i założyła piękny ogródek na wzgórku, co do łąki spadał. Pod jej nadzorem zwiększył się i wyprzystojniał dobytek kowala, chata wyglądała jak dworek szlachecki, a on sam, Szarak, sprawił sobie nowy fartuch skórzany, tak wielki, żeby z niego dwóch porządnych warszawiaków wykroił i jeszcze by coś zostało na warszawiankę...

* * *

Wśród tych zajęć upłynął rok młodemu gospodarstwu. Przyleciały bociany z wiosną, osiadły na prastarym gnieździe na stodółce i jak zaczęły klekotać a klekotać, tak w końcu wyklekotały małego Stasia. W dniu tym kowal zamknął warsztat, dziadek Stawiński przyjechał o czubatą milę drogi oklep i rzewnie rozpłakał się zobaczywszy tłustego, różowego wnuka, który krzyczał, jakby go ze skóry odzierano, a na rączkach i nóżkach miał tyle dołków, ile kosteczek.

W podobnych warunkach znalazłszy się piękne damy zasłaniają okna grubymi roletami, sprawiają sobie do pomocy mamki   **Narrator – ironia** sztuczne i naturalne i przez miesiąc z okładem odpoczywając w haftowanym negliżu[6], jakby świat zbudowały, przyjmują powinszowania od pań i panów, półgłosem gadających po francusku. Ponieważ jednak Małgosi sztuki te były nie znane, więc już w 48 godzin wzięła się do roboty, a dziadek za nią chorował – naturalnie z radości. W kilka dni poznał już swego wnuka do gruntu, odkrył w nim wielkie zdolności młynarskie i pierwszy przyznał, że nie zdarzyło mu się widzieć równie mądrego jak Staś dziecka nawet między szlacheckimi!...

A nowo narodzony tymczasem przechodził ciekawą i pełną tajemnic epokę niemowlęctwa, której niejasne wspomnienia odnajdujemy niekiedy w snach uchylających jakby wrota przedświadomego życia.

Wyobraźcie sobie prostaka, którego w jednej chwili zasypują sprawami całego społeczeństwa. Są tam kwestie artystyczne i przemysłowe, filozoficzne i rolnicze, zbrodnie i cnoty, a między nimi mnóstwo interesów, od których zależy jego własne istnienie. On musi to wszystko uporządkować, sprawy swoje oddzielić od obcych, w jednej godzinie uczyć się praktycznych wskazówek na potrzeby drugiej i nie upaść pod brzemieniem pracy!...

W tym położeniu znalazł się pewnego dnia Staś. Po długim śnie przedbytowym spadł na niego uragan wrażeń. Powietrze   **Staś – opis poznawania świata przez dziecko** drażniło mu skórę i płuca, do oczu skakały barwy białe, szare, niebieskie, zielone, czerwone – we wszelkich kombinacjach i odcieniach, a wraz z nimi tysiące form ożywionych lub martwych. Słyszał rozmowy ludzi, łoskot własnej kołyski, bulgotanie gotującej się wody, brzęk much i skomlenie szczeniątka, Kurty. Czuł ucisk powijaków, odcienia temperatury zmieniającej się co chwila, a w końcu – głód, pragnienie, senność i ruch własnych członków. Wszystko to, nie uporządkowane, chaotyczne, natrętne, kipiało w głębi jego drobniutkiej, ledwie budzącej się egzystencji. Nie umiał wskazać, skąd przychodzi głód, a skąd biały kolor albo łoskot młotów bijących w kuźni. Czuł tylko zmęczenie i kwilił biedak drżąc z zimna. Jedyną rozrywkę jego stanowił sen, który mu co chwila przerywano, i – możność ssania. Toteż ssał jak pijawka, spał i krzyczał, a ludzie dorośli kiwali głowami nad jego niedołęstwem! Słyszycie?... niedołęgą nazywali osobę, która w tak straszny odmęt wpadła i tyle spraw obowiązaną była załatwić!...

W tej epoce Staś nie odróżniał jeszcze swej matki od siebie samego, a gdy mu się jeść bardzo chciało, ssał wielki palec własnej nogi zamiast matczynej piersi. Śmiano

---

[6] *negliż* – swobodny ubiór domowy.

się z tego, choć znamy przecież ludzi pełnoletnich i rozumnych, którzy zamiast własnej dwudziestogroszowej laski zabierają cudze dwurublowe kalosze...

Po ciężkiej pracy i kilkomiesięcznych doświadczeniach doszedł Staś do wielkich rezultatów. Udało mu się uchwycić różnicę między swoją nogą a krawędzią kołyski, a nawet między łonem matki i sienniczkiem. W tym czasie był już bardzo mądry. Wiedział, że głód morduje go od strony nóg, że w jednych punktach głowy koncentrują się wszelkie możliwe hałasy, w drugich – wszystkie barwy i że trzeci punkt służy do ssania.

W kilka miesięcy później porobił jeszcze więcej odkryć. Odróżniał już wypadki złe od dobrych i rzeczy ładne od brzydkich. Dawniej uśmiech i płacz, marszczenie czoła i wyciąganie rąk albo nóg następowały po sobie bez żadnego porządku; posługiwał się nimi jak początkujący grajek klawiszami fortepianu, których dotyka nie wiedząc, co z tego wyniknie. Dziś śmiał się tylko na widok matki, która mu jeść dawała; płakał po kąpieli, przeciw której protestowały wszystkie jego dwunożne instynkta, marszczył się na widok powijaków krępujących ruchy dzieciom, a do garnczka z ocukrzonym mlekiem wyciągał rączki i nóżki.

Teraz poczęły się w nim tworzyć sympatie i antypatie, obawy i nadzieje. Lubił Kurtę, ponieważ pies był ciepły, lizał go i miał mordę jak aksamit. Lękał się ciemności, wśród której można się było rozbić; tęsknił za sadem, gdzie pełną piersią oddycha się i gdzie harmonijny szmer drzew powtarzając rytmy pieśni matczynej kołysał dziecię do snu. Barwy szare, które przypominały twardą podłogę lub nie zawsze suchy sienniczek, nie podobały mu się. Natomiast barwy czerwone i niebieskie, przedmioty błyszczące – podniecały go do śmiechu. Wiedział już, że płomień świecy, aczkolwiek ładny i skacze, nieuczciwie jednak obchodzi się z palcami dziecka. Pamiętał też, że nogi ojca są twarde, czarne i większe od całego Stasia, a nóżki matki są tak niskie, że zaczynają się i kończą przy samej ziemi.

Dla matki czuł bezwzględną miłość, ona mu bowiem najwięcej sprawiała przyjemności. Ojciec zaś cieszył się o tyle względami Stasia, o ile posiadał zaciekawiające wąsy tudzież najponętniejszą w świecie rzecz – zegarek. Za to pieszczoty ojcowskie nie nęciły go; bawił bowiem wtedy chłopca, gdy mu się jeść lub spać chciało, niemiłosiernie drapał go szorstką brodą i ogromnymi, niezgrabnymi rękami gniótł jego młode i wątłe kosteczki. Jedna tylko rzecz sprawiała, że Staś na widok ojca wyciągał niekiedy rączki i śmiał się: oto – huśtanie. Niewygodnie, co prawda, było dziecku w tych potężnych ramionach, ale za to, jak one go podrzucały wysoko, jak się robił wicher około niego, jak mu włoski rozpraszał i koszulkę podwiewał!...

Staś już umiał się bawić i figlować. Niekiedy matka brała go na kolana, a ojciec siadał naprzeciw i prosił:

– Chodź, Stasiu, do mnie, chodź!...

On niby idzie, wyciąga ręce, lecz nagle odwraca się i bęc!... twarzą o ramię matki. Już Stasia nie ma ani na lekarstwo w całym domu, a przynajmniej – on sam nikogo nie widzi!

Czasami ojciec postawił go na stole i trzymał pod boczki, a matka się chowała. Chowa się matka za ojca z prawej strony, a Staś – myk! główkę na prawo i już ją znalazł... Chowa się matka za ojca z lewej strony, a Staś – myk! główką na lewo i znowu ją znalazł. Dziecko bawiłoby się tak cały dzień, ale cóż, kiedy ojciec musiał iść do kuźni, a matka do swoich krów! Kładziono wtedy malca w kołyskę i robił się ogromny harmider w domu, aż Kurta szczekał!...

Chłopiec niekiedy stawał na głowie, ale wnet zmiarkował, że pozycja to niewygodna i że najodpowiedniejsze dla natury ludzkiej jest chodzenie – na czworakach. Dzięki tym ruchom przekonał się, że ściany, krzesła i piec nie siedzą w jego oku, ale gdzieś zewnątrz, znacznie dalej niż na długość ręki.

Potężnie wzrastające siły muskularne zmuszały go do wykonywania pewnych prac. Najczęściej dotyczyły one przewracania małego stołeczka, bicia łyżką w podłogę lub bujania kołyską.

Staś – opis poznawania świata przez dziecko

Ponieważ zaś przez jakiś czas sypiali w niej razem z młodym Kurtą, pies więc, zobaczywszy kołysanie, wskakiwał na sienniczek i rozkładał się jak hrabia! To bezczelne nadużycie praw doprowadzało Stasia do zazdrości; krzyczał więc dopóty, dopóki psa nie wypędzono i nie ułożono jego samego w kołysce.

Później zaczęto go uczyć bardzo trudnej sztuki chodzenia. Chłopca bawiło to, że się tak wysoko wznosi nad ziemią; rozumiał jednak związane z przyjemnością niebezpieczeństwa i nader rzadko oddawał się jej bez pomocy osób starszych. W takim razie naprzód – stawał; potem podnosił lewą rękę i prawą nogę, wyginał ją ku środkowi i prawym brzegiem stopy – plusk! o ziemię. Następnie podnosił prawą rękę i lewą nogę, wyginał ją do środka, kulił palce i lewą krawędzią stopy – plusk o ziemię! Po kilku tak skomplikowanych ruchach nie posunął się ani na krok z miejsca, ale za to dostawał zawrotu głowy i upadał. Wówczas myślał, że jakkolwiek chodzenie na dwóch nogach dogadza ludzkiej próżności, niemniej jednak tylko suwanie się na czworakach ma wartość praktyczną. Widok osób chodzących na dwóch nogach budził w nim takie uczucia, jakich doświadczać by musiał człowiek rozsądny dostawszy się między gromadkę skoczków na linie. Z tego powodu bardzo szanował Kurtę posługującego się wszystkimi czterema kończynami i marzył o tym tylko, aby mu dorównać kiedyś w bieganiu.

Widząc niepospolity rozwój duchowych i fizycznych przymiotów dziecka poczęto myśleć o jego edukacji. Nauczono go mówić: „tata", „mama" i „Kurta", który przez pewien czas nazywał się tak samo jak „tata"; kupiono mu wysoki stołek z poręczą i podarowano piękną łyżkę lipową, którą Staś od biedy mógłby sobie głowę nakrywać. Ojciec, naśladujący we wszystkim matkę, chciał też jedynakowi swemu prezent zrobić i w tej myśli przyniósł pewnego dnia śliczną dyscyplinę na sarniej nóżce. Gdy Staś wziął do rąk cenny podarunek i zaczął ogryzać czarne dwuzębne kopytko, matka zapytała męża:

– Po coś ty to przyniósł, Józik?

– A na Staszka.

– Jakże? to ty go będziesz walił?

– Co go nie mam walić, kiedy on będzie taki wisus jak ja.

– Widzicie go!... – krzyknęła matka tuląc syna. – A skądże ty wiesz, że on będzie wisus?...

– Niech no by nie był... to bym go dopiero prał!... – odparł dobrodusznie kowal.

Ponieważ w tej chwili Staś zaczął krzyczeć, rozgniewał więc matkę i nagiął ją do opinii ojcowskich. Rodzice nie sprzeczali się już, uznali środek za niezbędny i –

zawiesili dyscyplinę na ścianie między świętym Florianem, który od niepamiętnych czasów jakiś pożar gasił, i zegarem, który od dwudziestu lat na próżno usiłował chodzić dobrze.

* * *

Niezależnie od pierwszych zasad moralności, opartych na sarniej nóżce, starał się kowal o nauczyciela dla syna. Był wprawdzie we wsi stały pedagog, ale ten więcej zajmował się pisaniem denuncjacyj i próbowaniem dobroci wódek aniżeli elementarzem i dziećmi. Chłopi i Żydzi gardzili nim, a cóż dopiero Szarak, który nie myślał bynajmniej obciążać nauczyciela edukacją swego syna, lecz od razu zwrócił się do organisty.

„Ma teraz Staszek piętnaście miesięcy – myślał kowal – za jakie trzy lata matka nauczy go czytać, a za cztery – trzeba go oddać organiście..."

Tylko cztery lata!... Dziś więc już wypadło zaskarbić sobie względy sługi Bożego, który golił się jak ksiądz, nosił długie czarne surduty, mówił przez gardło i wtrącał do rozmowy łacińskie wyrazy z ministrantury.

Nie zwłócząc tedy, zaprosił Szarak jednego razu organistę do Szulima na miodek. Pełen namaszczenia artysta kościelny utarł nos w kraciastą chustkę, odchrząknął i – zrobiwszy taką minę, jakby chciał wypowiedzieć kazanie przeciw trunkom gorącym – doniósł Szarakowi, że dziś i zawsze, i przez wieki wieków gotów jest chodzić z nim do Szulima na miodek.

Organista był dumny, drażliwy, a nade wszystko – miał słabą głowę. Już przy pierwszej butelce zaczął bredzić, a przy drugiej rozczulił się i zawiadomił Szaraka, że go uważa prawie za równego sobie.

– Bo to widzisz, mój... Panie święty!... jest tak. Mnie, jako organiście, miechem dmą i tobie, jako kowalowi... Panie święty!... także miechem dmą... Więc... niby już wiesz, co chcę powiedzieć? Oto, że kowal i organista – to bracia... Cha! cha!... bracia! Ja, organista, i ty – smoluch!... Misereatur tui omnipotens Deus![7]

Szarak, zwykle wesoły, przy butelce robił się ponurym. Nie zdołał więc ocenić komplementu współbiesiadnika i odparł tak głośno, że go Szulim i paru gospodarzy usłyszało:

– Bracia – nie bracia!... kowal to prędzej do ślusarza przytyka, a organista... jak zwyczajnie organista – do dziada!...

– Co?... ja do dziada?... – krzyknął obrażony mistrz przeszywając kowala płomieniejącym wzrokiem.

– A jużci tak!... Przecież wy się nawet modlicie za pieniądze i gracie ładniej, kiedy wam kto...

Nie dokończył Szarak, w tej chwili bowiem otrzymał butelką tęgi cios powyżej ciemienia, tak że szkło na sufit brysnęło, a lepki miód rozlał się po twarzy i świątecznych szatach kowala.

– Łapcie go! – krzyknął poszkodowany, nie wiedząc, czy się obcierać, czy gonić organistę, który uciekał po linii według jego zdania najkrótszej, lecz w każdym razie bardzo pogiętej.

---

[7] *Misereatur tui omnipotens Deus* (łac.) – niech się zmiłuje nad tobą Bóg Wszechmogący.

Teraz obecni wdali się między obrażonych. Wyrzucili za drzwi organistę i poczęli mitygować kowala, który nie posiadał się z gniewu.

– Dam ja ci, dławidudo!... – wrzeszczał Szarak, ujrzawszy za oknem uroczystszą niż kiedy fizjognomią organisty.

– Józefie!... kumie!... panie kowalu!... – perswadowali pośrednicy – uspokójta się!... Co się wam gniewać na pijanego?... On durny, on sam nie wie, co robi...

– Zbiję rozbójnika na nic!...

– Dajta spokój, panie Szaraku!... Co to bić?... bić nie każdego wypada... On ci także duchowna osoba i zaraz po wikarym pierwszy!... Jeszcze by was Bóg skarał...

– Nic mi nie będzie!... – odparł kowal.

– No, że wam nic... Ale macie żonę, dziecko!...

Ostatnie wyrazy cudowny wywarły skutek. Na myśl o żonie i dziecku rozbestwiony kowal uspokoił się i nawet usiłował stłumić w sobie uczucie zemsty. Jużci co prawda, to prawda, że organista idzie zaraz po wikarym; a nużby się Pan Bóg za obicie go rozgniewał i na żonie lub dziecku krzywdy dochodził?

Wyszedł z karczmy okrutnie markotny.

„Oj z tymi dziećmi – myślał – to ci kłopot!... Mam dopiero jedno, a już muszę suszyć głowę o wynalezienie nauczyciela, tracić pieniądze na miód!... Jeszcze mnie za to przy ludziach poniewierają i swego oddać nie mogę, bo mi o dziecko strach...

Oj! Stachu, Stachu!... żebyś to ty choć wiedział kiedy, co ja za ciebie wycierpiałem!... Daj Boże, żeby mnie choć żona nie zbeształa!..."

> Komizm sytuacji – kowal poszukuje nauczyciela dla Stasia

W domu nie obeszło się bez hałasu, ale odtąd Szarak jeszcze bardziej kochał syna, o którego edukacji myślał tak wcześnie i za co mu na głowie flaszkę miodu rozbito. Poczciwy kowal w parę miesięcy zapomniał o swojej krzywdzie, lecz strasznie było mu przykro, że się pogniewał z organistą, jedynym mężem, który mógł pokierować wychowaniem synka, co już sam chodził, gadać umiał i w ogóle niepospolite okazywał zdolności.

Tymczasem nadeszło lato, a wraz z nim chwila, w której niespodziewanie dobrze miały zakończyć się ojcowskie kłopoty kowala.

* * *

Pewnego dnia położyła matka Stasia w sadzie pod gruszą, podesłała mu płachtę, podwinęła koszulkę i mówi:

– Śpijże tu, chłopak, i nie drzyj się, ty jagódko moja najsłodsza, jaką kiedy Pan Bóg stworzył i słońce wygrzało!... A ty, Kurta, ligaj przy nim i pilnuj, żeby mi go kura nie dziobnęła albo pszczoła nie ugryzła, albo jaki zły człowiek nie urzekł. Ja pójdę buraki pleć, a jak mi się tu nie będziecie dobrze sprawowali, to złapę tyczki i tak wam kości porachuję!...

Ale na samą myśl wykonania groźby schwyciła chłopca na ręce, jakby mu kto miał istotnie krzywdę zrobić, utuliła go, wycałowała i wyhuśtała wołając pieszczotliwym głosem:

– Ja bym ciebie miała bić tyczką?... To Kurtę, psubrata, nie ciebie!... Mój ty pączku... mój gołąbku... mój synusiu jedyneńki, złoty!... Nie śmiej się ty, Kurto, sobako kudłata!... nie przymykaj ślepiów, nie wymachuj ogonem, bo ty wiesz, że ja bym prędzej z ciebie trzy skóry zdarła, niż na niego, na Stasieńka mego serdecznego, jeden patyczek ułamała... Lu!... lu!... lu!... lu!... lu!...

A Kurta tył pod siebie zawinął, pysk z gorąca otworzył i czerwony jęzor wywiesił na lewo jak chustkę. Wyrozumiały pies i chytry!... On myśli sobie: „Gadaj ty zdrowa, a ja co wiem, to wiem, że ile razy sienniczek Staszkowi suszyć wypadło, tyle razy dostawał chłopak takie bicie, że w kuźni słychać było!..."

Tak sobie myślał Kurta pyskaty, ale milczał wiedząc, że od najlepszych racji mocniejszy jest ożóg[8], którym wszyscy domownicy, a gospodyni najpierwsza, mitygowali jego psie pretensje.

Staś tymczasem tarł oczy tłustymi pięstuszkami i lnianowłosą głowę pokładał na ramieniu matki. Gdyby umiał mówić rozsądnie, niechybnie by jej powiedział:

– Macie mnie kłaść, to kładźcie, bo po tym garnczysku kaszy z mlekiem dobrze człowiekowi spać się chce!...

Chłopiec by już sam zasnął z własnego przeświadczenia, ale matce wydawało się, że go usypiać potrzeba, więc znowu huśtała go i lulała śpiewając:

Cóżeś wskórała,
Żeś wędrowała
Po zielonej olszynie?
Jam choć to zyskał,
Iżem się wyspał
Na puchowej pierzynie!...

Dopiero gdy jej zaciężył i wetknął głowę między ramię a piersi, położyła go na płachcie, targnęła Kurtę za mokry język i oglądając się poszła w głąb sadu.

Staśkowi płachta zgrzebna, a pod nią ziemia wydały się trochę zimne i twarde po matczynych objęciach. Więc choć mu nogi doskonale spały, głową ocknął się jeszcze i podźwignął na tłustych rączkach. Chciało się dziecko rozejrzeć: gdzie matka?... a może i popłakać za nią. Ale że był mały jeszcze, więc dobrze rozglądać się nie umiał i zamiast przed siebie patrzył pod siebie, na murawę. Tymczasem uczciwy Kurta raz i drugi oblizał go zawiesiście po opalonej twarzy i zaczął iskać w głowę tak serdecznie, że Staś upadł na lewy bok podłożywszy sobie tłusty łokieć pod skroń. Jeszcze chciał się podźwignąć, oparł nawet prawą rękę na płachcie i usiłował rozplątać nożęta. Ale w tej chwili palce u rączki rozbiegły mu się, wiśniowe usta rozchyliły, oczy gwałtem przymknęły i – zasnął. W jego wieku sen bywa mocny jak najtęższy chłop: pokłada człeka pierwej, nim się z nim zacznie borykać...

Opis przyrody – personifikacja

Wtedy od łąki świeżo skoszonej, gdzie długimi rzędami najeżone i pękate kopice dumały, powiał wiatr gorący jak dmuchanie słońca. Połaskotał przysadziste kopy, pogwizdał w dziuple spróchniałym wierzbom, które na próżno chciały go machaniem gałązek odstraszyć, przecedził się przez pleciony płot i pociągnął po kowalowym sadzie. Zielone liście buraków z pąsowymi wypustkami, wysmukły koper i pierzasta pietruszka zaczęły się

---

[8] *ożóg* – stara miotła, drapak.

trząść jak w febrze, prawdopodobnie ze złości, bo to leniwy naród i nie lubi, aby go dotykano. A rozczochrana nać kartofli, jaskrawe słoneczniki i bladoróżowe makówki kiwały się jak Żydzi w bożnicy, zgorszone widać lekkomyślnością wiatru, który pszczoły od ulów het odpędzał, a samej kowalowej czepiec na głowie przekręcał, choć ona, mimo dwudziestu jeden lat, matka przecie Stasiowa, pani i gospodyni wszystkiego, co tylko jest w sadzie, w chacie, w oborze i na sześciu morgach pola!...

– Aj! zbytki! zbytki!... aj, jakie zbytki ten wiatr wyrabia! – szemrały czerwonogłowe makówki, poglądające w niebo słoneczniki i tęga nać kartoflana.

A okrągłe listki gruszy, pod którą Stasia ułożyła matka na spoczynek, jak uczciwe piastunki szeptały:

– Cicho!... cicho!... cicho!... bo mi dziecinę rozbudzicie!...

Kurcie, który lubił być czynnym i w najgorszym razie przynajmniej karbował wieprzkom kłapciaste uszy, poczęło się okrutnie nudzić.

„Co to za świat! – myślał – na którym dzieci tylko śpią, gospodyni bawi się rwaniem listków, drzewa zamiast uczciwie pracować kiwają się i szeleszczą, bocian na klekotanie zrywa piersi, a gospodarz z chłopakami nie robią w kuźni nic, tylko ruszają miechem i kują?... On małym młotkiem bije w kowadło: dyń! dyń! dyń! dyń!... a chłopcy wielkimi młotami w żelazo: łup! łup! łup! łup!... aż iskry lecą. Stałem nieraz przed kuźnią, tom widział..."

I z rozpaczy nad powszechnym lenistwem upadł pracowity Kurta na bok, aż ziemia jękła, spłaszczył się i nogi wyciągnął przed siebie, a chcąc lepiej uwydatnić pogardę dla świata, przymknął oboje oczu, aby na nic nie patrzeć...

Wtedy przed wzrokiem jego niespracowanej duszy rozwinęło się pole pełne kapusty należącej do gospodarza, wśród której żerowały stada zajęcy przebierających łapkami i nastawiających uszy jak palce.

– Ach, dałże ja wam, hultaje! – szczeknął Kurta i dalejże gonić szkodników na wszystkie strony!...

Gonił i gonił, a pole przeciągało się do nieskończoności, zające mnożyły się jak krople deszczu ulewnego, a gospodarz, gospodyni i chłopcy, patrząc na tę jego bieganinę, wołali: „Aj! Kurta, jaki to pies pracowity, ani godzinki nie odpocznie!..."

A Kurta wyciągnął się i cwałował tak, że aż ogon, który nie mógł podążyć za nim, został gdzieś z daleka. Ledwie dyszał, ale gonił.

Wtem nad głową marzącego psiska poczęła krążyć mucha i wymyślać mu cieniutkim głosikiem:

– Oj! ty... ty... kundlu jakiś!... próżniaku!... Najadłeś się osypki[9] i kiedy cały świat rusza się na słońcu, ty leżysz jak kłoda i drzemiesz!...

Ocknął się pies i kłap na muchę zębami.

– Widzicie ją, darmozjada!... Ona mi tu będzie leżenie wymawiała, kiedy ja zające wyganiam z kapusty!...

I nie chcąc na obronę swego honoru czasu tracić wyciągnął się jeszcze lepiej i – wrócił do czynności. A mucha wciąż krążyła nad nim, choć się marszczył i pazury nadstawiał, i piszczała:

---

[9] *osypka* – grubo zmielone zboże, pokarm zwierząt domowych.

– Oj, ty!... ty... kundlu jakiś, legarcie[10]!... Kazali ci dziecka pilnować, a ty się sam wysypiasz, próżniaku!...

I od tej chwili koper i pietruszka, nać kartoflana, makówki i słoneczniki, wiatr na niebie, oddech śpiącego Stasia, bociany na szopie i młoty w kuźni – wszystko to w takt szemrało:

– Leń Kurta!... leń Kurta... leń Kurta!...

Ale pracowity Kurta wyciągał się pod gruszą i precz gonił zające!

* * *

Gdy tak Staś i Kurta spali ładnie pod chuchaniem ciepłego wiatru, Szarakowa obrała liszki z kapusty, oporządziła buraki i poczęła rwać w przetak sałatę na obiad. Dobre to ziele żyło sobie w kącie sadu, przy chruścianym płocie, co biegł wzdłuż drogi. Gospodyni klękła nad nim ostrożnie i wybierając młode listki myślała: jak się też sałata ucieszy, kiedy ją w gorącej wodzie z kurzu obmyją, poleją octem i słoniną okraszą?

Narwała już z pół przetaka, prawie tyle, ile było potrzeba, gdy na drodze rozległ się szmer drobnego, powłóczystego chodu i stukanie kija o ziemię. Jednocześnie usłyszała Szarakowa jakby rozmowę:

– Ustatkujesz ty się w końcu, ha?... – pytał zmęczony głos niewieści.

Kowalowej zdawało się, że odpowiedział na to krótki, niewyraźny szelest, jakby kto kij ciągnął po piasku. Potem znowu nastąpiło kilka kroków i stukanie połączone z owym osobliwym szelestem.

– Psiawiara! – mówił głos gniewnie. – Tak mi się wywdzięcza, żem mu tyle świata pokazała!... Zgniłby gdzie pod płotem alboby się palił w żarze jak dusza potępiona, żeby nie ja... Durny!...

Zaszeleściło znowu.

– A durny jesteś! mówię ci. Z pastuchami tobie najlepsza kompania, nie ze mną... Byłbyś mądry, gdyby cię psy zgryzły albo na świńskich kościach połamali. Kuternoga!...

Kowalowa podniosła się i o kilkanaście kroków od płotu ujrzała na drodze zgrzybiałą starowinę z wysokim kijem w ręku. Baba dźwigała na plecach wypchaną płachtę, a spod chusty wymykało jej się parę siwych kosmyków trzęsących się wraz z głową.

– Komu tak, matulu, klniecie?... Grzybino!... – zawołała ze śmiechem Szarakowa.

Stara zwróciła się do niej.

– To wy, kowalowo?... – rzekła idąc do płotu. – Niech będzie pochwalony!... A ja właściwie też do was chciałam wstąpić – od ojca i byłabym na śmierć zapomniała przez tego judasza!...

Mówiąc to podniosła swój kij i potrząsnęła nim gniewnie.

– Cóż tam tatunio do mnie nakazał? – spytała prędko Szarakowa.

– Ano... plącze mi się przy nogach i nie tylko nie pomaga, ale jeszcze przeszkadza chodzić. Za to, żem go z gnoju wydobyła!...

---

[10] *legart* – leń, śpioch.

– A co tatunio mówił przez was?... – powtórzyła niecierpliwie kowalowa. – Byliście we młynie dzisiaj?...

– Jużci, że byłam... Ligaj, podlec!... – gniewała się dalej baba rzucając kij na krawędź płotu. – Zamawiałam Sołtysiakowi f r y b r ę, co go już drugi tydzień trzęsie, i wstąpiłam wczoraj po drodze do młyna.

– Tatunio zdrowi?...

– Oj! oj!... Kazał ino, żeby Małgosia przyjechała do niego jutro ze Staszkiem, a wasz – żeby także na niedzielę był we młynie...

Babina zapomniawszy widać o swym kiju oparła się na płocie i mówiła dalej:

– Widzicie tak: organista ten niby wasz, Zawada, kupuje grunty i chce od Stawińskiego, niby od tatunia waszego, pożyczyć pięćset złotych. Był we środę we młynie i prosił, ale Stawiński mu na to: „A po co ja wasanowi mam pożyczać pieniądze, kiedy wasan pokrzywdziłeś kowala i gniewasz się z nim?..."

– Sprawiedliwie mu tatunio powiedział!... – wtrąciła Szarakowa.

– Więc organista na to: „Ja się z kowalem pogodzę i będę mu syna uczył." A stary na to: „Więc się wasan pogódź!" A on na to: „Kiej boję się pójść do kuźni, bo mnie p o t y r a[11]. U was byłbym śmielszy, jeszcze bym nawet za to parę butelek miodu postawił, żeby się pogodzić..."

– Wykrętacz! – przerwała kowalowa. – A dawne to czasy, kiedy gadał, co w Piśmie świętym stoi, że kowale i kominiarze od Kaina i od Chama pochodzą i że się rodzą na bratobójców?... Bodaj on s c z e z ł!...

No, jeśli tak w Piśmie świętym stoi, to organista temu nie winien – zauważyła stara.

– Szczeka! – zawołała w uniesieniu Szarakowa. – My także wiemy, co gdzie stoi... Od Chama pochodzą chłopy, a mój przecie nie chłop, a od Kaina – Turki, a mój przecie nie Turek. Nikogo nie zabił!...

Grzybina lubiła popisywać się wiadomościami wobec „potomków Chama", tym razem jednak milczała dyskretnie, pamiętając, że ma do czynienia z osobą piśmienną, z kowalową, a do tego – córą młynarzy Stawińskich!

– Wstąpcie do chaty, odpocznijcie – rzekła nagle gościnna Szarakowa patrząc na zmęczoną staruszkę.

– Nie mogę! – odparła baba i pochwyciła kij. – Muszę iść do Mateuszowej, krowę jej okadzić, bo ją rozdęło... No – dodała wstrząsając kij – a ty się dobrze sprawuj na resztę drogi, bo cię...

– Co wy gadacie?... – ostrzegła ją kowalowa.

– A co nie mam gadać?... To niech, bestia, skacze prosto, a nie powłóczy się jak pijany...

– Wasze to nogi, matulu, nie statkują; kij temu nie poradzi!

– Ale!... – odparła stara machając niecierpliwie ręką. – Chodziły one przez osiemdziesiąt lat, a teraz by miały zwodzić?... Zostańcie z Bogiem!...

– Idźcie z Bogiem!... – rzekła kowalowa za uciekającą babką.

Gdy została sama, znowu ją gniew porwał na organistę.

---

[11] *potyrać* – sponiewierać.

„Patrzajcie! – myślała – chłopa mi skrzywdził, odzienie mu poplamił, a teraz chce się godzić, kiedy mu pieniędzy potrzeba... Nie bój się! – szepnęła wygrażając pięścią w stronę szarej dzwonniczki – i pieniędzy nie dostaniesz, i gruntu nie kupisz, i jeszcze ci przy ludziach wszystko wypomnę!... Akurat dla niego tatunio pięćset złotych uzbierał... Niedoczekanie twoje, dziadowodzie!..."

Chcąc czym prędzej zakomunikować uwagi swoje mężowi, przeskoczyła przez płot i pobiegła do kuźni. Zdawało jej się, że już cały świat wie o przewrotności organisty, bo nawet pękaty, połatany miech gniewniej niż kiedy sapał i ział z paszczy płonące iskry.

Wywołała męża i opowiedziała mu wiadomość przyniosioną przez babę.

– A to chwała Bogu, kiedy się organista chce pogodzić – odparł dobrodusznie zasmolony olbrzym wysłuchawszy opowiadania żony.

Młoda gosposia aż ręce załamała ze zgrozy.

– I ty byś się z nim pogodził?... – krzyknęła.

– Ma się wiedzieć!... A kto będzie uczył Staszka? może profesor?...

– Ty się z nim pogodzisz za to, że ci butelkę o łeb rozbił?...

– Przecież nie łeb pękł, ino butelka...

– Za to, że cię od smoluchów wyzywa, z kominiarzem równa?...

– Jakem nie umyty, tom smoluch; wszyscy o tym wiedzą, a ty najpierwsza – mówił kowal nie mogąc dojść powodu zawziętości żony.

Szarakowa wstrząsnęła głową.

– Dolaż moja! – zaczęła biadać – otom ci los zrobiła!... Toś ty chłop?... To twój ojciec z moim stryjem służył w wojsku, a ty nie masz ambicji?... Ja baba jestem – mówiła zadyszana – a oczy bym mu wydrapała, a ty się chcesz godzić?... Toś ty mąż Stawińszczanki, ze szlacheckiego gniazda żonę wziąłeś, a wstydu nie masz w oczach?...

Kowal zachmurzył się.

– Co nie mam mieć wstydu w oczach?... – mruknął.

– Przecież godzić się chcesz z organistą...

– Co mam chcieć?...

– Przecie dopiero co mówiłeś?...

– Co miałem mówić?... Toś ty gadała, że ojciec tak kazał, no – a nam wypada go słuchać...

– Albo mój tatunio to twój ojciec?... Ty go nie potrzebujesz słuchać, tylko ja... Tyś nie powinien godzić się z organistą, choćbym ja nawet chciała na rozkazanie tatunia...

Ponieważ od kilku minut chłopcy w kuźni wodzili się za łby, co robiło dość wielki szelest, kowal więc pragnął już wrócić do roboty, a może i uwolnić się od kłopotliwej rozprawy z żoną. Rzekł więc energicznie:

– No, kiedy tak, to nie ma zgody z organistą! Ojciec niech sobie chce czy nie chce, mnie tam wszystko jedno. Ale ja nie chcę!... Nie będę się godził!... nie pojadę na niedzielę do młyna ani ty jutro ze Staszkiem, i b a s t!...

– A właśnie że ja pojadę jutro, a ty w niedzielę – przerwała żona.

– Hę?... – spytał Szarak i chciał się wziąć ręką pod bok, ale go w porę odeszło.

– Będziemy oboje we młynie i niech organista przyjedzie, ale po to, żeby przy ludziach usłyszał, co ją mu powiem!... Tak!...

Mąż popatrzył na nią z ukosa, może nawet chciał plunąć przez zęby, ale dał spokój i zawrócił powoli do kuźni skrobiąc się w głowę. Tam chłopcy jeszcze się czubili; Szarakowi jednak łatwiej przyszło uspokoić ich aniżeli przed chwilą wyrozumieć swoją małżonkę.

Gdy kowalowa wróciła do sadu, Staś już nie spał, lecz borykał się z Kurtą. Matka ucałowawszy żwawego dzieciaka zostawiła go pod psim dozorem na dworze, sama zaś z uzbieraną sałatą poszła do izby obiad kończyć. Cały czas aż do nocy zeszedł jej na przygotowaniach do jutrzejszej podróży i na układaniu planów zemsty. Jeżeli się uda, organista zostanie skompromitowany na wieki!

* * *

Na drugi dzień w chacie kowala był zamęt od świtu. Gospodyni wychodziła na dwie doby do ojca, musiała zatem gruntownie opatrzyć gospodarstwo. Zdawało się, że wszystko czuje jej odejście. Kurta jakoś mało jadł i tylko wyskakiwał około Stasia. Krowy odchodząc na paszę ryczały bardzo żałośnie, a wieprzki aż wysadzały drzwi chlewka, tak im się chciało gospodynią pożegnać.

W dodatku trzeba było wcześniej podać obiad i kłócić się z mężem, który co moment przychodził z kuźni i mruczał:

– Także diabli nadali z tymi chodzeniami na próżno! Mamy się godzić z organistą, to idźmy do młyna, a nie mamy się godzić, to nie idźmy. Po co sobie większego nieprzyjaciela robić?... Jeszcze nas przeklnie w czasie podniesienia i ogień sprowadzi na dom albo choroby na nas i na bydło?...

Wówczas kowalowa brała męża za ramię i wypychała go z izby mówiąc:

– Już ino ty się nie wtrącaj... Ty masz serce kowalskie, ale ja mam rozum szlachecki i tak dogodzę organiście, że się pierwej on spali ze wstydu aniżeli my od ognia!...

Po obiedzie, umywszy razem z dziewuchą statki, Szarakowa jeszcze raz obeszła wszystkie zakątki i została na pożegnanie ucięta od pszczoły, aż się jej łzy w oczach zakręciły. Potem wyciągnęła wózek na podwórze, włożyła na dno sienniczek, na sienniczek poduszeczkę, a na wierzch Stasia i – ucałowawszy męża ruszyła w drogę.

Wszystkie te przygotowania niezmiernie cieszyły Kurtę, a gdy gospodyni wzięła dyszel wózka do ręki, pies wpadł w szał. Skoczył naprzód na Stasia i zdarł mu chusteczkę z głowy, potem o mało co nie oberwał wąsa kowalowi, a zgromiony przez niego, rzucił się z wielkim impetem na gospodynię i ledwie jej nie przewrócił.

Tak gwałtowne oznaki radości na złe wyszły Kurcie. Szarakowa bowiem przypomniała sobie, że nie można domu bez psa zostawić, i – kazała go wziąć do izby. Dziewucha Magda z niemałym trudem zaniosła Kurtę do kuchni, psisko jednak w tej samej chwili wyskoczył na dwór oknem i weselił się jeszcze bardziej. W rezultacie dostał, nieboże, w kark chustką od pani, w bok obcasem od pana, w grzbiet drewnem od dziewuchy, po czym zaniesiono go do pustego chlewa i zamknięto na kołek. Pies wył tak strasznie, że niejedna baba w polu usłyszawszy go przewidywała nieszczęście i zawczasu modliła się za dusze zmarłych.

Dzień był skwarny. Tu i owdzie na niebie stały białe obłoki, jakby rozmyślając: gdzie ukryć się przed spiekotą? Pod nogami Szarakowej i kołami wózka cicho skwierczały ziarna ciepłego piasku. Nie dostrzeżony w górze skowronek świergotem witał podróżną matkę i jej syna, a spomiędzy zboża makówki i chabry ciekawie wychylały się na drogę, jakby chcąc sprawdzić, czy nie jedzie kto znajomy? Zatrzymała się i spojrzała za siebie. Oto ich dom na wzgórzu jak sukienką odziany winogradem. W tej chwili żuraw studni zniża się: pewnie Magda poszła po wodę. Przed kuźnią stoi jakiś człeczyna z konikiem, ale ich kowal widać jeszcze nie spostrzegł, bo bez przerwy biją młoty, nad których stukiem i brzękiem góruje żałosne skomlenie Kurty...

Istny obrazek! Zdało się, że Szarakowa zaczerpnęła w nim nowych sił i ciągnąc wózek pędem zbiegła ze wzgórka.

Droga szła kręto i falisto. Co kilkadziesiąt kroków wznosiły się pagórki coraz większe. Najwyższy przypada wśród brzozowego lasku, który leży tam w dole tak blisko, że na pozór dosyć rękę wyciągnąć, aby schwycić go za gałązki. W rzeczywistości było do niego z pół godziny marszu.

Powoli chatka i kuźnia znikły, a nawet lament Kurty ucichnął. Piasek pogłębiał się, słońce piekło coraz mocniej, obłoki stały w jednym miejscu jak puste promy na brzegu Wisły i tylko coraz inny skowronek życzył wędrowcom szczęśliwej drogi.

Szarakowej tak było dobrze w tej chwili na świecie, że z jej serca ustępował nawet gniew na organistę. A gdyby też się pogodzić z nim?...

– Niedoczekanie jego! – mruknęła. – Nie po to ja się męczę dziś na skwarze, żeby mu pięćset złotych wypracować...

Staś tymczasem leżał w wózku oczarowany nowymi wrażeniami. Pierwszy raz wprost oczu widział nieograniczony horyzont i niezmierną głębię szafirowego nieba. Nie umiał jeszcze pytać: co to jest? – ani dziwić się; czuł tylko rzeczy niezwykłe. Ziemia, po której dotychczas chodził, znikła; gdzie zwrócił spojrzenie, spotykał niebo. Zdawało mu się, że leci, że tonie wśród ogromu, którego nie umiał jeszcze nazwać przestrzenią. Dusza jego zapełniała się treścią nieokreśloną i spokojną.

Był on jak anioł złożony z głowy i skrzydeł; unosił się wśród bezmiarów, nie pamiętał przeszłości, nie myślał o przyszłości, lecz w każdej chwili czuł nieskończoność. Taką formę bytu musi mieć – życie wieczne.

Nagle horyzont zaciemniły mnogie zielone gałązki, na wózek padł cień. Wjechali w las i zbliżali się do najwyższego wzgórka.

Spiekota, ciężar wózka i gniew na organistę wywarły pewny wpływ na kowalową. Uczuła zmęczenie. Chciała usiąść między drzewami i odpocząć, ale bała się opóźnienia w drodze, a przy tym... w lesie?... Gdyby była sama, nic by jej las nie obchodził; ale obecność Stasia robiła ją ostrożną nie wiadomo przed czym. O wilkach i zbójcach nikt tu nie słyszał; kobieta jednak zlękłaby się teraz nawet zająca, gdyby wyskoczył...

Ach! ten las... długi na jakie dziesięć pacierzy... Żeby choć Kurtę wzięła z domu, byłoby jej weselej... On tam płakał zamknięty, a w tej chwili nawet psia krzywda padła na duszę kowalowej ciężkim brzemieniem.

Ach! żeby z tego lasu prędzej wyjechać!... Żeby choć na ten wzgórek dostać się!... Szarakowa zdjęła chustkę i położyła ją na wózku. Mała ulga. Pot spływał z niej strumieniami, a wraz z nim i siły. Zdawało jej się, że chyba nie dosięgnie do wzgórka, a cóż dopiero mówić o szczycie!

Przed samym wzgórkiem, na prawo od podróżnej, biegła z głębi lasu inna droga, i w tej właśnie chwili na tamtej bocznej drodze rozległ się łoskot lekkiego powozika. W Szarakową wstąpiła otucha; teraz przynajmniej nie będzie samą!... Pospieszyła się i niebawem ujrzała powozik na kształt biedki, ale bardzo ładnie zbudowany i skórzanym daszkiem okryty. Biedkę tę, na resorach, ciągnął piękny koń gniady; wewnątrz siedział jakiś pan, którego jednak Szarakowa dobrze zobaczyć nie mogła, ponieważ w tej chwili ekwipaż[12] zawrócił na drogę i stanął do niej tyłem.

„Oj, żebyś ty mnie podwiózł!..." – pomyślała kowalowa, lecz nie śmiała odezwać się do właściciela dryndulki, choć szła tuż za nią.

Biedką ową, zbudowaną tak kunsztownie, jechał pan Łoski, obywatel ziemski i sędzia gminny. Wracał on z sądów do siebie i niewątpliwie chętnie by podwiózł zmęczoną a ładną kobietę, gdyby ją spostrzegł! Nieszczęściem, pan sędzia był głęboko zamyślony i nie tylko nie zauważył Szarakowej na zakręcie drogi, ale nawet nie słyszał jej przyśpieszonego oddechu.

Podróżni dotarli do stóp wzgórka. Powozik toczył się noga za nogą; krok w krok za nim szła kowalowa ciągnąc swoje brzemię.

Wzgórze miało ze dwieście kroków wzwyż i było dość przykre. Skutkiem tego Szarakowej przyszła myśl ulżyć sobie na koszt konia. Nie zastanawiając się długo, zaczepiła dyszelek wózka o oś biedki.

Plan był cudowny: zahaczony dyszelek trzymał się doskonale, wózek ze Stasiem jechał jeszcze lepiej, a kobiecina przynajmniej odetchnęła. Byle na szczyt!...

Sama szła z tyłu wózka i ulegając głosowi znużenia, mocno obiema rękoma oparła się na krawędzi. Było jej znakomicie lżej, tak lekko, że chętnie przeszłaby tym sposobem nawet dwa razy dłuższą drogę niż z domu do młyna. Ale i cóż, kiedy na tym świecie zadowolenia ludzkie trwają bardzo krótko!... Już przejechali połowę wysokości pagórka... Już tylko z pięćdziesiąt kroków do szczytu... Bóg ci zapłać, koniku, żeś nas tu wciągnął!... Pora odpiąć wózek od biedki...

Nagle koń ruszył kłusem i biedka, za nią wózek, a w nim Staś – zjechali na dół!... Szarakowa skamieniała. Nim zdążyła krzyknąć: „Stójcie!" – już biedka sędziego i wózek Stasia były na dole.

– Ratunku! – jęknęła kobieta puszczając się z rozpostartymi rękoma na dół. Jak błyskawica przemknęła jej myśl, że o byle kamień przewrócić się może wózek... Ale wózek płynął w piasku jak w puchu, małe kółka kręciły się i chwiały jak szalone, Stasiowi zaś szybka jazda sprawiała niezmierne zadowolenie... Sędzia nie wiedzący o niczym był nie mniej wesół, a jego koń, któremu nagle ubyło ciężaru, aż parskał z radości i rwał się do galopa.

Przez chwilę zdawało się Szarakowej, że uciekających dopędzi, że ją choć usłyszą. Ale gdzie tam... Zatrzymała się chcąc krzyknąć ze wszystkich sił, choćby jej płuca pękły. Lecz zaledwie otworzyła usta, głos w niej zamarł... Ujrzała, że coś wypadło z wózka. Dobiegła bliżej – to tylko jej chustka... Koń zwolnił... Zbliżyła się jeszcze bardziej. Już widzi wyraźnie główkę Stasia i jego rączki ślicznie ułożone około boczków...

– Stasieńku mój!... Ratujcie!...

---

[12] *ekwipaż* – pojazd.

Wózek zachwiał się i potoczył jeszcze prędzej. Już dziecku rączek nie widać, już główka niewyraźna, już wózek coraz mniejszy...

Małgosia – po „zgubieniu" dziecka: opis przeżyć

Szarakowa nie mogła pojąć, dlaczego przed koniem nie wyrasta wał ziemi, dlaczego niebo drogi nie zagradza, dlaczego drzewa nie zabiegają jadącym. Ileż tu ptaków siedzi na gniazdach i widzi jej macierzyńską rozpacz, a żaden nie śpieszy z pomocą. Żeby choć który ptaszek odezwał się do pana: stój!... żeby choć który kamień na tę ciężką chwilę ocknął się ze swej drzemki. Na próżno! wszystko milczy...

Spojrzała w niebo. Nad jej głową wiewiórka spokojnie gryzie szyszki. Obłoki stoją na miejscach. Słońce pali jak dawniej... Spojrzała na drogę, a tam – biedka już niewyraźna, a wózek ledwie żółcieje. Zdawało się, że na tym nieszczęsnym wózku leży jej serce, gwałtem z piersi wydarte, bez miłosierdzia nie wiadomo gdzie ciągnione, a przywiązane do niej nitką, która coraz bardziej cieńczała. Jeszcze chwilę – i pęknie nitka, a wraz z nią serce i życie biednej matki!

Powozik stopniowo malał i tonął między chwiejącą się zielenią drzew. Już jest taki – jak ptak... Teraz na chwilę znowu znikł, lecz znowu się pokazał... Znowu znikł...

Szarakowa przetarła oczy pełne kurzu i łez. Nie widać nic!... Wybiegła na środek drogi. Nic... Przeszła na drugą stronę... Coś w dali mignęło, lecz wnet znikło... Wyczerpana z sił, przywalona bólem, upadła twarzą na ziemię i zwinięta w kłębek poczęła wyć jak samica, której od przepełnionych piersi oderwano szczenię.

Wówczas na pagórku, gdzie ją takie nieszczęście spotkało, ukazał się konik w hołobli, a za nim świątobliwie ogolona fizjognomia należąca do człowieka, który siedział w niewielkiej, lecz mocno trajkoczącej bryczce. Szarakowa nie słyszała turkotu, nie widziała podróżnika, ale za to on spostrzegł skurczoną postać ludzką na drodze i zatrzymał konia.

„Pijana czy umarła?... – myślał uroczyście ogolony wędrowiec. – Cholery dostała czy ją kto zabił?... Jechać czy wrócić?..."

Patrzący z wysokości swego siedzenia na padół ludzkiej nędzy lękał się zbójców, cholery i sądów i już pociągnął za lejc, aby skręcić, gdy wtem – przyszła mu na myśl ewangelia na niedzielę dwunastą po Świątkach, zapisana u świętego Łukasza w rozdziale dziesiątym, „O zranionym i Samarytaninie": „A przystąpiwszy zawiązał rany jego, nalawszy oliwy i wina; a włożywszy go na bydlę swoje, wprowadził do gospody i miał pieczę o nim."

Dzięki temu wspomnieniu bryczka potoczyła się naprzód, jednak bardzo powoli i ostrożnie, aż do kobiety. Potem stanęła i siedzący w niej Samarytanin pochyliwszy się szturchnął z lekka kowalową biczyskiem.

– Hej!... hej!... – krzyknął. – In nomine Patris et...[13]

Szarakowa zerwała się na równe nogi i patrząc błędnymi oczyma w ogoloną twarz podróżnego szepnęła:

– Pan organista?...

– A ja!... – odparł – ale co się stało?...

---

[13] *In nomine Patris et...* (łac.) – w Imię Ojca i...

– Staś mi zginął!... O dla Boga!... – jęknęła i oparła się na krawędzi bryczki.
– Cóż to?... Cygany go porwały?... Panie święty!...
Szarakowa opowiedziała w kilku słowach wypadek.
– Ech! kpij pani z tego!... – zawołał organista. – To wyraźnie jakiś szlachcic
jechał... Panie święty!... no, a tacy nie kradną dzieci. Siadaj pani do bryczki!... Et
cum spiritu Tuo[14].
– Po co?...
– Jak to po co? Panie święty!... Będziemy szukać chłopca i amen!...
– Może on już?...
– Co może on już? Myślisz pani, że nie żyje?... A kogóż ja bym uczył?... Jeżeli ja
go mam uczyć, gdy będzie miał – Panie święty – lat sześć, to jużci chłopak nie umrze
w drugim roku... In saecula saeculorum...[15]
Dowodzenie organisty, a nade wszystko jego łacina były tak niepokonane, że
kowalowa milcząc siadła na bryczkę i pokornie umieściła się na koziołku, twarzą do
organisty. Ale wierny, choć popędliwy sługa Kościoła nie pozwolił na to.
– Bardzo proszę... Panie święty!... – zawołał. – Bardzo proszę na siedzenie, a ja –
na koziołek pójdę... Introibo ad altare Dei...[16]
– Panie organisto, co też pan robi?...
– Tak!... Byłbym chyba, Panie święty, człowiek bez edukacji, żebyś pani, żona
i córka moich przyjaciół, siedziała na koźle... Ja powożę, ja idę na kozioł... Sicut erat
in principio...[17]
Szarakowa wykonała rozkaz organisty nie śmiejąc mu w oczy spojrzeć. Wszakze to
dla dokuczenia mu wybrała się dziś w podróż!... Ale Bóg dbały o sługi swoje pomie-
szał plany zemsty i sprawił, że właśnie organista wydobędzie ją z niedoli.
– Uważa pani Szarakowa – mówił szlachetny opiekun. – Ja, Panie święty, mam
interes od jegomości do pana Łoskiego, tego, co to jest sędzią gminnym, ale pierwej
odwiozę panią do miasteczka i tam dowiem się od Żydów, który szlachcic z tych
stron jeździ krytą biedką. Potem wynajdziemy Staszka, potem odbierzemy go, i panią
odtransportuję z dzieckiem do młyna. Indulgentiam, absolutionem et remissionem
peccatorum nostrorum...[18]
Ale Szarakowa nie słuchała już jego programatu kaznodziejskim wygłoszonego
tonem, lecz oparła głowę na rękach i zaniosła się od płaczu. To ją uspokoiło nieco.
W pół godziny później bryczka wjechała na miejski rynek przy akompaniamencie
trzaskania batem i łaciny, hojniej niż zwykle szafowanej przez wzruszonego organistę.

---

[14] *Et cum spiritu tuo* – i z duchem Twoim.
[15] *In saecula saeculorum* – na wieki wieków.
[16] *Introibo ad altare Dei* – przystąpię do ołtarza Bożego.
[17] *Sicut erat in principio* – jak było na początku.
[18] *Indulgentiam, absolutionem et remissionem peccatorum nostrorum* (łac.) – przebaczenia, rozgrzeszenia
i odpuszczenia grzechów naszych.

* * *

Łoski – przedstawienie postaci

Pan Łoski był to mężczyzna w średnim wieku, uczciwy i przyzwoity; miał przy tym dużo rozwagi, spory majątek i angielskie faworyty[19]. Niewielka łysina świadczyła, że dobry ten obywatel · musiał niejednokrotnie za młodych lat mury głową przebijać i w ogóle nie pędzić bogobojnego życia. Okoliczność ta jednak nie podkopywała szacunku, jaki miał u sąsiadów; dla żony zaś robiła go jeszcze droższym mieszając do obecnego szczęścia w pożyciu małżeńskim – odrobinę żalu za wczoraj i niepokoju o jutro.

Wybrany na sędziego gminnego pan Łoski pełnił urząd wśród powszechnego zadowolenia. Nie chcąc zaś ludzi odrywać od pracy sprawił sobie elegancką krytą biedkę na resorach i do sądu o dwie mile odległego jeździł sam. Toteż ile razy wracał z posiedzeń zbyt późno, pani miała zwyczaj zapytywać go od niechcenia:

– Wstępowałeś do sąsiadów?

– O, nie!... – odpowiadał. – Wracam prosto z biura.

– Ach!... – kończyła pani żałując w duchu, że mężowi do owego biura nie towarzyszy stangret, a przynajmniej jaki chłopczyna.

Nie miniemy się z prawdą nadmieniając, że i znajomi sędziego, a najbardziej damy podzielały do pewnego stopnia wątpliwości pani Łoskiej co do niewinnego trybu życia jej małżonka. Sława, raz zdobyta, trwa wiecznie!

W dniu, w którym zdarzył się opowiedziany wypadek na drodze, pan Łoski wracał do siebie około drugiej po południu. Spraw w sądzie miał dziś niewiele, w domu oczekiwało go kilka osób z sąsiedztwa, więc pośpieszał. W chwili gdy Szarakowa przyczepiła mu wózek do biedki, zastanawiał się nad procesem dwóch gospodarzy o kurę; później myślał o sposobach zabawienia swoich gości i ani przypuszczał, że może się stać niewinnym powodem ciężkiego zmartwienia kowalowej i przedmiotem uciechy dla sąsiadów.

W końcu lasu droga do majątku sędziego zbaczała od gościńca na lewo. Łoski wjechał na nią bez przygody i wydostał się na otwarte pole. W jednym miejscu kilku ludzi kopało rowy i sędzia zauważył, że ludzie ci z wielkim ożywieniem pokazują sobie nawzajem jego biedkę. Później spotkał babę z małym chłopcem, którzy zatrzymali się na drodze i tak szeroko otworzyli usta, jakby mieli zamiar połknąć gniadego konia wraz z powozikiem. Te znaki podziwu niezmiernie pochlebiły sędziemu, który z pociechą przekonał się, że ulubiony jego ekwipaż zaczyna zwracać uwagę.

Staś, z początku zachwycony prędką jazdą i podskakiwaniem wózka, znudził się i zasnął marząc pewnie o figlach Kurty i pocałunkach matki. Niebawem biedka stuknąwszy o próg bramy wjechała na podwórze.

Przed dworem, wśród kwiatów, pod płócienną werendą, pani sędzina i towarzystwo dam i mężczyzn czekało na gospodarza. Sędzia spostrzegł to i pragnąc zajechać z szykiem postanowił okrążyć dokoła duży gazon. Ściągnięty lejcami koń począł wyrzucać do góry piękny łeb i przebierać nogami do taktu. Sędzia nie chcąc być gorszym od niego także wyprężył nogi, wyprostował się wdzięcznie i przybrał postawę dżentelmena.

---

[19] *faworyty* – bokobrody.

Rzeczywiście obrachowany efekt nie zawiódł go. Gdy bowiem okrążając dziedziniec znalazł się naprzeciw werendy, całe towarzystwo poczęło klaskać, wołać: brawo! – i manifestować różne inne oznaki zadowolenia.

Łoski ściągnął lejce jeszcze mocniej, koń wyrzucił łbem jeszcze zręczniej, biedka i przyczepiony do niej wózek z dzieckiem toczyły się jeszcze uroczyściej, a aplauzy[20] widzów przybrały pozory szalonej wesołości. To już zdziwiło sędziego, tym bardziej | **Komizm sytuacji – Łoski na dziedzińcu** |

gdy spostrzegł, że nawet stary jego sługa gryzie sobie wargi, aby nie wybuchnąć śmiechem.

– Brawo!... brawo!... winszujemy!... cha!... cha!... – wołali mężczyźni.

Łoski wysiadł z biedki i osłupiał widząc, że damy przybrały minki bardzo dwuznaczne, a jego żona, jasna blondynka, istny anioł dobroci, ma niewyraźny uśmiech na ustach i – bardzo wyraźne łzy w dużych, łagodnych oczach.

– Odprowadź konia do stajni! – rzekł na dobre zakłopotany sędzia do służącego.

– A z tym co zrobimy, jaśnie panie?... – zapytał stary frant pokazując serwetą na wózek.

Łoski obejrzał się i struchlał zobaczywszy przedmiot tak mało mający związku z jego stanowiskiem męża i stróża sprawiedliwości. Fatalna sprawa wikłała się jeszcze bardziej przez to, że państwo Łoscy nie mieli własnych dzieci.

– Winszujemy znaleźnego!... – wołali mężczyźni.

– A zróbcież mnie choć ławnikiem!... – krzyczał osiemdziesięcioletni eks-pułkownik[21], stary kawaler.

Damy tymczasem otoczyły wózek, na którym Staś obudził się i zaczął płakać.

– Śliczne dziecko! – mówiła jedna.

– Jakie delikatne!

– Musi mieć przynajmniej rok – dodała trzecia.

– Toteż sędzia akurat dwa lata pracuje dla publicznego dobra!... – huknął tubalnym głosem pułkownik.

– Ależ, panowie, to musi być omyłka!... – tłomaczył się zmienionym głosem nieszczęśliwy sędzia.

– W takim adresie nie może być pomyłki! – wtrącił niepoprawny pułkownik. – Ale nie ma co mówić, chłopiec śliczny jak malowidło!

Korzystając z rejwachu pani Łoska wymknęła się do pokoju. W kilka minut wróciła stamtąd z mocno zaczerwienionymi oczyma, ale już spokojniejsza i jakby zrezygnowana. Za nią toczyła się stara, gruba szafarka[22].

Gdy sędzina drżącymi rękoma wydobyła Stasia z wózka i oddała go szafarce, biedny mąż niezwykle pokornym głosem zapytał:

– Co z nim myślisz robić?...

– Przecież go nie oddam na folwark... – odparła cicho żona z odcieniem wyrzutu w głosie.

---

[20] *aplauzy* – oklaski.

[21] *eks-pułkownik* – były pułkownik.

[22] *szafarka* – klucznica, gospodyni.

Usłyszawszy to młode panie zarumieniły się, starsze spojrzały po sobie, nawet mężczyźni spoważnieli, a pułkownik odezwał się:

– No, kochana sędzino, odkładając żarty na stronę, dobrze pani zrobisz nakarmiwszy zaraz chłopca, który musi być głodny. Swoją drogą jednak trzeba dać znać do parafii i do wójta, ponieważ jest oczywiste nieporozumienie, a rodzice tego malca muszą być w diabelnych opałach.

Szafarka tymczasem pilnie przyglądając się dziecku mruczała:

> **Komizm sytu-**
> **acji – reakcja**
> **szafarki**

– Jak rany Chrystusa kocham, wykapany nasz pan!... Nasz pan był taki sam, kiedy miał rok!... Pamiętam go przecie: nos, oczy, a nawet pieprzyk na szyi... Takuteńki sam! Oho!... to nie chłopskie dziecko...

Aby przerwać niesmaczne uwagi, sędzina lekko popchnęła gadatliwą kobietę na ganek i kazała dziecko nakarmić i umyć. Towarzystwo już ochłonęło i wszyscy zaczęli narzekać na prawdopodobną nieuwagę piastunki, która wózek przypięła do biedki, a zarazem ubolewać nad zmartwieniem rodziców. Sędzia potakiwał im, usiłował odgadnąć, w której wsi malca przyczepiono, a gdy rozmowa przeszła na inny temat i żona uspokoiła się, przynajmniej na pozór, Łoski opuścił na chwilę gości i pobiegł do garderoby.

Tam szafarka rozpędziwszy służbę trzymała malca na kolanach i karmiła go bułką z mlekiem. Staś jadł, lecz zarazem oglądał się niespokojnie po nieznanym pokoju, jakby szukając matki. Gdy sędzia wszedł, chłopiec, ujrzawszy mężczyznę, z wyciągniętymi rękoma rzucił się gwałtownie naprzód i zawołał w swoim pieszczotliwym języku:

– Tata!... tata!...

– Głos krwi!... Jak rany Chrystusa kocham! – krzyknęła szafarka. – Ach! co to za mądre dziecko... rychtyczek jak pan.

Sędzia zbliżył się do malca, popatrzył na niego uważnie, delikatnie dotknął jego opalonej buzi, a potem, obejrzawszy się na prawo i na lewo, pocałował Stasia. Zrobiwszy to, ku nieopisanemu rozczuleniu szafarki, wyszedł do sieni.

W sercu jego budziło się dziwne uczucie. Był roztkliwiony, niespokojny, ale zarazem kontent i dumny. Staś podobał mu się bardziej niż jakiekolwiek inne dziecko.

Na kurytarzu spotkał żonę, lecz nie śmiał jej spojrzeć w oczy. Widząc to podała mu rękę i rzekła półgłosem:

– Ja już się nie gniewam.

Łoski przycisnął ją mocno do piersi i nagle wyszedł na ganek obawiając się, by nie spostrzegła, że jest wzruszony.

* * *

> **Mieszkańcy**
> **miasteczka –**
> **ironia**

Sobota w małych miasteczkach bywa dniem ciszy i wypoczynku. Z tego powodu pan burmistrz mieściny X., pani burmistrzowa i rejent, ich przyjaciel, wyszli po południu na spacer.

Burmistrz, człek mały i pękaty, szedł naprzód. Prawą rękę, w której trzymał laskę, założył na plecy; lewą, zgiętą w łokciu, niósł przed sobą w taki sposób, jak kwestujący w czasie sumy dziad nosi tackę. Przy tym uśmiechał się ciągle i przymykał oczy; ludzie mówili, że robi tak, aby „nie wiedzieć, skąd pada", naturalnie na ową wyciągniętą rękę.

O kilkanaście kroków za nim postępował rejent, wysoki, podstarzały kawaler, z panią burmistrzową pod rękę. Wątpimy bardzo, aby taki sposób spacerowania dziwił kogo w miasteczku. Wszyscy do niego przywykli nie wyłączając burmistrza, który był zawsze kontent i myślał o tym tylko, ażeby „gęsto padało".

Na cześć tej trójki miejscowych znakomitości pod drewnianymi domami rynku zicwało paru szabasujących Żydków, a obok zepsutej pompy drapał się leniwie pies, którego wyraźnie zarysowane żebra stanowiły ilustracją tutejszego dobrobytu.

W chwili gdy spacerujący dosięgali granicy rynku, wpadła prawie na nich z ogromnym impetem bryczka organisty. Pan burmistrz aż na bok uskoczył, a pan rejent widocznie ze wzruszenia poprawił sobie kołnierzyk.

Jednocześnie bryczka stanęła naprzeciw rejenta.

– Zwariowałeś acan, że tak pędzisz?... – zapytał rejent.

– Laudetur Jesus Christus![23]... – odparł organista dotykając biczyskiem czapki.

Burmistrz spostrzegł zapłakaną Szarakową i zbliżywszy się do bryczki uśmiechnięty jak zwykle:

– A co to? – rzekł – stało się jakie nieszczęście? Umarł kto?... Spaliło się co?...

– Jaki nieprzytomny człowiek! – ciągnął rejent swoje. – O mało że nie przejechał mnie i Jó... to jest prezydentowej.

– Synek mi zginął... Stasieczek mój! – zawołała kowalowa, znowu zalewając się łzami.

– Co to za jedna?... – spytała pani burmistrzowa.

– Zdaje się, że to będzie córka młynarza Stawińskiego – objaśnił rejent.

– A tak... Stawińszczanka, a teraz kowalowa. O, pomóżcicż mi go znaleźć, moiściewy państwo złote! – mówiła Szarakowa trzęsąc się z płaczu na bryczce.

– Hi! hi! hi! – zaśmiał się burmistrz – ma też czego płakać!... Takaś młoda, da ci Pan Bóg jeszcze z dziesięcioro!...

– André, soyez convenable![24] – zgromiła go pani burmistrzowa, była wychowanka pensji wyższej w mieście gubernialnym.

– O, ratujcież mnie, moi złoci państwo! – jęczała kowalowa i pochyliwszy się na bryczce wyciągnęła ręce, jakby chcąc uścisnąć najprzód panią prezydentową, a następnie jej męża.

Ale pani prezydentowa, która ukończyła pensją, z gestem oburzenia cofnęła się w tył, a nie mniej obrażony mąż jej zawołał:

– Cóż, u diabła, za poufałość!... Nie wiesz, kto jestem?...

– Jużci wiem, że pan – wielmożny burmistrz. Pomóżże mi znaleźć mojego syneczka... Już nie wiem, od kiedy go nie widzę, nieszczęśliwa! Może gdzie wyleciał z wózka i jeszcze go kto rozjedzie!

– A cóż mię to obchodzi? – spytał burmistrz. – Idź sobie do strażnika!... Ona myśli, że ja będę za jej bębnem chodził!... Słyszałeś, rejent!

---

[23] *Laudetur Jesus Christus!* (łac.) – niech będzie pochwalony Jezus Chrystus!

[24] *André, soyez convenable!* (fr.) – Andrzeju, zachowuj się przyzwoicie!

Wyraz „bęben" obraził kowalową. Oczy jej obeschły, na twarz wybiegła krew.
– A od czegóżeś pan burmistrz? – krzyknęła – może nie od tego, żebyś biednym ludziom pomoc dawał w nieszczęściu?... To mój Staszek bęben?... Paneś przecie taki sam był, a i on może kiedy, jeżeli się znajdzie...
W tym miejscu płacz zatamował jej mowę.
– Niedoświadczona kobieta! – mruknął organista, widocznie myśląc o tym, że burmistrz z wyciągniętą ręką nie jest od tego, ażeby biednym ludziom dawał pomoc w nieszczęściu.

Bądź co bądź skutkiem wybuchu kowalowej sytuacja stałaby się bardzo drażliwą, gdyby nie wmieszał się rejent, który miewał interesa ze Stawińskim. Przerwał on kłótnię, wzywając organistę, aby opowiedział, co się stało ze Stasiem.

Tymczasem dokoła bryczki zebrał się tłum Żydków jakby spod ziemi wyrosłych, organista zaś całemu zgromadzeniu kaznodziejskim tonem opisał wypadek Stasia. Gdy w końcu podniesionym głosem zapytał obecnych: czy nie zna kto obywatela mającego krytą biedkę na resorach – jeden z Żydków zawołał:
– Ja wiem! to pan Łoski, sędzia...
– A słowo stało się ciałem! – krzyknął organista. – A toż ja właśnie do niego miałem interes, i Bóg wie, po com tutaj wstępował!...
Z tymi słowy zawrócił konia.
– O, jedźcież prędzej, kumeńku serdeczny! – mówiła kowalowa targając organistę za połę długiego surduta.
Na bryczce oparł się Żydek i rzekł:
– Pani Szarakowa! a niech pani pamięta, że to ja powiedziałem... Ja tam jutro przyjdę do kuźni...
– Cóż to znowu za szachrajstwo? – oburzył się organista. – Przecież ja sam doskonale wiedziałem, że pan Łoski jeździ do sądu krytą biedką zaprzężoną w gniadego konia...
– To po co się pan pytał, jeżeli pan sam wiedział?... – zawołał rozgniewany Żydek.
– Nie tłomaczę się przed takimi łachmytami! – odparł wyniośle organista zabierając się do jazdy.
– Jedźmy już, jedźmy!... – błagała Szarakowa.
– Aj! waj! jaki wielki pan!... – krzyczał Żydek chwytając lejce. – Panie organisto! ja panu coś powiem!... Może by pan przychodził do mnie co niedziela grać na katarynce?...
Otaczająca wózek gromada wybuchnęła śmiechem.
Dumny organista zbladł ugodzony w najdrażliwszy punkt swojej ambicji, a w oczach błysnęła mu chęć zemsty. Podniósł się z kozła i wyprostowawszy swoją długą figurę zawołał potężnym i uroczystym głosem:
– Lejbuś! ja ciebie chrzczę... In nomine Patris...
– Aj! waj!... Dy lobuz! Dy świńskie uches! – zawołała gromada rozbiegając się po rynku.
Organista w tej chwili zaciął konia i bryczka umknęła wśród tumanów kurzawy, śmiechów i wymyślań gawiedzi.

Jechali dobrym kłusem z dziesięć minut. Co moment Szarakowa stawała i chwiejąc się na podskakującym wózku patrzyła na drogę.

– Panie organisto!...

– A czego?

– Daleko to?...

– Mała milka, zajedziemy wnet!

Konik był mocny i zwinny, ale już i na jego gładkiej sierści ukazywały się wielkie plamy potu.

– Wio, mały! – krzyczał organista.

Niekiedy tuman wlokący się za nimi jak ogon równał się z bryczką, zabiegał im drogę i trzy pary oczu zasypywał drobnym piaskiem. Wtedy konik schylał głowę między kolana i parskał, organista przecierał oczy grubym rękawem, i tylko biedna matka nie przymykając nawet powieki patrzyła na drogę.

– Panie organisto!...

Organista wiedział już, o co chodzi, i nie czekając odparł:

– Oto tam, między drzewami!... Widzi pani?... Za dziesięć pacierzy zajedziemy.

Skręcono na prawo. W polu kilku ludzi kopało rów.

Wózek stanął.

– Hej! hej!... – zawołał organista kiwając na kopacza.

Jeden z nich odłożył łopatę i szedł ku bryczce. W Szarakowej tętna biły jak młoty w kuźni i drżała tak, jak gdyby wózek jeszcze pędził, choć on stał.

– Pan wrócił do domu? – zapytał organista nadchodzącego kopacza.

– A jużci!

– A nie widzieliśta wózka za jego biedką?

– A jakże, widzieliśmy!

– I dziecko było tam?

– Musi że było, bo się coś i k trzęsło we środku.

– Bóg wam zapłać.

– Jedźta z Bogiem!... To wasze?

– Nie moje... tej pani! – odparł organista wskazując batem za siebie.

– Panie organisto... – odezwała się kowalowa.

– Czego?

– Puśćcie mnie z bryczki... ja pójdę piechotą, bo mi się widzi, że prędzej zajdę...

– At! nie barłożyłabyś[25] pani... Wio, mały!

– O Jezu! Jezuniu!... czy choć ja go aby znajdę!... – szeptała kowalowa klękając na ruchliwym dnie bryczki.

Koń pędził galopem.

Może o wiorstę ode dwora organista spostrzegł jakiś bury przedmiot prędko toczący się od jednego brzegu drogi do drugiego. Gdy podjechali bliżej, poznał psa, który ze spuszczoną ku ziemi głową biegł przed bryczką.

– Kurta!... – krzyknął organista. – Patrzaj pani, wasz Kurta tu jest!

---

[25] *barłożyć* – tu: mówić od rzeczy, bredzić.

Pies zobaczywszy kowalową począł wyć, szczekać, rzucać się do wózka i skakać do pyska koniowi, który parskając oganiał się, jak umiał. Poczciwe psisko, wypuszczone z chlewa, za śladem Stasiowego wózka aż tu przybiegło.

– Wszystko idzie dobrze! – zawołał organista i ściągnął lejce.

Stanęli pod bramą dworską.

Kowalowa wysiadła, podeszła parę kroków i nagle oparła się o słup bramy czując zawrót głowy. Organista wziął ją za rękę i tak poszli ku dworowi poprzedzani przez Kurtę, który wciąż szczekał, skakał i obracał się w kółko.

Właśnie całe towarzystwo siedziało pod werendą przy obiedzie. Podróżni zatrzymali się u płotu, nieśmiało patrząc w stronę państwa, gdy nagle Kurta pocwałował naprzód.

Za nim pobiegła kowalowa i zadyszana, z podniesionymi rękoma uklękła przy końcu stołu, gdzie na kolanach szafarki siedział Staś, żywy, wyspany i uśmiechnięty.

– A pójdziesz! ty zbrodniarzu!... – wołała przestraszona szafarka na Kurtę, który gwałtem usiłował na nią wskoczyć.

– Matka! matka! – zawołali państwo widząc kobietę, która przypadła do ziemi i z krzykiem całowała tłuste nożęta Stasiowe.

Przerwano obiad; wszyscy powstali i zbliżyli się do drugiego końca stołu, gdzie rozgrywała się zabawna scena: dwie kobiety kłóciły się o dziecko.

Szarakowa chciała odebrać swoją własność, szafarka znowu nie oddawała jej chłopca.

– To mój syn! mój Stasieńko! – wołała matka.

– Coś acani za jedna?... – krzyczała mocując się z nią szafarka. – Także... ordynaryjność!... Łapie takie delikatne dzieciątko jak połeć słoniny!

– Bo to moje!...

– Co panine?... To syn naszego pana, wszyscy tu poświadczą!... Taki śliczny... O, widzisz pani... Pan przyszedł... Oddaj pani chłopca!...

Całe towarzystwo śmiało się bez ceremonii.

– Ale, państwo się śmieją – mówiła zaperzona szafarka – a to przecie jest syn pana!... Podobniuteńki!... A nie pójdziesz, psiawiaro!... – krzyknęła znowu na Kurtę.

Szarakowa klęcząc odwróciła głowę i ze zdumieniem spojrzała na tego, którego ojcem Stasia nazywano. Przypatrzywszy się rzekła z naiwną prostotą:

| Komizm sytuacji – kowalowa u sędziego |

– Nie byłby on taki śliczny, jak jest, żeby był waszego pana. To syn kowala... Szaraka Józefa!....

W tym miejscu odezwał się organista i w mowie pełnej namaszczenia potwierdził, jako zgubione dziecię, które na chrzcie świętym otrzymało imię Stanisława, jest prawym synem Józefa i Małgorzaty ze Stawińskich małżonków Szaraków.

Wiadomość z tak poważnego źródła płynącą pani sędzina przyjęła z oznakami wielkiego zadowolenia, pan sędzia zaś – uśmiechnął się jak gdyby po spożyciu kwaterki niedojrzałych tarek[26].

– Fiu! fiut! – gwizdnął stary pułkownik i dodał: – Poszło!...

---

[26] *tarki* – owoce tarniny.

Sędzia skrzywił się jeszcze lepiej i machnął niedbale ręką.

– Cieszę się bardzo – rzekł – iż biedny ten malec tak prędko odzyskał rodzinę!...

– To mi przypomina bajkę pod tytułem: *Lis i winogrona*[27] wtrącił pułkownik.

Panie przygryzały wargi, sędzia kręcił się jak na szpilkach, organista niczego nie rozumiał, a Szarakowa nie słyszała, zajęta pieszczeniem Stasia.

Zbytecznym byłoby nadmieniać, że organista zmuszony był po raz drugi opowiedzieć przygodę Stasiową.

Nalitowawszy się nad matką wszyscy śmieli się teraz z wypadku z wyjątkiem szafarki, której wielką boleść sprawiło to, że Staś nie jest synem jej pana.

– A taki mądry!... A taki podobny!... Ma nawet pieprzyk na szyjce – mruczała stara.

* * *

Dla uzupełnienia dodamy, że organista załatwiwszy u sędziego interes jegomości odwiózł Szarakową do jej ojca i tam po raz trzeci opowiedział wiadomą historią struchlałemu Stawińskiemu. Wyjechawszy z młyna tego samego dnia opowiedział ją po raz czwarty kowalowi, a po raz piąty jegomości.

W niedzielę, po nabożeństwie, Stawiński z córką i wnukiem tudzież wszystkie młynarczyki wylegli na most przypatrywać się jadącej od strony miasta jednokonnej bryczce, w której – o dziwo! – kowal Szarak siedział obok organisty Zawady jak rodzeni bracia...

Stary młynarz obu pogodzonym przeciwnikom wypalił długą i nudną oracją[28] o potrzebie wzajemnego przebaczania uraz, co w tej chwili było całkiem zbyteczne. Potem wezwał wszystkich na obiad, po obiedzie zaś doręczył organiście sumę pięciuset złotych jako b e z p r o c e n t o w ą pożyczkę na lat trzy. Skutkiem tego organista często później powtarzał ludziom w formie nauki moralnej następującą sentencją[29]:

– Kochani bracia! Gdy rozpamiętywam swoje życie, widzę dokładnie, jako Pan Bóg miłosierny nigdy nie opuszcza ludzi takich jak ja – cnotliwych i sprawiedliwych. In saecula saeculorum!...

W poniedziałek organista był już przy kościele, Szarak w kuźni, Staś bawił się z Kurtą na podwórzu pod okiem Magdy, a kowalowa pracowała w sadzie.

Około południa przed ich dom zajechała furka, z której jakiś człek nie z tej wsi zdjął piękne kasztanowate cielątko z białą gwiazdką na czole. Ponieważ małoletni czworonóg widocznie bał się szczekającego psa i iść nie chciał, furman więc ujął go jedną ręką za kark, drugą za ogon i w taki sposób przyprowadził do zdziwionej Szarakowej.

– Co to?... skąd to?... – pytała gospodyni.

– A to wam pani Łoska podarowała na posag dla waszego chłopaka – odpowiedział człowiek.

---

[27] *Lis i winogrona* — bajka o lisie, który miał apetyt na wiszące wysoko winogrona, a ponieważ nie mógł ich dosięgnąć, pocieszał się, że są niedojrzałe i kwaśne.

[28] *oracja* — mowa.

[29] *sentencja* — zdanie zawierające myśl filozoficzną albo naukę moralną.

– Józek!... Magda!... a chodźcie ino!... Staś będzie miał krowę!... Przysłali mu ją ze dworu – wołała zachwycona kobieta całując cielątko, któremu nie mniej zachwycony Kurta po trochu oskubywał ogon.

Tym epilogiem zakończyła się przygoda Stasia.

Warszawa 1878, w grudniu

POWRACAJĄCA FALA

I

Gdyby zacność pastora Böhme posiadała trzy zwykłe geometryczne wymiary i ciężar odpowiedni wielkości, wielebny ten mąż apostolskie i cywilne podróże odbywać by musiał towarowym pociągiem. Ale ponieważ zacność jest przymiotem substancji duchowej i posiada tylko jeden wymiar: c z w a r t y, który dużo miejsca zajmuje w głowach matematyków, lecz w świecie rzeczywistym nic nie znaczy, więc pastor Böhme bez trudności mógł podróżować bryczuszką zaprzężoną w jednego konia.

Pastor Böhme – przedstawienie postaci

Spasiony i czysto utrzymany koń po gładkiej szosie fabrycznej biegł wolnego truchta i zdawał się być więcej zajęty odpędzaniem much aniżeli cnotami szczupłej osoby duchownego pastora. Gruby chomąt, hołoble, letnia spiekota i drożny pył wydatniejsze zajmowały stanowisko w wyobraźni zwierzęcia aniżeli wielebny Böhme, jego dwa małe faworyciki, jego panamski kapelusz[1], jego perkalowy kitel w białe i różowe paski, a nawet lakierowany bicz zatknięty z prawej strony siedzenia. Pastor tylko przez obawę śmieszności nie zostawiał bata w domu, ale go też w drodze nie używał. Co prawda, nie miał go czym używać. Jedną bowiem ręką trzymał lejce, ażeby mu się koń nie potknął, a drugą zlewał życzliwe i mało skuteczne błogosławieństwa na wszystkich przejezdnych i przechodniów, którzy bez względu na wyznanie uchylali przed „poczciwym Szwabem" głowy i czapki.

Obecnie (jest to dzień czerwcowy, godzina piąta po południu) wielebny miał do spełnienia mniejszą misją religijną, polegającą na tym, ażeby naprzód – zmartwić bliźniego, a następnie – pocieszyć go, gdy już będzie strapiony. Jechał do swego przyjaciela Gotlieba Adlera, żeby mu donieść, że jego jedyny syn, Ferdynand Adler, narobił długów za granicą. Doniósłszy zaś o tym ojcu, miał go później uspakajać i – wyjednać przebaczenie dla lekkomyślnego młodzieńca.

Gotlieb Adler był właścicielem fabryki bawełnianych tkanin. Szosa, nie wysadzona wprawdzie drzewami, ale starannie utrzymana, łączy fabrykę ze stacją kolei żelaznej. To, co z szosy widać

Miejsce akcji – fabryka Adlera

na lewo, za gajem drzew, to nie jest jeszcze fabryka, ale miasteczko. Fabryka leży na prawo od szosy. Spomiędzy klonów, lip i topoli wyglądają czarne i czerwone dachy kilkudziesięciu robotniczych domków, a za nimi – gmach czteropiętrowy, zbudowany w podkowę i otoczony innymi gmachami. To właśnie fabryka. W długich szeregach

---

[1] *panamski kapelusz* – kapelusz z włókien palmowych, nazwa pochodzi od przesmyku Panamskiego.

okien przeziera się słońce i oblewa je plamami złota. Wysoki, ciemnowiśniowy komin wyziewa czarne kłęby gęstego dymu.

Gdyby wiatr powiał z tamtej strony, pastor usłyszałby huk machin parowych i chaotyczny szmer tkackich warsztatów. Ale wiatr wieje z innej strony i dlatego słychać tylko świst odległej lokomotywy, turkot bryczki Böhma, parskanie jego konia i śpiew ptaszka – może przepiórki nurzającej się w zielonym zbożu.

Tuż przy fabryce widać większe niż gdzie indziej skupienie drzew. Jest to ogród Adlera, z którego gdzieniegdzie przeglądają białymi płatami – ściany wykwintnego pałacyku i budynków gospodarskich.

Ciągłe zwracanie uwagi na tłustego konia, ażeby się nie potknął, znużyło wreszcie pastora. Ufając miłosierdziu Tego, który wydobył Daniela ze lwiej jamy, a Jonasza z wielorybiej paszczy, wielebny przywiązał lejce do poręczy kozła i złożył ręce jak do modlitwy. Böhme lubił marzyć, ale marzył tylko wówczas, gdy mógł puścić w młynka dwa wielkie palce u rąk, co zrobił obecnie. Taki młynek otwierał mu czarodziejskie wrota krainy wspomnień.

Adler i Böhme – przeszłość, przyjaźń I otóż przypomniało mu się (zapewne czterdziesty raz w tym roku i w tym punkcie szosy), że fabryka Adlera i jej otoczenie bardzo przypominają inną fabrykę, gdzieś aż na brandenburskiej równinie stojącą, w której on, pastor Marcin Böhme, i jego przyjaciel, Gotlieb Adler, spędzili razem wiek dziecinny. Byli oni synami średnio zamożnych majstrów tkackich, urodzili się w jednym roku i chodzili do tej samej elementarnej szkoły. Potem rozeszli się na całe ćwierć wieku, w ciągu której Böhme skończył wydział teologiczny w Tybindze[2], a Adler zebrał kilkadziesiąt tysięcy talarów.

Potem znowu zeszli się z daleka od ojczyzny, na ziemi polskiej, gdzie Böhme został pasterzem protestanckiej parafii, Adler zaś założył małą fabrykę tkacką.

Od tej pory przez drugie ćwierć wieku nie rozłączyli się i odwiedzali wzajemnie po kilka razy na tydzień. Przez ten czas mała fabryka Adlera stała się ogromną; obecnie zajmowała sześciuset robotników, a właścicielowi przynosiła po kilkadziesiąt tysięcy rubli czystego zysku na rok. Ale Böhme został tym, czym był: niebogatym pastorem. Tylko ponieważ skarby duszy ludzkiej zawsze procentować muszą, więc i pastor miał dochody wynoszące rocznie kilkadziesiąt tysięcy – błogosławieństw.

Były jeszcze między dwoma przyjaciółmi i inne różnice.

Pastor miał syna, który kończył obecnie technikę ryską[3] i marzył o zapewnieniu sobie, obojgu rodzicom i siostrze – chleba na dalszy bieg życia; Adler zaś miał syna jedynaka, który nie ukończył gimnazjum, podróżował za granicą i marzył o jak najobfitszym korzystaniu z ojcowskiej kasy. Pastor frasował się tym: czy jego osiemnastoletnia Anneta dobrze wyjdzie za mąż? Adler frasował się tym, co ostatecznie będzie z jego syna? Pastor był w ogóle zadowolony ze swej majątkowej mierności i kilkudziesięciu tysięcy błogosławieństw rocznie; Adlerowi nie wystarczało kilkadziesiąt tysięcy rubli na rok, a fundusz złożony w banku zbyt powolnie zbliżał się do upragnionej liczby m i l i o n a rubli.

---

[2] *Tybinga* – niemieckie miasto uniwersyteckie.

[3] *technika ryska* – politechnika ryska.

Ale Böhme już o tylu szczegółach nie myślał. On był kontent, że widzi dokoła siebie zielone zboże, nad sobą niebiosa obrzucone białymi i siwymi obłokami i że ogólny wygląd fabryki Adlera przypomina mu miejscowość z dziecinnych lat. Takie same piętrowe domy ustawione we dwa szeregi, takie drzewa, taki zakład fabryczny zbudowany w podkowę, pałacyk właściciela, sadzawka w ogrodzie...

Szkoda, że nie ma tu ochrony dla małych dzieci, szkoły dla większych, domu dla starców, szpitala... Szkoda, że Adler nie pomyślał o tych budynkach, chociaż swoją fabrykę ukształtował na wzór brandenburskiej. A należałoby przynajmniej zbudować szkołę. Boć gdyby nie istniała szkoła t a m... ani on nie byłby pastorem, ani Adler milionerem!

Pastor Böhme – refleksje na temat postępowania Adlera

Wózek zbliżył się do fabryki tak, że hałas jej obudził zadumanego pastora. Gromada dzieci brudnych i w podarte sukienki albo koszule odzianych bawiła się obok gościńca. Za murem otaczającym fabrykę widać było kilka wozów, na których ustawiano paki tkanin. Na lewo w całym wdzięku ukazał się pałacyk Adlera zbudowany w stylu włoskim. Jeszcze kilkanaście kroków i otóż wychyla się spomiędzy drzew stojąca nad sadzawką altana, kędy fabrykant i jego przyjaciel piją zwykle reńskie wino gawędząc o dawnych czasach albo o wiadomościach bieżących.

Gdzieniegdzie z otwartych okien mieszkań robotniczych zwieszają się szmaty świeżo upranej bielizny. Prawie cała ludność tych mieszkań jest obecnie przy warsztatach i ledwie kilka bladych kobiet z zapadłymi piersiami wita pastora słowy·

– Niech będzie pochwalony!...

– Na wieki wieków!... – odpowiada szczupły staruszek uchylając swój wieloletni panamski kapelusz.

W tej chwili bryczka skręciła na lewo, koń wesoło wyrzucił łbem i już kłusem, nie kierowany, wbiegł na dziedziniec pałacyku. Wnet ukazał się stajenny chłopiec, obtarł nos rękawem i pomógł wysiąść wielebnemu.

– Pan w domu? – spytał Böhme.

– Na fabryce. Zaraz powiem, że jegomość przyjechał.

Pastor wszedł na ganek, gdzie oczekujący lokaj zdjął z niego podróżny kitel. Teraz cały świat mógł przekonać się, że duchowny ma długi surdut, ale krótkie nogi, wobec których jego nos, ozdabiający zwiędłe i pełne dobroci oblicze, wydaje się nieco za duży.

Wielebny znowu ułożył ręce na piersiowym dołku i puścił w ruch dwa palce. Przypomniał sobie, że przyjechał tu celem zranienia, a następnie zagojenia ojcowskiego serca i z planem dobrze obmyślanym, który wedle prawideł retoryki[4] dzielił się na trzy części. Pierwsza, przygotowawcza, miała obejmować rzut oka na niezbadane wyroki Opatrzności, która przez ciernie żywota wiedzie istotę ludzką do wiekuistego szczęścia. W drugiej miało być powiedziane, że młody Ferdynand Adler nie może wrócić z zagranicy na łono ojca, dopóki nie zostaną zaspokojeni jego wierzyciele na sumę taką a taką. (Tu powinien nastąpić wybuch ojcowskiego gniewu i wyliczenie przez starego Adlera wszystkich błędów, jakich się syn dopuścił.) W chwili przecież, gdy zagniewany fabrykant bawełnianych tkanin zapragnąłby wyrodnego jedynaka

---

[4] *retoryka* – teoria wymowy, krasomówstwo.

wyprzeć się, wydziedziczyć i wykląć, wyszłaby na jaw trzecia część misji pastora, pojednawcza. Böhme chciał przypomnieć historią marnotrawnego syna, z lekka nadmienić, że przyjaciel źle wychował potomka i że za ten grzech powinien bez szemrania ofiarować Bogu, rozumie się na ręce wierzycieli Ferdynanda, wymaganą przez nich sumę.

Gdy Böhme przepowiadał sobie plan działania, na drodze do pałacyku wiodącej ukazał się stary Adler. Był to człowiek olbrzymiego wzrostu, nieco zgięty, niezgrabny, z wielkimi nogami, odziany w długi, popielaty surdut niemodnego kroju i takież spodnie. Na jednostajnie czerwonej twarzy jego uwydatniał się duży, okrągły nos i nie mniejsze wargi wywinięte jak u Murzyna. Wąsów nie nosił, tylko rzadkie jasnoblond faworyty. Gdy zdjął kapelusz, aby obetrzeć pot z czoła, widać było wypukłe, jasnoniebieskie oczy bez brwi i krótko ostrzyżone włosy koloru lnianego.

Adler – wygląd Milioner szedł krokiem ciężkim, miarowym, chwiejąc się na potężnych nogach jak kawalerzysta. Gdy nie obcierał spoconej twarzy albo czerwonej szyi, zwieszone ręce z wielkimi dłońmi i krótkimi palcami odstawały mu od tułowia tworząc dwa zgięte łuki niby żebra przedpotopowego zwierzęcia. Szeroka pierś widocznie wznosiła się i opadała dysząc jak kowalski miech. Z daleka witał pastora flegmatycznymi ruchami głowy; otworzył przy tym szeroko usta i grubym głosem wołał: „ha! ha! ha!" – ale nie uśmiechnął się. W ogóle trudno nawet zgadnąć, jak by wyglądał uśmiech na tej mięsistej i apatycznej twarzy, na której wszechwładnie zdawały się panować surowość i bezmyślność.

Z tym wszystkim ta grubo przez naturę wyciosana osoba nie była wstrętną, ale raczej dziwną. Nie budził on obawy, tylko uczucie, że mu się niepodobna oprzeć. Zdawało się, że w jego nieforemnych rękach żelazne sztaby powinny by giąć się z takim smutnym skrzypieniem, jak podłoga sal fabrycznych gięła się pod jego stopami. Na pierwszy rzut oka widać było, że do serca tego tarana o ludzkiej formie dopukać się niepodobna, ale że gdyby kto zranił mu serce, cała machina runęłaby jak gmach, któremu nagle zabrakło podstawy.

– No! jak się ty masz, Marcinie! – zawołał Adler z najniższego stopnia schodów, chwytając za rękę pastora, którą potrząsnął mocno i niezgrabnie. – Prawda! – dodał – ty ale byłeś wczoraj w Warszawie... Czy nie słyszałeś czego o moim chłopcu? Ten wariat tak rzadko pisuje, że chyba tylko bank wie, gdzie on się obraca!...

Gdy stanął na ganku, wątły Böhme wyglądał przy nim jak – wedle słów Biblii – szarańcza przy wielbłądzie.

– No, ale gadaj co!... – powtórzył Adler siadając na żelaznej kanapce, która zatrzeszczała. Tubalny głos jego dziwnie harmonizował z rytmicznym łoskotem fabryki przypominającym odległe grzmoty.

– Czy mój Ferdynand nie pisał do banku?

Böhme mimowolnie znalazł się w środku kwestii, z którą tu przyjechał. Siadł na drugiej kanapce naprzeciw Adlera. Z zastanawiającą przytomnością umysłu przypomniał sobie początek pierwszej części mowy: o niezbadanych wyrokach...

Pastor miał jedną wadę. Oto – nie umiał płynnie mówić bez okularów, które zawsze w niewłaściwe miejsce chował. Czuł, że wypada zacząć wstęp, ale jakże zacząć bez okularów?... Odchrząknął, powstał z kanapy, zakręcił się wkoło... Nie ma okularów!

Sięgnął ręką do lewej kieszeni spodni, potem do prawej... Okularów ani śladu!... Czyby je zostawił w domu?... Gdzież znowu! miał je przecie w rękach siadając na bryczkę... Sięgnął do jednej tylnej kieszeni surduta: nie ma... do drugiej – znowu nie ma! Biedny pastor całkiem zapomniał początkowych zdań części przygotowawczej. Adler, który znał przyjaciela na wyrywki, zaniepokoił się.

– Czego ty się tak, Marcinie, ale kręcisz?... – spytał go.

– Ech, mam kłopot... Gdzieś zostawiłem okulary...

– Na co tobie okulary? Kazania przecież nie będziesz do mnie mówił.

– Ale, bo widzisz...

– No, ja ale pytam się o Ferdynanda, czy nie ma od niego wiadomości?...

– Zaraz ci powiem!... – mówił Böhme krzywiąc się.

Sięgnął do bocznej kieszeni i nie znalazł okularów. Odpiął surdut i z kieszeni wewnętrznej dobył jakiś papier, wielki pugilares, wreszcie wywrócił kieszeń, ale i tu okularów nie było.

„Czybym zostawił w bryczce?" – rzekł do siebie i zwrócił się chcąc zejść z ganku.

Adler, który wiedział, że pastor w wewnętrznej kieszeni nosi tylko ważne dokumenta, wyrwał mu papier z ręki.

– Mój ty Gotliebie – mówił skłopotany Böhme – oddajże mi to, ja ci sam przeczytam, tylko... muszę pierwej znaleźć moje okulary... Gdzie one podzieć się mogły?

Zbiegł na dziedziniec kierując się ku stajni.

– Proszę cię, zaczekaj, aż ja wrócę, bo to trzeba przede wszystkim wyjaśnić

I poszedł trąc obiema rękami szpakowatą głowę.

W kilka minut później wrócił ze stajni zupełnie zgnębiony.

– Musiałem zgubić okulary – mruczał. – Pamiętam, że kiedym siadł na bryczkę, miałem w jednej ręce chustkę, a w drugiej bat i okulary...

Rzucił się z niechęcią na kanapkę i przelotnie spojrzał na Adlera.

Staremu fabrykantowi żyły nabrzmiały na czole, a oczy stały się wypuklejsze niż zwykle. Czytał on papier z wielkim zajęciem, wreszcie skończył czytanie i z gniewu – plunął na ganek.

– Och! jaki to szelma ten Ferdynand! – mruknął. – W ciągu dwu lat zrobił pięćdziesiąt ośiem tysięcy trzydzieści jeden rubli długów, chociaż ja dawałem mu dziesięć tysięcy rubli rocznie!

– A wiem! – zawołał nagle pastor i wbiegł do przedpokoju.

Po chwili wrócił z triumfującą miną, niosąc swoje okulary w czarnej pochwie.

– Naturalnie – mówił Böhme – że nie mogłem ich włożyć gdzie indziej, tylko w kitel. Co za roztargnienie!

– Ty zawsze gubisz swoje okulary i potem je znajdujesz! – rzekł Adler oparłszy głowę na ręku.

Wydawał się zamyślonym i smutnym.

– Pięćdziesiąt osiem i dwadzieścia: siedemdziesiąt osiem tysięcy trzydzieści jeden rubli w ciągu dwu lat! – mruczał fabrykant. – Kiedy ja to wszystko załatam? dalibóg, nie wiem!

Pastor włożył już okulary i odzyskał właściwą sobie przytomność umysłu. Część pierwsza, przygotowawcza, mowy, z którą do Adlera przyjechał, była straconą. Część druga tak samo. Pozostała część trzecia.

Böhme orientował się w położeniu bardzo szybko i nie mniej szybko czynił postanowienia. Odchrząknął więc, rozkraczył nogi i zaczął:

– Jakkolwiek, miły Gotliebie, ojcowskie serce twoje błędami jedynego syna twojego ciężko musi być zranione; jakkolwiek na los poniekąd sprawiedliwie wyrzekać...

Adler ocknął się z zamyślenia o odparł spokojnie:

– Gorzej niż wyrzekać bo trzeba ale płacić!... Johann! – krzyknął nagle głosem, od którego daszek ganku drgnął.

Służący ukazał się we drzwiach prowadzących do przedpokoju.

– Szklankę wody!

W okamgnieniu podano wodę; Adler wypił ją, zażądał drugiej szklanki i tę wypił, a potem mówił już bez cienia gniewu:

– Trzeba telegrafować do Rotszyldów[5]... Jeszcze dziś wyślę depeszę i... niech już ten wariat wraca. Dosyć podróży!

Teraz Böhme poznał, że nie tylko trzecia część jego mowy jest bezpowrotnie stracona, ale co gorsza, że ojciec zanadto pobłażliwie traktuje postępek syna. Bądź co bądź, zrobienie pięćdziesięciu ośmiu tysięcy rubli długów stanowi nie tylko stratę, ale i nadużycie rodzicielskiego zaufania, a więc niemały grzech. Kto wie, czy Adler, mając te pieniądze w kieszeni, nie pomyślałby o założeniu szkoły, bez której dzieci fabrycznych robotników dziczeją i uczą się próżniactwa.

Z tych powodów pastor postanowił z obrońcy stać się – oskarżycielem lekkomyślnego młokosa, co mu tym łatwiej mogło się udać, że znał go jako urwisa od niemowlęcia – i że miał okulary na nosie, bez których ciężko mu było czegokolwiek dowodzić.

Adler tymczasem oparł się szerokimi plecami o poręcz ławki, splótł ręce na karku i pochyliwszy w tył ogromną głowę patrzył w sufit daszku.

Böhme odchrząknął, położył dłonie na kolanach i patrząc na krawat swego przyjaciela mówił:

– Jakkolwiek, miły Gotliebie, budujące jest twoje chrześcijańskie poddanie się nieszczęściu, z tym wszystkim człowiek dla osiągnięcia zupełnej doskonałości na tym świecie możliwej (a jest ona, ach! bardzo niedoskonałą wobec Stwórcy), człowiek tedy nie tylko musi być zrezygnowanym, ale i działającym. Pan nasz, Jezus Chrystus, nie tylko poświęcił się na śmierć, ale jeszcze nauczał, poprawiał. Więc i my, sługi jego, winniśmy nie tylko znosić cierpienia, ale jeszcze poprawiać błądzących...

Adler oparł ręce na kanapie i spuścił głowę na piersi.

– Syn twój cielesny, a mój duchowy, Ferdynand, pomimo wielu zalet serca i przyrodzonych zdolności wcale nie pełni przykazania, które człowiekowi z raju wygnanemu zaleciło pracę.

– Johann! – krzyknął Adler.

Służący wbiegł na ganek.

---

[5] *Rotszyldowie* – znana żydowska rodzina bankierska.

– Tam maszyna idzie za prędko! Oni tak zawsze robią, jak mnie nie widzą. Kazać, żeby wolniej szła!

Służący znikł; pastor, niezrażony, mówił dalej:

– Syn twój nie pracuje, ale dane mu przez Stwórcę siły duchowe, fizyczne i pieniężne trwoni marnie. Mówiłem ci to już, miły Gotliebie, nieraz, a wychowaniem mego Józefa nie zaprzeczyłem własnym zasadom.

Adler posępnie rzucił głową.

– Co twój Józef będzie robił, gdy skończy technikę? – spytał nagle.

– Pójdzie do jakiej fabryki i może kiedy zostanie dyrektorem.

– A gdy zostanie dyrektorem, to co?

– Będzie dalej pracował.

– Na co ale on będzie pracował?

Pastor zmieszał się.

– Na to – odparł – żeby być użytecznym sobie i ludziom.

– No, a mój Ferdynand, jak tylko wróci, może u mnie zostać dyrektorem. No, on już dziś ludziom jest użyteczny, jeżeli siedemdziesiąt osiem tysięcy trzydzieści jeden rubli wydaje w ciągu dwu lat. A zapewne i sobie jest użyteczny!

– Ale nie pracuje! – zauważył pastor wznosząc palec do góry.

– Prawda! Ale ja pracuję za niego i za siebie. Ja przez całe życie pracowałem za pięciu ludzi, więc dlaczego mój jedyny syn nie ma użyć trochę świata za młodu? – Czego teraz nie użyje – dodał – później nic nie użyje... Wiem to z doświadczenia! – Praca jest przekleństwem. Ja całe to przekleństwo wziąłem na siebie, a że dobrze wziąłem, świadczy mój majątek. Jeżeli prawda, że Ferdynand powinien by tak męczyć się jak ja, to na co mi Pan Bóg dał pieniądze? Co chłopcu po tym, że z mego miliona zrobi dziesięć, jeżeli znowu jego syn ma żyć na to tylko, żeby do naszych dorobił – drugie dziesięć milionów? – Pan Bóg stworzył tak samo bogatych jak i ubogich. Wszyscy bogaci używają życia. Ja go już chyba nie użyję, bo nie mam sił i nie nauczyłem się tego. Ale dlaczego mój syn nie ma używać?

> **Adler – stosunek do pracy**

Służący wrócił już z fabryki. Maszyna parowa szła wolniej.

– Miły Gotliebie – rzekł pastor – dobry chrześcijanin...

– Johann! – przerwał mu fabrykant. – Wynieś do altanki butelkę reńskiego i piernik... Chodźmy do ogrodu, Marcinie!

Poklepał Böhmego ciężką ręką po ramieniu i zawołał:

– Ha! ha! ha!

Szli do ogrodu. W drodze zastąpiła im jakaś nędzna kobiecina i upadając do nóg Adlerowi szepnęła z płaczem:

– Jaśnie panie! choć trzy ruble na pogrzeb.

Adler bez trudności wyrwał jej nogę z objęć i odparł spokojnie:

– Idź do szynkarza, bo tam twój głupi mąż co dzień zostawiał pieniądze.

– Jaśnie panie!

– W kantorze załatwiają się interesa, nie tutaj – przerwał Adler – tam pójdź.

– Byłam, panie, ale mnie za drzwi wyrzucili.

I znowu objęła go za nogi.

– Precz! – krzyknął fabrykant. – Do warsztatów was nie ma, a na chrzty i pogrzeby umiecie żebrać!

– Po słabości byłam, panie, jakże mogłam iść na robotę?

– No, to niech ci się ale dzieci nie zachciewa, kiedy im nie masz za co sprawić pogrzebu.

I poszedł do ogrodu pchając przed sobą oburzonego tą sceną pastora.

Za furtką Böhme zatrzymał się.

– Wiesz, Gotliebie – rzekł – ja nie będę pił.

– O? – zdziwił się Adler. – Dlaczego tak?

– Łzy biednych psują smak wina.

– Nie bój się! Kieliszki są czyste, a butelki dobrze zakorkowane. Ha! ha! ha!

Pastor zaczerwienił się, odwrócił się od niego z gniewem i szybko wybiegł na dziedziniec.

– Stój, ty wariacie! – krzyknął Adler.

Pastor biegł ku stajni.

– Wróćże się!... Hej, ty głupia! – zawołał na nędzną kobietę, która płakała w bramie – masz rubla i wynoś się stąd, pókiś cała!

Rzucił jej papierek.

– Marcin! Böhme! wróć się! Już wino jest w altance.

Ale pastor siadł na swój wózek i bez kitla wyjechał za bramę.

„Wariat!" – mówił do siebie Adler.

Zresztą nie gniewał się na pastora, który po kilkanaście razy na rok robił mu podobne sceny w podobnych okolicznościach.

„Tym uczonym zawsze jakiegoś trybu w głowie brakuje – myślał Adler patrząc na pył wzniecony bryczką przyjaciela. – Gdybym ja był uczonym, miałbym dziś tyle co Böhme, a Ferdynand męczyłby się w szkole technicznej. Jakie szczęście, że i on nie jest uczony!"

Obrócił się dokoła, spojrzał na stajnię, przed którą parobek udawał, że pilnie bruk zamiata, wciągnął w nos trochę fabrycznego dymu, który mu wiatr przyniósł, popatrzył na ładowne wozy i poszedł do budynku administracji.

Tam kazał odpisać w księdze pięćdziesiąt dziewięć tysięcy rubli dla Ferdynanda i wysłać do niego telegram, ażeby skoro tylko odbierze pieniądze, spłacił dług i natychmiast wracał do domu.

Gdy Adler wyszedł z kancelarii, stary buchalter, Niemiec, który od kilku lat nosił umbrelkę[6], a od kilkunastu siadywał na skórzanym krążku, obejrzał się podejrzliwie i szepnął do innego urzędnika:

– Oho! będziemy znowu mieli o s z c z ę d n o ś c i ! Młody stracił pięćdziesiąt dziewięć tysięcy rubli, a my zapłacimy...

W kwadrans później w biurze technicznym szeptano, że Adler o b e t n i e pensje, bo syn jego stracił sto tysięcy.

Mechanizm wyzysku W godzinę we wszystkich oddziałach fabryki o tym tylko mówiono, że mają zniżyć pensje i zarobki, a wieczorem – Adler

---

[6] *umbrelka* – daszek nad oczami, chroniący wzrok przed światłem.

wiedział, co mówiono. Jeden groził, że połamie kości pryncypałowi, drugi, że go zabije, trzeci, że spali fabrykę. Niektórzy radzili wyjść tłumem z warsztatów, ale tych zakrzyczano. Bo i dokąd wyjść? Większość kobiet płakała, a większość mężczyzn przeklinała Adlera życząc mu, żeby go Bóg skarał.

Fabrykant był zadowolony z raportu. Ponieważ robotnicy tylko przeklinali, więc znaczy, że – można bez obawy zniżyć zarobki. Ci zaś, którzy grozili, ci w części byli najwierniejszymi jego sługami.

W ciągu nocy plan o s z c z ę d n o ś c i był przygotowany. Im kto więcej zarabiał, tym większy procent strącano mu z wynagrodzenia. Ponieważ zaś przy fabryce od paru lat mieszkał doktór (sprowadzony tu w czasie cholery) i felczer, którzy według Adlera nie mieli dziś nic do roboty, doktór więc z końcem miesiąca czerwca otrzymał dymisją, a felczerowi zniżono pensją do połowy.

Gdy na drugi dzień dowiedziano się o szczegółach planu oszczędności, wybuchło ogólne wzburzenie. Kilkunastu ludzi wyszło z fabryki, inni robili mniej niż zwykle, ale za to dużo gadali. Doktór zwymyślał Adlera i natychmiast przeniósł się do miasteczka; toż samo zrobił felczer. W południe i nad wieczorem tłum robotników chodził do pałacyku pryncypała z prośbą, ażeby ich nie krzywdził. Płakali przy tym, klęli, grozili, ale Adler pozostał niewzruszony. Straciwszy pięćdziesiąt dziewięć tysięcy rubli przez syna, musiał je odzyskać; oszczędności zaś miały mu przynieść piętnaście do dwudziestu tysięcy rocznie. Postanowienie żadną miarą nie mogło być cofnięte. Zresztą dlaczego miałoby być cofniętym – co mu groziło?

Rzeczywiście, po kilku dniach fabryka uspokoiła się. Niektórzy robotnicy wyszli sami, kilku niespokojniejszych wydalono, a miejsce ich zajęli nowi kandydaci, którym zarobek wydał się bardzo dobrym. W owej epoce panowała na wsiach bieda i ludzie natrętnie dopraszali się o robotę.

Miejsce felczera zajął „tymczasowo" stary robotnik, który według opinii Adlera był o tyle obeznany z chirurgią, że jakieś lekkie skaleczenie mógł opatrzyć. W wypadkach cięższych, nader rzadkich, miano posyłać do miasteczka, gdzie również udawać się musieli na własny koszt chorzy robotnicy, ich żony i dzieci.

Było więc w fabryce, pomimo tak wielkiego przewrotu, wszystko dobrze. Najdokładniej zebrane informacje wskazywały Adlerowi, że bez względu na krzywdy, jakie ludziom wyrządził, nie spotka go nic złego, że nie ma siły, która by mu mogła zaszkodzić.

Tylko pastor Böhme, do którego fabrykant pojechał pierwszy na zgodę, kręcił głową i poprawiając okulary mówił:

– Złe wyradza złe, mój miły Gotliebie. Tyś zaniedbał wychowania Ferdynanda, więc zrobiłeś źle. On stracił twoje pieniądze i zrobił gorzej. Teraz znowu ty z jego powodu zniżyłeś ludziom zarobki i zrobiłeś najgorzej. A co z tego jeszcze wyniknie?

– Nic – mruknął Adler.

– Nie może być nic! – odparł Böhme trzęsąc rękami nad głową. – Najwyższy tak świat urządził, że w nim każda przyczyna musi mieć właściwy skutek: dobra – dobry, zła – zły!

– Przynajmniej nie dla mnie – wtrącił fabrykant. – Bo i cóż mi się stanie? Kapitały leżą w depozycie. Fabryki mi nie spalą, a choćby i spalili, to jest asekurowana.

Roboty nie porzucą, bo na ich miejsce znajdę innych, a zresztą – gdzież sami pójdą? Chyba myślisz, że mnie zabiją? Marcinie, czy tak myślisz? Ha! ha! ha! Mnie oni! – mówił olbrzym klaszcząc w potężne dłonie.

– Nie kuś Boga! – przerwał mu surowo pastor i zwrócił rozmowę na inny przedmiot.

II

**Adler –
przeszłość**

Historia Adlera jest tak dziwna jak on sam.

Gdy ukończył szkołę elementarną (do której chodził razem z dzisiejszym pastorem Böhme), Adler nauczył się tkactwa i w dwudziestym roku miał niezłe zarobki. Już wówczas był to chłopak czerwonoskóry, silny, na pozór niezgrabny, w istocie sprytny i zręczny, który pracować mógł za kilku. Zwierzchnicy byli z niego zadowoleni, choć miał wadę, że lubił hulać.

Każde święto młody Adler przepędzać musiał w jakimś miejscu zabaw, w towarzystwie kolegów i kobiet, bo miał wiele kochanek. Jeżdżono tam na karuzeli, huśtano się, pływano, objadano się i spijano. Adler zaś przodował. Hulał tak namiętnie, bawił się z takim szałem, że niekiedy przestraszał swoich towarzyszów. Ale w dzień powszedni pracował także szalenie.

Był to potężny organizm, w którym grały tylko muskuły i nerwy, a dusza spała. Adler czytać nie lubił, sztuki nie rozumiał, śpiewać nawet nie umiał. Potrzebował tylko zużywać nagromadzone siły zwierzęce i robił to nie zachowując żadnych granic ani miary.

Z uczuć ludzkich panowało w nim jedno tylko: zazdrościł bogatym. Słyszał on, że na świecie są wielkie miasta, a w nich piękne kobiety, które można kochać pijąc szampańskie wino wśród salonów błyszczących od złota i kryształów. Słyszał, że bogaci podróżują po górach, na których kark można skręcić albo paść ze znużenia, i – tęsknił do tych gór. Gdyby on był bogatym, zamęczałby wierzchowe konie; kupiłby okręt, ażeby pełnić na nim obowiązki majtka; obszedłby cały świat od równika do biegunów; pędziłby na pola bitew i nurzałby się we krwi ludzkiej, a przy tym wszystkim – piłby i jadł najwykwintniejsze potrawy i woziłby ze sobą cały harem.

Ale gdzie jemu myśleć o bogactwach, kiedy puszczał wszystkie zarobki i jeszcze zaciągał długi!

W owym czasie zdarzył się szczególny wypadek.

W jednym z budynków fabryki, w której pracował, wybuchł pożar na drugim piętrze. Robotnicy uciekli, ale nie wszyscy: dwie kobiety i chłopiec zostali na czwartym piętrze i dopiero wówczas zobaczono ich, gdy ze wszystkich niższych okien buchały płomienie.

O daniu pomocy nikt nie myślał i może dlatego właściciel fabryki krzyknął do robotników:

– Trzysta talarów temu, kto ich ocali!

Wśród tłumu gwar i ruch spotęgował się. Radzono, zachęcano, ale – nie ratowano ofiar, które wyciągały ręce do stojących na ziemi i rozpaczały z bojaźni.

Wtedy wystąpił Adler. Zażądał długiej liny i drabinki z hakami. Liną przepasał się i podszedł do ognia.

Tłum oniemiał nie rozumiejąc, jakim sposobem Adler wejdzie na czwarte piętro? Na co mu lina?

Ale on miał sposób. Zaczepił drabinę na szerokim gzemsie pierwszego piętra i wbiegł tam jak kot. Stojąc na gzemsie zahaczył drabinkę o gzems drugiego piętra i po chwili był już tam. Płomienie opalały mu włosy i odzież, dym gęsty owijał go jak płachta, ale on drapał się coraz wyżej, zawieszony nad ogniem i nad przepaścią jak pająk.

Gdy dosięgnął czwartego piętra, tłum wykrzyknął: „hura!", i zaklaskał. Adler zaczepił drabinę na krawędzi dachu i z niepojętą zręcznością, on, chłopak niezgrabny i ciężki, wyniósł po kolei skazańców na dach.

Jedna ściana budynku nie miała okien. Adler tędy spuścił za pomocą liny ocalonych przez siebie, a wreszcie – zlazł sam. Gdy stanął na ziemi poparzony, oblany krwią, tłum porwał go na ręce i poniósł krzycząc.

Za ten czyn, prawie bezprzykładny, Adler dostał od rządu złoty medal, a od fabrykanta lepszą posadę i obiecane trzysta talarów.

Teraz w życiu Adlera nastąpił zwrot. Zobaczywszy się panem tak wielkiej sumy uczuł on przywiązanie do pieniędzy. Nie dlatego, że je nabył narażając się na śmierć, nie dlatego, że mu one przypominały ludzi, którym życie uratował, ale dlatego – że było ich aż trzysta talarów!... Jak by to pohulać można za taką masę pieniędzy... o ile świetniejszą byłaby hulanka za tysiąc talarów i jak to już do tysiąca talarów niedaleko!...

Pieniądz obudził w nim nową namiętność. Adler wyrzekł się swoich nałogów, stał się skąpym i lichwiarzem. Zaczął pożyczać kolegom pieniądze na krótkie termina, ale na wielkie procenta, a ponieważ obok tego bardzo pracował i szybko postępował naprzód, więc po upływie kilku lat miał już nie trzysta, ale trzy tysiące talarów.

Wszystko to robił z myślą, że gdy zbierze większą sumę, pohula raz jak bogacz. Lecz gdy suma urosła, wyznaczał dla niej nową granicę, do której szedł z taką samą zawziętością jak pierwej. W tym zbliżaniu się do ideału, którym miało być najwyższe użycie, Adler powoli zatracił zmysłowe instynkta. Olbrzymie swoje siły topił w pracy, pozbył się dawnych marzeń i myślał o jednym tylko: o pieniądzach. Przez jakiś czas uważał je tylko za środek, widział poza nimi inny cel. Ale stopniowo i to znikło, a całą duszę jego wypełniły dwa pragnienia: pracy i pieniędzy.

W czterdziestym roku życia miał już pięćdziesiąt tysięcy talarów zebranych krwawym trudem, uporem, niezwykłym sprytem, skąpstwem i lichwą. W tym czasie przeniósł się do Polski, gdzie jak słyszał, przemysł wielkie daje procenta. Tu założył niedużą fabrykę tkacką, ożenił się z kobietą posażną, która wydawszy na świat jedynego syna, Ferdynanda, umarła – i począł dążyć do milionowej fortuny.

Nowa ojczyzna okazała się dla Adlera prawdziwą ziemią obiecaną. On, wyćwiczony w zawodzie tkackim i w wyścigu za **Adler w Polsce** groszem, znalazł się między ludźmi, z których jedni dawali się wyzyskiwać dlatego, że nie mieli pieniędzy, drudzy dlatego, że im łatwo przyszły i że mieli ich za dużo, inni dlatego, że im brakło sprytu, jeszcze inni dlatego, że wydawało się im, iż mają spryt. Adler gardził społeczeństwem pozbawionym najelementarniejszych przymiotów ekonomicznych i siły do walczenia z nim; lecz poznawszy grunt dokładnie, umiał z niego korzystać. Majątek rósł, a ludzie myśleli, że szczęśliwemu fabrykantowi do jego zarobków dopływają z Niemiec jakieś fundusze.

Adler – stosunek do syna

Wraz z urodzeniem się Ferdynanda w drewnianym sercu Adlera zbudziło się uczucie nieograniczonej miłości ojcowskiej. Osierocone niemowlę nosił on na rękach, często nawet do fabryki, gdzie chłopak przestraszony hałasem siniał z krzyku. Gdy podrósł, ojciec spełniał wszystkie jego życzenia, obsypywał go łakociami, otaczał służbą, dawał do zabawy złote pieniądze.

Im więcej rozwijało się dziecko, tym mocniej kochał je. Zabawy Ferdynanda przypominały mu własne dzieciństwo, zbudziły w jego duszy jakieś echa dawnych instynktów i marzeń. I otóż Adler patrząc na syna myślał, że on za niego użyje świata, on prawdziwą korzyść odniesie z bogactw, on spełni wygasłe, a tak niegdyś silne pragnienia owych odległych podróży, kosztownych uczt, niebezpiecznych wypraw...

„Byle podrósł – myślał ojciec – sprzedam fabrykę i pojadę z nim w świat. On będzie hulał, a ja będę patrzył i chronił go od niebezpieczeństw."

Ponieważ człowiek nie może dać innym więcej nad to, co sam posiada, więc Adler dał synowi żelazną organizacją, fizyczne zdrowie, egoistyczne popędy, majątek i nieprzepartą skłonność do hulatyki; ale nie rozwinął w nim wyższych instynktów. Ani ojciec, ani syn nie rozumieli przyjemności płynących z badania prawdy, nie odczuwali piękna w naturze ani sztuce, a ludźmi obaj pogardzali. W organizmie społecznym, w którym każdą jednostkę świadomie czy bezświadomie łączą tysiączne węzły sympatii i współczucia, oni dwaj nie byli z niczym związani, zupełnie wolni. Ojciec kochał pieniądze nade wszystko, a syna więcej niż pieniądze; syn – lubił ojca, ale kochał tylko siebie i te przedmioty, które zaspokajały jego pragnienia.

Zresztą chłopiec miał guwernerów i uczęszczał do szkół włącznie do szóstej klasy. Nauczył się kilku języków, tańczyć, gustownie ubierać, elegancko mówić. Był łatwy w obejściu, jeżeli mu przeszkód nie stawiano, dowcipny, pieniędzmi hojnie rzucał. Lubiono go więc, chociaż głębiej na rzeczy patrzący Böhme twierdził, że chłopak niewiele umie i jest na złej drodze.

Ferdynand – charakterystyka

Ferdynand w siedemnastym roku życia był już donżuanem, w osiemnastym wydalony został ze szkół, w dziewiętnastym kilka razy zgrał się w karty, a raz wygrał około tysiąca rubli, nareszcie w dwudziestym roku wyjechał za granicę. Tam, oprócz dużej sumy wyznaczonej mu przez ojca, zrobił około sześćdziesięciu tysięcy rubli długów i tym sposobem, co prawda mimo woli, przyczynił się do zaprowadzenia w fabryce o s z c z ę d n o ś c i, za które obu ich: ojca i syna, przeklinały setki ludzi.

W ciągu dwuletniej nieobecności w domu Ferdynand zwiedził całą prawie Europę. Wdrapywał się na alpejskie lodniki[7], był na Wezuwiuszu[8], puszczał się raz balonem, nudził się parę tygodni w Londynie, gdzie domy są z czerwonej cegły, a w niedzielę nie ma zabaw. Ale najdłużej i najweselej przepędził czas w Paryżu.

---

[7] *lodnik* – lodowiec.
[8] *Wezuwiusz* – wulkan w pobliżu Neapolu we Włoszech.

Do ojca pisywał nieczęsto. Ile razy jednak jakieś silniejsze wrażenie potrąciło jego stalowe nerwy, tyle razy donosił o tym z najdrobniejszymi szczegółami. Toteż listy jego bywały dla Adlera prawdziwymi uroczystościami. Stary fabrykant odczytywał je bez końca, nasycał się każdym wyrazem, bo czuł, że każdy wskrzesza w nim dawne i gorące marzenia.

Jeździć balonem, zaglądać do wulkanu, tańczyć w tysiąc par kankana w przebogatych salonach paryskich, kąpać kobiety w szampanie, wygrywać albo przegrywać na jedną kartę setki rubli: czyż to nie stanowiło ideałów jego życia, czy ich nie przewyższało?... Listy Ferdynanda były jakby tchnieniami jego własnej młodości i budziły w nim zamiast uniesienia, do którego był za stary, nowe, a dotychczas nie znane uczucie: rozrzewnienie.

Kiedy czytał opisy hulanek, kreślone na gorąco pod wpływem pierwszych wrażeń, w jego surowym i realnym umyśle poruszało się coś na kształt poetyckiej fantazji. Chwilami widział to, co czytał. Ale wnet znikały widzenia spłoszone rytmicznym łoskotem machin i szelestem tkackich warsztatów.

Adler miał teraz tylko jedno pragnienie, nadzieję i wiarę: zebrać milion rubli gotówką, sprzedać fabrykę i z całą masą pieniędzy wyjechać w świat razem z synem.

– On będzie używał, a ja będę patrzył po całych dniach!

Pastorowi Böhme wcale nie podobał się ten program godny zniszczonych starców Sodomy albo cesarstwa rzymskiego.

– Gdy wyczerpiecie wszystkie rozkosze i wszystkie pieniądze, co wam zostanie? – pytał Adlera.

– Ach! takie ale pieniądze nie wyczerpują się łatwo – odpowiedział fabrykant.

III

Dzień powrotu Ferdynanda został oznaczony.

Adler wstał jak zwykle o piątej rano. O ósmej wypił kawę z kwartowego fajansowego kubka, na którym niebieskimi literami było wypisane: Mit Gott für König und Vaterland[9]. Potem zwiedził fabrykę, a około jedenastej wysłał na stację drogi żelaznej powozik dla syna i bryczkę pod jego bagaże. Potem usiadł na ganku przed pałacykiem z twarzą jak zwykle apatyczną i bezmyślną, chociaż – niecierpliwie spoglądał na zegarek.

Dzień był gorący. Na dziedzińcu woń rezedy i akacji mieszała się z ostrym zapachem dymu. Nieustannemu grzmotowi fabryki odpowiadał dwusylabowy krzyk puntarek. Niebo było czyste, powietrze spokojne.

Adler ocierał spoconą twarz i ciągle zmieniał pozycje na żelaznej ławeczce, która za każdym razem zgrzytała jak z bólu. Stary fabrykant nie jadł dziś mięsnego śniadania o dwunastej i nie pił piwa z wielkiego kufla zamkniętego cynową nakrywką, jak to robił co dzień od lat trzydziestu.

Po godzinie pierwszej zajechał na dziedziniec powozik z Ferdynandem i – próżna bryczka.

---

[9] *Mit Gott für König und Vaterland* (niem.) – z Bogiem za króla i ojczyznę.

Ferdynand był to wysoki, trochę mizerny, lecz tęgo zbudowany młodzieniec, blondyn z jasnoniebieskimi oczami. Miał na głowie szkocką czapkę z dwiema wstęgami, a na reszcie ciała lekki płaszcz kolisty z peleryną, bez rękawów.

Na jego widok fabrykant wyprostował olbrzymią postać i rozkładając ręce zawołał:

– Ha! ha! ha! No, jak się ty miewasz, Ferdynand?

Syn wyskoczył z powoziku, pobiegł na ganek, uścisnął ojca i pocałował go w oba policzki mówiąc:

– Cóż to, deszcz padał, że papa masz spodnie u dołu zawinięte?

Ojciec spojrzał na spodnie.

– Jak ten wariat wszystko zaraz musi zobaczyć! – rzekł. – Ha! ha! No, jak się ty masz?... Johann! śniadanie!...

Zdjął z syna płaszczyk i torbę podróżną i podał mu rękę jak damie. Wchodząc do przedpokoju jeszcze raz rzucił okiem na dziedziniec i spytał:

– Cóż to, bryczka pusta?... Dlaczego nie odebrałeś rzeczy ze stacji?...

– Rzeczy?... – odparł Ferdynand. – Papa myślisz, żem się ożenił i wożę ze sobą kufry, kosze i pudełka?... Moje rzeczy mieszczą się w ręcznej walizce. Dwie koszule: kolorowa do podróży i biała do salonu, garnitur frakowy, neseserka[10], krawat i kilka par rękawiczek – oto wszystko.

Mówił żywo, głośno, ze śmiechem. Uścisnął kilka razy ojca za rękę i dalej ciągnął:

– Jakże się papa miewasz?... Co tu słychać?... Mówiono mi, że papa robisz świetne interesa na swoich perkalikach i barchanach? Ale siadajmy!

Zjedli śniadanie prędko, trącili się kieliszkami, a następnie przeszli do gabinetu ojca.

– Muszę tu zaprowadzić francuski tryb życia, a nade wszystko francuską kuchnię – mówił Ferdynand zapalając cygaro.

Ojciec skrzywił się pogardliwie.

– Na co nam ale to wszystko! – odparł. – Alboż Niemcy mają złą kuchnię?

– To świnie!...

– Hę?! – zapytał stary.

– Mówię, że Niemcy są świnie – ciągnął syn ze śmiechem. – Ani jeść, ani bawić się...

– No! – przerwał ojciec – więc co ale ty jesteś?...

| Ferdynand – o sobie |

– Ja? Ja jestem człowiek, kosmopolita[11], czyli obywatel świata.

To, że syn mianował się kosmopolitą, niewiele obchodziło Adlera, ale tak hurtowne zaliczenie Niemców do rzędu nieczystych zwierząt ubodło go.

– Ja myślałem, mój Ferdynand – rzekł – że za te siedemdziesiąt dziewięć tysięcy rubli n i e m i e c k i c h , któreś wydał, ty nauczysz się trochę rozumu.

Syn rzucił cygaro na popielniczkę i skoczył ojcu na szyję.

---

[10] *neseserka* – mała walizka na podręczne drobiazgi.

[11] *kosmopolita* – człowiek pozbawiony uczuć patriotycznych, nie czujący związków z narodem, jego kulturą, obyczajami.

– Ach! wyborny papa jesteś! – krzyknął całując go. – Cóż to za nieoceniony wzór konserwatysty[12]! Prawdziwy baron średniowieczny!... No, niech się papa nie chmurzy. Dalej!... uszy do góry, mina gęsta...

Porwał go za ręce, wyciągnął na środek pokoju, wyprostował jak żołnierza i mówił:

– Z taką piersią!...

Poklepał go po piersi.

– Z takimi łydkami!...

Uszczypnął go w łydkę.

– Gdybym miał młodą żonę, zamykałbym ją przed papą w okratowanym pokoju. A papa mimo to masz odwagę solidaryzować się z teoriami pachnącymi o milę trupem?... A pal diabli Niemców z ich kuchnią! – oto hasło godne wieku i ludzi prawdziwie silnych.

– Wariat! – przerwał mu nieco udobruchany ojciec. – Cóż ale ty jesteś, jeżeliś przestał być niemieckim patriotą?

– Ja? – odparł z udaną powagą Ferdynand. – Ja tutaj jestem – polski przemysłowiec; między Niemcami – polski szlachcic: Adler von Adlersdorf; a między Francuzami – republikanin i demokrata.

Takie było przywitanie Ferdynanda z ojcem i takie duchowe zdobycze kupione za siedemdziesiąt dziewięć tysięcy rubli za granicą; chłopiec tyle zyskał, że we wszystkim umiał upatrywać stronę uprzyjemniającą życie.

Tego samego dnia ojciec i syn pojechali do pastora Böhme. Fabrykant przedstawił mu Ferdynanda jako nawróconego grzesznika, który stracił dużo pieniędzy, ale nabył za to doświadczenia. Pastor chrześniaka swego czule uściskał i radził mu, ażeby wstąpił w ślady jego syna Józefa, który wciąż pracuje i pracować myśli do końca życia.

Ferdynand odpowiedział, że istotnie tylko praca nadaje człowiekowi rację bytu w społeczeństwie i że on dlatego był nieco trzpiotowatym dotychczas, ponieważ spędził młodość wśród narodu, który chełpi się lekkomyślnością i próżniactwem. Dodał w końcu, że jeden Anglik robi tyle, ile dwu Francuzów albo trzech Niemców, i że z tego powodu on, Ferdynand, nabrał w ostatnich czasach wielkiego szacunku dla Anglików.

Stary Adler był zdumiony powagą, szczerością i siłą przekonań syna, a Böhme zauważył, że młode piwko musi się wyszumieć i że korzystna zmiana, jaką swoim doświadczonym okiem spostrzega w Ferdynandzie, warta jest więcej nawet aniżeli siedemdziesiąt kilka tysięcy rubli.

Po uroczystych przemówieniach pastor, jego żona i przyjaciel zasiedli do butelki reńskiego wina i poczęli rozmawiać o dzieciach.

– Wiesz, miły Gotliebie – mówił Böhme – że zaczynam podziwiać Ferdynanda. Z tego, powiem ci, wietrznika wyrobił się, jak widzę, prawdziwy mąż, verus vir[13]. Sąd o rzeczach ma wytrawny, samopoznanie także – zasady zdrowe...

– O, tak! – potwierdziła pastorowa – on mi całkiem przypomina naszego Józia. Czy pamiętasz, ojcze, że Józio, jak był zeszłego roku na wakacjach, mówił o Anglikach zupełnie to samo co Ferdynand? Poczciwe dziecko!...

---

[12] *konserwatysta* – człowiek o zachowawczych poglądach.

[13] *verus vir* (łac.) – prawdziwy mąż.

I dobra, szczupła żona duchownego westchnęła poprawiając stanik czarnej sukni szytej, zdaje się w przewidywaniu lepszej tuszy.

Tymczasem Ferdynand spacerował po ogrodzie z ładną Annetą, osiemnastoletnią córką państwa Böhme. Oboje znali się od dziecka i młoda panna życzliwie, a nawet z zapałem powitała dawno nie widzianego towarzysza. Chodzili z godzinę, ale że dzień był gorący, Anneta dostała widać nagłego bólu głowy i poszła do swego pokoiku, a Ferdynand wrócił do kółka starszych. Tym razem mówił niewiele, był skwaszony, czemu nikt się nie dziwił (najmniej zaś oboje pastorstwo), ponieważ młodemu milszym jest towarzystwo ładnej panienki aniżeli najuczciwszych starców.

Gdy Adlerowie wrócili do siebie, Ferdynand powiedział ojcu, że musi jutro jechać do Warszawy.

– Po co? – krzyknął ojciec. – Czyby ci się w ciągu ośmiu godzin dom sprzykrzył?

– Ależ bynajmniej! Niech jednak papa zwróci uwagę, że potrzebuję bielizny, ubrania, a wreszcie powozu, w którym bym mógł składać wizyty sąsiadom.

Ojca wszelako nie przekonały te dowody. Powiedział, że do Warszawy pojedzie gospodyni po bieliznę i że o powóz on sam napisze do znajomego fabrykanta. Z garderobą było nieco trudniej; postanowiono jednak wysłać do krawca garnitur frakowy i według niego wybrać, co potrzeba.

Ferdynand skwasił się jeszcze bardziej.

– Czy masz papa choć aby jakiego wierzchowca na stajni?

– Co mi po nim? – odparł fabrykant.

– No, ale ja muszę go mieć i spodziewam się, że tego przynajmniej papa mi nie odmówisz...

– Bardzo ale naturalnie.

– Chciałbym zaraz jutro pojechać do miasteczka i dowiedzieć się, czy kto ze szlachty nie ma dobrego konia na sprzedaż. Myślę, że chyba i tego papa mi nie zabroni.

– Bardzo ale naturalnie.

Na drugi dzień Ferdynand już o dziesiątej rano wyjechał do miasteczka, a w kilka minut później na dziedzińcu ukazał się Böhme ze swoim wózkiem i konikiem. Pastor wydawał się niezwykle ożywiony; wbiegł do pokoju prędko. Między jego małymi faworycikami i nieco przydługim nosem paliły się mocne rumieńce.

Ledwie zobaczył Adlera, wykrzyknął:

– Jest ten twój Ferdynand?

Adler zdziwił się zauważywszy, że pastorowi drży głos.

– Co ty ale chcesz od Ferdynanda? – zapytał.

– A to hultaj jakiś... nic dobrego! – krzyknął Böhme. – Czy ty wiesz, co on wczoraj powiedział naszej Annetce?

Z miny fabrykanta widać było, że nic nie wie i że nawet niczego się nie domyśla.

– Oto – ciągnął pastor zapalając się – prosił ją, ażeby mu... – w tym miejscu urwał. – Co za zuchwalstwo!... nieprzyzwoitość!...

– Co tobie jest, Marcinie? – pytał go zaniepokojony Adler. – Co Ferdynand powiedział?

– Powiedział... żeby mu w nocy okno otworzyła do swego pokoju!...

I biedny pastor z nadmiaru oburzenia rzucił panamski kapelusz na podłogę.

Adler o rzeczach nie mających związku z fabrykacją i sprzedażą bawełnianych tkanin myślał bardzo powoli. Jego serce nie posiadało włókna zdolnego natychmiast odczuć krzywdę dziewczęcia; ale tkwiło w nim uczucie przyjaźni dla pastora. Adler więc na tej podstawie, rozumując flegmatycznie, lecz logicznie, doszedł do wniosku, że gdyby panna usłuchała rad Ferdynanda, to jego syn musiałby się z nią ożenić. Ale to koniecznie musiałby się ożenić!... Stary nie pojmował innego wyjścia.

Więc Ferdynand, w kilka godzin po przyjeździe do domu i w kilkanaście minut po świetnej mówce o poprawie, postawił się w tej pozycji, że on, syn milionera, musiałby połączyć się z panną bez posagu, z córką pastora?... On, żenić się?... On, który miał hulać pod bokiem ojca, używać świata, pieniędzy, młodości i niczym nie skrępowanej swobody? Toteż dopiero wówczas, gdy nerwowy Böhme już wyzłościł się, wykrzyczał i ochłonął, w Adlerze wybuchnął gniew. W starym tkaczu zbudził się tygrys.

– Ach! ten łajdak! – krzyknął Adler. – Tydzień temu zapłaciłem za niego pięćdziesiąt dziewięć tysięcy rubli, dziś znowu wyciąga ode mnie pieniądze i jeszcze takie historie wyrabia!

Podniósł obie ręce do góry i trząsnął nimi jak Mojżesz w chwili, kiedy rzucał kamienne tablice na głowy czcicieli złotego cielca.

– Kijem zabiję tego łotra!... – ryknął fabrykant.

Widząc uniesienie i odgadując, że kij w ręku Adlera opłakane może wywołać skutki, pastor zmiękł.

– Mój miły Gotliebie! – rzekł – to już jest całkiem niepotrzebne. Zostaw mnie tę sprawę, a ja Ferdynanda sam popuszczę, ażeby albo omijał nasz dom, albo zachowywał się w nim z uczciwością i po chrześcijańsku.

– Johann! – wrzasnął fabrykant, a gdy służący ukazał się, rzekł podniesionym głosem: – Posłać mi zaraz do miasteczka po Ferdynanda. Kije dam temu łajdakowi!

Lokaj patrzył na pana zdziwiony i przestraszony.

Pastor jednak mrugnął znacząco i domyślny Johann wyszedł.

– Miły Gotliebie! – mówił Böhme. – Ferdynand jest już za stary na to, ażebyś go bił kijem, a nawet strofował zbyt gwałtownie. Niepomierna surowość nie tylko go nie poprawi, ale powiem ci, może go popchnąć do rozpaczy i... do targnięcia się na własne życie... To chłopak ambitny...

Uwaga ta w okamgnieniu oddziałała na Adlera. Starzec otworzył szeroko oczy i upadł na krzesło.

– Co ty mówisz ale, Marcinie? – zapytał stłumionym głosem. – Johann! karafkę wody...

Johann przyniósł wodę, a fabrykant wypił ją chciwie i stopniowo począł się uspokajać. Już nie kazał sprowadzać Ferdynanda.

– Tak! ten wariat mógłby to zrobić – szepnął tkacz i zgnębiony spuścił głowę na piersi.

Olbrzymi i energiczny starzec jasno zrozumiał w tej chwili, że syn jest na złej drodze, z której należałoby go sprowadzić. Ale w jaki sposób? – nie wiedział.

Pastor spostrzegł, że wybiła godzina, w której upomnienia jego mogą wywrzeć stanowczy wpływ na postępowanie fabrykanta z synem, a więc i na poprawę lekkomyślnego młodzieńca. W jednej chwili, przy pomocy właściwych mu szybkich kombinacji, ułożył stosowną mowę, wezwał Boga na pomoc i...

Wsadził prędko rękę do lewej kieszeni spodni, a drugą ręką pomacał prawą kieszeń... Potem zaczął rewidować tylne kieszenie surduta, następnie – boczną zewnętrzną, boczną wewnętrzną... Nareszcie zaczął kręcić się niespokojnie.

– Czego ty chcesz, Marcinie? – spytał Adler zauważywszy skomplikowane ruchy pastora.

– Znowu gdzieś zgubiłem okulary! – szepnął zgryziony Böhme.

– Okulary masz przecie na czole...

– Prawda! – krzyknął pastor chwytając oburącz cenne narzędzie optyczne. – Co za roztargnienie!... jakie śmieszne roztargnienie!...

Zdjął z czoła okulary i wydobył żółtą fularową[14] chustkę, aby wytrzeć zapocone szkła.

Jednocześnie wszedł buchalter fabryki z depeszą, którą odczytawszy Adler zawiadomił przyjaciela, że musi go zostawić i odejść do kancelarii dla wydania nie cierpiących zwłoki rozporządzeń. Prosił go przy tym, aby został na obiedzie. Ale Böhme także miał obowiązki, więc wyjechał nie nauczywszy starego fabrykanta, jak winien postępować z synem w celu naprowadzenia go na drogę poczciwego i chrześcijańskiego żywota.

Późno wieczorem wrócił Ferdynand do domu w brylantowym humorze. Szukając po pokojach ojca zostawiał wszystkie drzwi otwarte, uderzał do taktu laską w stoły i krzesła jak w bęben i śpiewał mocnym, lecz fałszywym barytonem:

Allons, enfants de la patrie,
Le jour de gloire est arrivé...[15]

Doszedł do gabinetu i stanął przed ojcem w czapce szkockiej osadzonej trochę na tył głowy, trochę na bakier, w rozpiętej kamizelce, spocony i ziejący winem. W oczach paliły mu się iskry wesołości nie krępowanej chłodnym rozsądkiem. Gdy zaś w śpiewie doszedł do wyrazów:

Aux armes, citoyens!...[16]

wpadł w taki zapał, że machnął parę razy laską nad głową życiodawcy.

Stary Adler nie przywykł do tego, aby nad nim machano kijem. Zerwał się z fotelu i groźnie patrząc na syna krzyknął:

– Tyś pijany, łajdaku!

Ferdynand cofnął się.

– Mój papo – rzekł chłodno – proszę mnie nie nazywać łajdakiem. Bo jeżeli nawyknę w domu do podobnych wyrazów, to później nie zrobi mi to żadnej różnicy, gdy ktoś obcy nazwie łajdakiem mnie albo mojego ojca... Człowiek przyzwyczaja się do wszystkiego.

Umiarkowany ton i jasny wykład zrobiły wrażenie na tkaczu.

---

[14] *fularowa* – z cienkiej tkaniny jedwabnej.

[15] *Allons enfants...* – naprzód dzieci ojczyzny, nadszedł dzień chwały; pierwsze słowa *Marsylianki*, francuskiego hymnu narodowego.

[16] *Aux armes, citoyens!* (fr.) – do broni, obywatele! pierwsze słowa refrenu *Marsylianki*.

– Hultaj jesteś! – odezwał się po chwili. – Bałamucisz córkę Böhmego.

– A cóż papa chciał, żebym bałamucił pastorową? – zapytał zdziwiony Ferdynand.

– Stare babsko, sama skóra i kości!

– No, bez konceptów ale! – zgromił go ojciec. – Właśnie był tu dziś u mnie pastor i prosił, ażeby noga twoja w jego domu nie postała. Nie chce cię znać!

Ferdynand rzucił czapkę i laskę na jakieś dokumenta fabryczne, sam legł na szezlongu[17], wyciągnął się, jak był długi, a pod głowę złożył ręce.

– A to mnie Böhme zmartwił! – rzekł śmiejąc się. – Owszem, zrobi mi łaskę, jeżeli uwolni mnie od nudnych wizyt. To rodzina dziwaków! Stary myśli, że mieszka między ludożercami, i wiecznie chce kogoś nawracać albo cieszyć się z czyjegoś nawrócenia. Stara ma w głowie wodę, po której ciągle pływa ten uczony ślimak – Józio. A panna jest święta jak ołtarz, na którym tylko pastorom wolno odprawiać nabożeństwa. Po dwojgu dzieciach schudnie, biedactwo, jak jej matka, a wtedy – winszuję mężowi! Co on będzie robił z takim klekotem?... Nudni ludzie... Obrzydliwi pedanci!...

– No tak, pedanci! – przerwał ojciec. – Z nimi ale nie puściłbyś we dwa lata siedemdziesięciu dziewięciu tysięcy rubli.

Ferdynand chciał w tej chwili ziewnąć, lecz nie dokończył. Siadł na szezlongu nie zdejmując z niego nóg i spojrzał na ojca z wyrzutem.

– Papa, widzę, nigdy nie zapomnisz tych kilku tysięcy rubli? – spytał.

– Naturalnie, że nie zapomnę! – krzyknął stary. – Co to jest, żeby ale człowiek mający rozum strwonił taką masę pieniędzy, diabeł wie na co?... Ja ci już wczoraj chciałem to samo powiedzieć.

Ferdynand czuł, że ojciec gniewa się nieszczerze. Opuścił nogi na podłogę, uderzył ręką w kolano i począł mówić:

– Mój ojcze, pogadajmy choć raz w życiu jak ludzie rozumni, bo sądzę, że papa nie uważa mnie już za dziecko...

– Wariat jesteś! – mruknął stary, którego powaga syna chwyciła za serce.

– Otóż papa – ciągnął syn – jako człowiek głębiej patrzący na rzeczy, pojmujesz, choć wyznać tego nie chcesz, że ja jestem takim, jakim mnie zrobiła natura i nasz ród. Ród nasz nie składał się z jednostek podobnych do pastora albo jego syna. Ród nasz nazwano niegdyś: A d l e r a m i , a więc ani żabami, ani rakami, ale istotami posiadającymi naturę orłów. Ród nasz, nawet fizycznie biorąc, składa się z ludzi olbrzymiego wzrostu i w gronie swym posiada jednostkę, która dziesięcioma palcami zdobyła miliony i znakomite stanowisko w obcym kraju. A więc ród nasz ma siłę, ma fantazję...

Ferdynand mówił to z prawdziwym czy fałszywym uniesieniem, a ojciec słuchał go wzruszony.

– Cóż jestem ja winien – ciągnął chłopak, stopniowo podnosząc głos – żem po przodkach odziedziczył siłę i fantazję? Ja muszę żyć, ruszać się i działać więcej aniżeli jakieś S t e i n y , B l u m y [18] i zwykłe V o g l e , bo ja jestem – A d l e r . Mnie ciasny kąt nie wystarcza, ja

**Ferdynand –
o sobie**

---

[17] *szezlong* – wąska kanapa.

[18] *Stein, Blumy...* – popularne nazwiska niemieckie; Stein – kamień, Blume – kwiat, Vogel – ptak, Adler – orzeł.

potrzebuję świata. Moja siła wymaga wielkich przeszkód do zwalczania, trudnych warunków bytu albo – hulatyki, bo inaczej pękłbym... Ludzie mojego temperamentu trzęsą państwami albo zostają zbrodniarzami... Bismarck[19], zanim rozbił Austrią i Francją, rozbijał kufle na łbach filistrów[20], był tym – czym ja dziś jestem... Ja zaś, ażeby wypłynąć na wierzch i być prawdziwym A d l e r e m, muszę znaleźć odpowiednie warunki. Dziś – żyję w nie swoim świecie. Nie mam czym zająć uwagi, zużyć siły i dlatego hulam, muszę hulać, bo inaczej zdechłbym jak orzeł w klatce. Papa miałeś w życiu swoje cele: rozkazywałeś setkom ludzi, puszczałeś w ruch machiny, szarpałeś się z innymi o pieniądze. Ja i tej przyjemności nie mam!... Cóż będę robił?

– A któż ci broni zajmować się fabryką, dyrygować ludźmi i mnożyć kapitały? – spytał ojciec. – To byłoby lepsze niż przedwczesna hulatyka, która zjada pieniądze.

– Owszem! – wykrzyknął Ferdynand zrywając się na nogi. – Niech mi ojciec odda część swej władzy, a zaraz jutro wezmę się do pracy. Ja czuję jej potrzebę... W pracy, ale ciężkiej, rozwinęłyby mi się skrzydła... A więc oddaje mi ojciec kierunek nad fabryką? Obejmę go jutro, byle działać, bo mnie już męczy takie puste życie!

Gdyby stary Adler miał do rozporządzenia trochę łez, zapłakałby z radości. Tym razem musiał ograniczyć się na wielokrotnym uściskaniu ręki syna, który przeszedł jego nadzieje.

Ferdynand chce kierować fabryką! Co za szczęście! Za kilka lat majątek ich podwoi się, a wówczas – zamieniwszy go na pieniądze pójdą obaj w świat szukać szerszych widnokręgów dla młodego orlęcia.

Fabrykant źle spał tej nocy.

Na drugi dzień Ferdynand istotnie poszedł do fabryki i począł zwiedzać wszystkie oddziały. Robotnicy patrzyli na niego ciekawie, prześcigali się w udzielaniu mu objaśnień i spełnianiu rozkazów. Wesoły i przyjacielski chłopak w porównaniu ze swym groźnym ojcem dobre robił na nich wrażenie.

Z tym wszystkim około godziny dziewiątej rano przyszedł odo kancelarii jeden z podmajstrzych ze skargą, że panicz żonę mu bałamuci i że między pracującymi kobietami zachowuje się niesfornie.

– To głupstwo! – mruknął Adler.

W godzinę po nim wbiegł obermajster przędzalni przestraszony i zaperzony.

– Panie pryncypale! – zawołał do Adlera. – Pan Ferdynand dowiedziawszy się, że robotnikom zniżono płace, namawia ich, ażeby opuścili fabrykę. Powtarza to we wszystkich salach i opowiada inne niesłychane rzeczy.

– Czy zwariował ten hultaj? – wykrzyknął stary.

Posłał natychmiast po syna i sam wybiegł naprzeciw niego.

Zetknęli się przed składami. Ferdynand miał w ustach zapalone cygaro.

– Co?... ty palisz cygaro w fabryce! Rzuć mi zaraz!

I począł tupać nogami.

– Jak to, więc mnie nie wolno palić cygar? – zapytał Ferdynand. – Mnie? mnie?

---

[19] *Otto von Bismarck* – kanclerz Prus, twórca militaryzmu niemieckiego.

[20] *filister* – człowiek ograniczony, bezmyślny.

– Nikomu nie wolno palić w obrębie fabrycznego muru! – wrzeszczał Adler. – Ty mi cały majątek puścisz z dymem, ty mi ludzi buntujesz! Wynoś się stąd! Ponieważ zajście miało mnóstwo świadków, Ferdynand obraził się.

– O! – zawołał – jeżeli papa myślisz mnie w taki sposób traktować, to basta! Daję słowo honoru, że odtąd nie przestąpię progu fabryki. Dosyć mam w domu podobnych przyjemności.

Zadeptał cygaro i poszedł do pałacyku nie spojrzawszy na ojca, który sapał rozgniewany, a trochę i zawstydzony.

Gdy powtórnie zeszli się przy obiedzie, stary rzekł:

– No! daj ty mi spokój z twoją pomocą. Będę ci wypłacał trzysta rubli miesięcznie; dam ci powóz, konie, służbę i – rób sobie, co ci się podoba, byleś do fabryki nie chodził.

Ferdynand oparł łokcie na stole, brodę na rękach i począł mówić:

– Mój papo! pogadajmy jak ludzie rozsądni. Ja w tym pałacyku życia marnować nie mogę. Nie wspomniałem papie dotąd, że jestem zagrożony chorobą spleenu[21] i że doktorzy kazali mi unikać nudów. Tymczasem u nas życie jest bardzo jednostajne, a ja zaczynam wpadać w tęsknotę. Nie chciałem martwić papy, ale jeżeli jestem przez niego skazany na śmierć...

Ojciec przestraszył się.

– Daję ci przecież, wariacie, trzysta rubli na miesiąc! – krzyknął.

Ferdynand machnął ręką.

– No, więc czterysta...

Syn smutnie pokiwał głową.

– Sześćset, do diabła! – wrzasnął Adler uderzając pięścią w stół. – Więcej nie mogę, bo oszczędności fabryczne wyciągnięte są jak struna. Ty mnie doprowadzisz do bankructwa!

– Ha! spróbuję żyć za sześćset rubli miesięcznie – odparł syn. – O! gdyby nie moja choroba!...

Wiedział, biedak, że z podobnymi dochodami do Warszawy jechać nie warto. Tu jednak na prowincji mógł być królem miejscowej złotej młodzieży i – na tym obecnie poprzestał.

Był to młodzieniec na swój wiek rozsądny.

Od owego dnia Ferdynand począł znowu hulać, co prawda w szczuplejszym niż dawniej zakresie. Przede wszystkim złożył wizyty okolicznym obywatelom ziemskim. Poważniejsi nie przyjęli go, przyjęli chłodno albo nie rewizytowali, ponieważ stary Adler nie cieszył się dobrą opinią w okolicy, młodego zaś uważano za łobuza. Pomimo to udało mu się zawiązać albo odświeżyć znajomość z kilkunastu młodszymi i starszymi panami, tego co on stylu. Odwiedzał ich, zjeżdżał się z nimi w miasteczku albo przyjmował ich hucznie w domu ojca, którego piwnica i kuchnia w krótkim czasie wielką zyskały popularność.

Podczas takich uroczystości stary fabrykant wymykał się z domu. Pochlebiały mu wprawdzie tytuły i ułożenie niektórych przyjaciół Ferdynanda, w ogóle jednak nie lubił ich i często mawiał do buchaltera:

---

[21] *spleen* (ang.) – stan przygnębienia, nudy.

– Gdyby ci panowie razem złożyli swoje długi, mielibyśmy pod bokiem trzy fabryki takie jak nasza.

– Znakomite towarzystwo! – szepnął uniżony buchalter.

– Błazny! – odparł Adler.

– Ja też w tym znaczeniu mówiłem – dorzucił buchalter uśmiechając się pokornie i szyderczo spod zielonej umbrelki.

Ferdynandowi całe noce schodziły na grze w karty i pijaństwie. Miewał też miłosne przygody i zdobył sobie wielki rozgłos. W fabryce tymczasem ugniatały ludzi wszelkiego rodzaju oszczędności. Ściągano kary za spóźnianie się, za rozmawianie, za szkody, niekiedy urojone; tym zaś, którzy nie umieli rachować, wprost urywano zarobki. Urzędnicy i robotnicy klęli pryncypała i jego syna, którego rozpustę widzieli, a co gorsza – sami ją musieli opłacać.

IV

Motyw pracy u podstaw

Przed kilkudziesięcioma laty mieszkał w tej okolicy majętny szlachcic, którego sąsiedzi nazywali „dziwakiem". Istotnie musiał to być osobliwy człowiek. Nie ożenił się, choć go swatano do późnej starości, nie hulał i – co stanowiło najciemniejszą plamę jego życia – bawił się w nauczanie chłopów.

Otworzył elementarną szkołę, w której dzieci przede wszystkim uczyły się czytania, pisania, religii, rachunków tudzież szewctwa i krawiectwa. Każdy chłopiec musiał umieć szyć buty, sukmany, koszule, czapki, kapelusze, i to stanowiło początek edukacji. Potem sprowadził ogrodnika, a następnie kowala, ślusarza, stolarza i kołodzieja. I znowu każdy wychowaniec, który poznał krawiectwo i szewctwo, musiał uczyć się ogrodnictwa, kowalstwa, ślusarstwa i kołodziejstwa, a obok tego arytmetyki w obszernym zakresie, jeometrii i rysunku.

Sam pan wykładał im jeografią i historią, czytał książki naukowe i opowiadał – mnóstwo anegdot, z których zawsze wypływała zasada: że trzeba być pracowitym, uczciwym, rozumnym, cierpliwym, oszczędnym i posiadać wiele innych przymiotów, ażeby zostać prawdziwym człowiekiem.

Okoliczni panowie sarkali na niego, że psuł chłopów, a ludzie fachowi wyśmiewali go, że dzieci uczył wszystkich rzemiosł. Ale on na zarzuty wzruszał ramionami i twierdził, że gdyby na świecie było wielu Robinsonów, którzy za młodu ze wszelkimi rzemiosłami obeznać by się musieli, to – byłoby mniej ludzi ograniczonych, hultajów i przykutych do jednego miejsca niewolników.

– Zresztą – mówił dziwak – taki jest mój kaprys, jeżeli chcecie. Wam wolno hodować pewne gatunki psów, bydła i koni, niechże mnie będzie wolno hodować pewien gatunek ludzi.

Szlachcic umarł nagle. Majątek po nim odziedziczyła rodzina, strwoniła go w ciągu kilku lat, a o szkole zapomniano. Ale szkoła wydała pewną liczbę jednostek dużej wartości ekonomicznej, umysłowej i moralnej, choć żaden z nich nigdy nie zajął wybitnego stanowiska.

Duch szlachcica musiał cieszyć się w niebie z kierunku swoich wychowańców na ziemi; on bowiem nie kształcił ich na geniusze, ale na użytecznych obywateli średniej miary, jakich pewnym społeczeństwom zawsze braknie.

Jednym z wychowańców nieboszczyka był Kazimierz Gosławski. I on uczył się za młodu różnych rzemiosł, ale głównie umiłował twarde, to jest ślusarstwo i kowalstwo. Obok tego umiał wyrysować

Gosławski – przeszłość

plan machiny i budowli, zrobić powikłany rachunek, przygotować drewniany model do odlewni, a od biedy – uszyć sobie kapotę i buty. Gosławski im dłużej żył, tym dokładniej rozumiał metodę swego mistrza i pojmował praktyczną doniosłość jego moralnych anegdot. Wspomnienie o nim czcił jak świętość i wraz z żoną i czteroletnią córeczką modlił się co dzień za dobroczyńcę, bodaj czy nie goręcej aniżeli za własnych rodziców.

Ten Gosławski od siedmiu lat pracował w mechanicznym oddziale fabryki Adlera; zarabiał po dwa, czasem i po trzy ruble na dzień i co prawda był duszą swego warsztatu. Kołatał się tam jakiś naczelny mechanik, Niemiec, biorący półtora tysiąca rubli rocznie; ale ten więcej zajmował się fabrycznymi plotkami aniżeli mechaniką.

Rzecz prosta, że dla utrzymania powagi ów naczelnik wydawał rozkazy i objaśniał robotników, ale w taki sposób, że nikt go nie rozumiał i nie słuchał. Było to dla fabryki szczęście; gdyby bowiem mechaniczne idee jego przyoblekano jak należy w stal, żelazo i drzewo, większa część machin po pierwszym zepsuciu się musiałaby iść na szmelc albo pod kocioł.

Dopiero gdy Gosławski poznał się z machiną, wyrozumiał jej uszkodzenie i podał plan naprawy, a głównie, gdy sam przyłożył ręki, machina szła dobrze. Niejednokrotnie prosty ten ślusarz

Gosławski – praca u Adlera

przekształcał pojedyncze organa machin na inne; czasami robił wynalazki, ale o tym ani on, ani nikt nie wiedział. Gdyby wiedziano, wynalazek porachowałby się na karb geniuszu naczelnego mechanika, który wciąż chwalił się robotami, jakie wykonywał za granicą, i twierdził, że tylko w ciemnej Polsce nie może stworzyć nic nowego i wzbić się na stanowisko dyrektora kilku fabryk. Jakich? – mniejsza o to. Człowiek ten był pewny, że mógł kierować wszystkim: fabryką lokomotyw i fabryką pudrety[22] – byle nie w Polsce, gdzie polot jego geniuszu krępowały: dzikość robotników, klimat i tym podobne przeszkody.

Adler zanadto miał bystre oko, ażeby nie poznać się na wartości Gosławskiego, a nieudolności naczelnika warsztatu. Ponieważ jednak Gosławski wydawał mu się niebezpiecznym jako materiał na samodzielnego pryncypała, a naczelny mechanik był dobrym plotkarzem, więc pierwszego trzymał w ukryciu, a drugiego na posadzie. Tym sposobem wszyscy byli zadowoleni, a świat ani domyślał się, że znakomita fabryka opiera się na głowie „eines dummen polnischen Arbeiters"[23].

Gosławski był średniego wzrostu. Kiedy z wywiniętymi rękawami pracował schylony przy śrubsztaku, wydawał się pospolitym robotnikiem z grubymi rękami i nieco wygiętymi nogami. Ale gdy spojrzał spod ciemnych włosów, które mu spadały na czoło, poznawałeś – rozwiniętego duchowo człowieka. Jego szczupła i blada twarz

---

[22] *pudreta* – sproszkowany nawóz produkowany z odchodów ludzkich.

[23] *eines dummen polnischen Arbeiters* (niem.) – głupiego polskiego robotnika.

ujawniała nerwowe usposobienie, a spokój i szare myślące oczy – panowanie rozsądku nad temperamentem.

Gosławski – charakterystyka

Mówił – ani za wiele, ani za mało, niezbyt cicho i niezbyt głośno. Ożywiał się, ale nie wpadał w uniesienie i umiał słuchać patrząc przy tym ciekawie i rozumnie w oczy mówiącemu. Tylko plotek fabrycznych słuchał nie odrywając się od pracy: „bo to – jak mówił – na nic!" – ale najpilniejszą robotę przerywał, aby dowiedzieć się objaśnienia z zakresu swego zawodu. Względem kolegów trzymał się nieco na uboczu, ale życzliwie. Rad udzielał chętnie, nawet pomagał w drobnych robotach, ale sam o nic nikogo nie prosił: nie śmiał prosić, bo cudze wiadomości i czas tak szanował jak i cudze pieniądze.

Celem jego życia było: założyć własny warsztat kowalsko-ślusarski. O tym zawsze myślał i głównie dlatego oszczędzał część zarobków. Pieniądze trzymał w domu, pożyczać innym nie lubił, wolał raczej darować jakieś parę złotówek. Ale skąpym nie był. Oboje z żoną mieli dostatek odzienia, jadali skromnie, lecz przyzwoicie, a sam Gosławski nie żałował sobie przy niedzieli kufelka piwa, czasami – kieliszka wina.

Żyjąc tym trybem zebrał około półtora tysiąca rubli i przez znajomych wywiadywał się: czy który z obywateli ziemskich nie dałby mu budowli na otwarcie warsztatu w majątku? W zamian za to Gosławski dworskim obstalunkom dawałby pierwszeństwo przed innymi. Układy takie między obywatelami i majstrami wyrobów żelaznych dokonywają się niekiedy, a Gosławski miał nawet upatrzone jedno miejsce od św. Michała.

Zarobki jego w fabryce były dość chwiejne. Gdy przyszło wyrabiać nowy przedmiot, w czym Gosławski był nieporównany, płacono mu od sztuki doskonale; lecz gdy wyrobił kilka sztuk i poduczył innych, zniżano mu płacę do połowy, do czwartej, a niekiedy i do dziesiątej części. Czasami za to, za co przed kwartałem brał rubla, po kwartale brał 20 lub 10 kopiejek. Wówczas dla wyrównania zarobków przesiadywał w fabryce po kilka godzin dłużej; przychodził wcześniej i wychodził później.

Gdy inni skarżyli się, że pryncypał wyzyskuje wszystkich, Gosławski zwykle odpowiadał:

– Z nim tak samo robili, nie ma się czemu dziwić!

Ale niekiedy tracił cierpliwość i szeptał przez zaciśnięte zęby:

– Złodziej Szwab!

Żona dla zrobienia mu ulgi chciała także chodzić do fabryki, ale ją zgromił:

– Pilnuj lepiej dziecka i obiadu! Zarobisz dwa złote na fabryce, a w domu przez ten czas zginie rubel.

Wiedział on wprawdzie, że żona mogła zarobić i więcej, a dom straciłby mniej, ale – był ambitny i nie chciał, ażeby przyszła pani majstrowa zadawała się z pospolitymi robotnicami.

Mężem był dobrym. Czasami marudził, że jedzenie jest niesmaczne albo późno ugotowane, że dziecko zawalało się albo że bielizna zbyt mocno jest zafarbowana. Ale nigdy nie wymyślał, a nawet nie podnosił głosu jak inni. Co niedzielę prowadził żonę o parę wiorst do kościoła, a jeżeli dzień był pogodny, brał córeczkę i niósł ją na rękach. Ile razy był w mieście, przynosił gościńca: dziecku obwarzanek albo piernik, żonie tasiemkę, wstążkę, nici albo cukier i herbatę.

Córeczkę kochał i pieścił się z nią, ale tęsknił do syna, którego nie miał.

– Co to za pociecha z dziewczyny? – mówił nieraz. – Chowa się ją dla ludzi i jeszcze dopłacać trzeba, ażeby ją wzięli. A syn – to podpora na starość, on by mógł i warsztat objąć...

– Miej ty najprzód warsztat, a syn się znajdzie – odpowiedziała żona.

– I-i-i!... gadasz mi to od trzech lat... Z ciebie już chyba nie będzie pociechy – kończył ślusarz.

Tymczasem żona nie na próżno chwaliła się i w szóstym roku małżeństwa, właśnie gdy młody Adler powrócił z zagranicy, powiła syna. Ślusarz był zachwycony. Na chrzciny wydał ze trzydzieści rubli, a żonie sprawił nową suknię, nie licząc wydatków, jakie za sobą pociągnęła słabość. Z oszczędzonych pieniędzy ubyło mu około stu rubli, które do świętego Michała postanowił odzyskać.

Na nieszczęście w fabryce zaprowadzono o s z c z ę d n o ś c i. Tym razem Gosławski klął pospołu z innymi, ale z podwojoną gorliwością pracował. Przychodził do fabryki o piątej, wracał do domu czasem o jedenastej w nocy taki zmęczony i senny, że niekiedy z żoną się nie witał, dzieci nie ucałował, tylko upadał w ubraniu na łóżko i zasypiał jak kamień.

Taka nadzwyczajna gorliwość gniewała jego kolegów. Najbliższy zaś przyjaciel, Żaliński, który prowadził maszynę parową (człowiek otyły i prędki), rzekł raz do Gosławskiego:

– Cóż ty, Kazik, u diabła, tak podlizujesz się staremu i innym psujesz interes!... Kiedy wczoraj poszło do niego kilku skarżyć się, że zarobki są za małe, to im powiedział: „Róbcie jak G o s ł a w s k i, to wam ale wystarczy."

Gosławski tłomaczył się:

– Mój kochany! – mówił. – Żona mi była chorą, po doktora musiałem trzy razy posyłać do miasta i płacić mu po dwa ruble; inne wydatki także były spore. Chciałbym odbić, co się da, bo przecież idę na swój chleb. A że jeszcze ten kundel zniżył zapłatę, więc cóż mam robić?... Muszę orać do czasu, choć mnie i w piersiach kole, i w głowie się kręci.

– Bah! – wtrącił Żaliński – odbijesz to na czeladzi w swoim warsztacie.

Gosławski machnął ręką.

– Ja nie chcę korzystać z cudzej krzywdy. Nie dam swego, ale i nie zabiorę cudzego.

I wziął się znowu do roboty, która go tak już wyczerpywała, że czasami myśli zebrać nie mógł.

Byle doczekać własnego chleba, a wtedy o wszystkim się zapomni!

Praca jednak była za ciężka. Można zdobywać utrzymanie dla kilku osób, można część sił zamieniać na oszczędności dla jutra. Ale żywić rodzinę, oszczędzać, odzyskiwać poniesione wydatki na słabość żony, i w końcu – płacić za podróże młodego Adlera, to przechodziło siły zwyczajnego człowieka. Gosławski czerpał już z kapitału zdrowia. Schudł, pobladł, zesmutniał. Czasami oblany potem zwieszał ręce na śrubsztaku i dziwił się, że w myśli jego, tak zwykle pełnej ruchu i kombinacyj, dziś jest ciemno i pusto. Może ustałby w pracy, gdyby wśród owych ciemności nie czytał ognistego szyldu z napisem: „Mechaniczny warsztat Gosławskiego!"

Dalej!... już tylko trzy miesiące.

Tymczasem los znowu dopisał Adlerowi. Wyroby jego, rzeczywiście doskonałe, zyskały szerszy zbyt, a w lipcu fabryka otrzymała podwójną ilość obstalunków. Stary tkacz po naradzie z zaufanymi urzędnikami przyjął wszystkie zamówienia i jednocześnie za całą prawie gotówkę, jaką posiadał w banku, kazał kupić bawełny. Robotnikom zapowiedziano, że będą pracowali do dziewiątej godziny co wieczór i że za godziny dodatkowe otrzymają półtora raza większą zapłatę. Postanowiono także urządzić kilkanaście nowych warsztatów i rozmyślano nad tym, w jaki by sposób zużytkować można było dni świąteczne? Adler i pod tym względem miał już gotowy plan. Za robotę w święta płaciłoby się z początku – ceny podwójne, w miarę zaś przyzwyczajania się robotników do nowości, zniżono by im płacę.

Według obrachowań fabrykanta, gdyby wszystko szło pomyślnie, bez nieprzewidzianych wypadków, to rok bieżący pozwoliłby mu ostatecznie zamknąć rachunki z tkactwem. Wówczas sprzedałby fabrykę, na którą chętnych nie brakło, i zabrawszy kilka milionów rubli wyjechałby z synem za granicę.

W taki to sposób Gosławski i Adler, robotnik i pryncypał, prawie współcześnie zbliżali się do urzeczywistnienia swych nadziei: jeden do własnego warsztatu, drugi – do użycia nagromadzonych pieniędzy.

Spotęgowana działalność fabryki odbiła się przede wszystkim na warsztatach mechanicznych. Przyjęto kilku nowych ludzi, czas pracy obowiązkowej przedłużono do godziny dziewiątej, a nadobowiązkowej – do dwunastej w nocy. Za pierwsze dwie godziny płacono półtora raza, za następne trzy – dwa razy więcej niż zwykle. Jednocześnie zaprowadzono ściślejszą kontrolę, a jeżeli kto opuścił robotę przed terminem, wytrącano mu w taki sposób, że zysk redukował się prawie do zera. Toteż robotnicy pilnowali się, a najwięcej Gosławski, który, jako najbieglejszy w zawodzie, musiał przesiadywać do północy.

Mechanizm wyzysku Teraz już sam Gosławski uczuł, że ma za wiele obowiązków, i poprosił Adlera o ulgę. Fabrykant przyznał mu słuszność i zaproponował nowy układ. Gosławski odtąd miał brać zapłatę dzienną, robić własnoręcznie tylko te części machin, które wymagały największej dokładności, przeważnie zaś – pilnować biegu pracy i udzielać objaśnień. Faktycznie więc był naczelnikiem warsztatu, do czego jednak dołączono mu zajęcia zwykłego robotnika z pensją majstra.

Takie warunki, których nie przyjąłby żaden Niemiec, z początku pochlebiały Gosławskiemu. Niebawem jednak przekonał się, że go i tym razem wyzyskano: pracę bowiem fizyczną miał wciąż tak wielką jak dawniej, a nadto – musiał wytężać umysł. Cały dzień upływał mu na przebieganiu od kowadła do śrubsztaka, od śrubsztaka do tokarni, przy czym nieustannie nachodzili go koledzy, którym zdawało się, że Gosławski nie tylko powinien ich objaśniać, ale i sam wszystko robić.

W końcu lipca Gosławski wyglądał jak automat. Nie uśmiechał się, o rzeczach nie mających związku z warsztatem prawie nie rozmawiał, a nawet zaniedbał się w ubraniu, on, tak lubiący porządek. Z żoną nie chodził w niedzielę do kościoła, a natomiast spał do południa. W stosunkach bywał opryskliwy.

Największą przyjemność znajdował w spaniu, jak człowiek powracający do zdrowia. Żywsze zaś uczucie błyskało w nim chyba wówczas, gdy całował syna na dzień dobry i na dobranoc.

Gosławski rozumiał swój stan, wiedział, że pożera go praca, ale usunąć się od niej nie miał sposobu. Z owym obywatelem, który dawał mu budowlę na warsztat, umowa miała być podpisana dopiero w sierpniu, a przeprowadzić się na miejsce mógł dopiero w październiku.

Cóż zatem robić? Jeżeli dziś rzuci fabrykę, musi żyć z gotówki i przez dwa miesiące straci paręset rubli, tak ciężko zapracowanych i tak na początek niezbędnych. Trzeba więc trzymać się obecnego stanowiska i wytężać siły. Miał zresztą nadzieję, że tygodniowy odpoczynek po przeprowadzeniu się na własne gospodarstwo orzeźwi go i przywróci zachwianą równowagę sił.

Swoją drogą tak dalece obrzydła mu fabryka, że nosił przy sobie kalendarzyk i każdy upłyniony dzień wykreślał. Już tylko półtrzecia miesiąca... Już sześćdziesiąt pięć dni... Już dwa miesiące!...

V

Pewnej soboty, w sierpniu, w nocy, warsztat mechaniczny kipiał bieganiną i pracą.

Warsztat składał się z obszernej sali pełnej okien jak oranżeria. Pod jedną ścianą leżała parowa machina nadająca ruch wykonawczym mechanizmom, pod drugą – stały dwa ogniska kowalskie. Znajdował się tu jeszcze mały młotek podrzucany palczastym kołem, kilkanaście śrubstaków ślusarskich, tokarnia, b o r m a s z y n y[24] i inne przyrządy.

Zbliżała się północ. W reszcie fabryki światła dawno pogasły, znużeni tkacze spali w mieszkaniach; ale tu panował ruch. Przyśpieszony oddech machiny parowej, tętnienie tłoków, huk młotów, turkot tokarni, zgrzyt pilników – potęgowały się na tle nocnej ciszy. W atmosferze nasyconej parą, pyłem węgla i delikatnymi opiłkami żelaza jak błędne ognie migotały płomienie kilkudziesięciu lamp gazowych. Przez wielkie okna, nieustannie drgające od łoskotu, zaglądał księżyc.

W sali prawie nie rozmawiano. Robota była pilna, godzina późna, więc ludzie spieszyli się w milczeniu. Tu grupa czarnych kowali dźwiga wielką, rozpaloną do białości sztabę żelaza pod młot. Tam szereg ślusarzy jak na komendę schyla się i podnosi nad szeregiem śrubstaków. Naprzeciw nich zgięci tokarze pilnują obrotu swoich machin. Spod młotów pryskają iskry. Czasami rozlega się rozkaz albo przekleństwo. Niekiedy kucie i piłowanie przycicha, a wówczas słychać żałosny jęk wiatraków dmuchających na kowalskie ogniska.

Największą tokarnią obsługuje Gosławski. Obtacza on duży stalowy walec, który musi być wyrobiony bardzo dokładnie. Ale praca idzie niesporo. Gosławski dziś miał tyle zajęcia, że nie mógł nawet opuścić warsztatu w czasie pauzy wieczornej, jest więc bardzo zmęczony i senny. Trapi go lekka gorączka; strugi potu oblewają mu ciało.

---

[24] *bormaszyna* – wiertarka.

Chwilami skutkiem zmęczenia doświadcza sennych halucynacyj[25] i zdaje mu się, że jest gdzie indziej, nie w warsztacie. Wnet jednak otrząsa się, zasmolonymi rękami przeciera oczy i z trwogą spogląda, czy nóż nie za wiele zebrał z walca.

– Oto spać się chce! – rzekł do niego sąsiad.

– Prawda! – odparł Gosławski siadając na stołku.

– Chyba tak z gorąca – zauważył sąsiad. – Maszyna ogromnie rozpalona, kowale robią przy obu ogniskach... Zresztą już późno... Zażyj pan tabaki!

– Bóg zapłać! – podziękował Gosławski. – Fajka by mnie orzeźwiła, ale nie tabaka. Napiję się lepiej wody.

Odszedł parę kroków i zardzewiałym kubkiem zaczerpnął wody z beczki. Ale woda była ciepła i Gosławski, zamiast orzeźwić się, uczuł, że jeszcze bardziej potnieje i opada z sił.

– Która u pana godzina? – zapytał sąsiada.

– Trzy kwadranse na dwunastą... Skończysz pan dziś robotę?

– Zdaje się, że skończę – odparł Gosławski. – Jeszcze trzeba na jaki włos zebrać... a tu mi się tak dwoi w oczach.

– Z gorąca! z gorąca! – mówił sąsiad.

Zażył znowu tabaki i poszedł do swojej tokarni.

Gosławski zmierzył średnicę toczonego walca, posunął nóż, ścisnął go śrubą i znowu puścił w ruch machinę. Po chwilowym wysiłku uwagi nastąpiła w nim reakcja i począł drzemać stojąc z oczyma wlepionymi w błyszczącą powierzchnię walca, na którą upadały krople wody.

– Czyś pan do mnie co mówił? – zapytał nagle sąsiada.

Ale sąsiad pochylony nad swoim warsztatem nie słyszał pytania.

Teraz wydało się Gosławskiemu, że jest u siebie w domu. Żona i dzieci śpią, na komodzie pali się przykręcona lampa, jego łóżko już rozebrane. Oto stół, przy nim krzesło... Znużony, chciał usiąść na krześle, więc – oparł ciężką rękę na krawędzi stołu...

...W tej chwili tokarnia dziwnie zgrzytnęła. Coś w niej pękło, zaczęło się łamać i – straszny jęk ludzki rozległ się po warsztacie...

Gosławski – wypadek przy pracy

Prawa ręka Gosławskiego dostała się między tryby, które zajęły mu naprzód palce, potem dłoń, potem kość łokciową. Krew trysnęła. Nieszczęśliwy oprzytomniał, jęknął, szarpnął się i – padł obok tokarni. Przez mgnienie oka wisiał jak przykuty do machiny, ale zmiażdżone kości i poszarpane muskuły nie mogły utrzymać ciężaru, przerwały się i Gosławski runął na ziemię.

Wszystko to stało się w ciągu kilkunastu sekund.

– Wstrzymać maszynę! – krzyknął sąsiad Gosławskiego.

Ślusarze, tokarze, kowale porzucili robotę i zbiegli się do rannego. Maszynę wstrzymano. Jeden z robotników wylał na Gosławskiego konewkę wody. Jakiś młody robotnik, zobaczywszy fontannę krwi tryskającą na tokarnią, na podłogę i na obecnych, dostał spazmów; kilku wybiegło z warsztatu, nie wiadomo po co.

– Doktora!... – zawołał zmienionym głosem ranny.

---

[25] *halucynacja* – przywidzenie.

– Bierzecie konie! biegnijcie do miasteczka! – krzyczeli robotnicy jak nieprzytomni.

– Krew! krew! – jęczał ranny.

Obecni nie wiedzieli, czego chciał.

– Na miłość boską, zatamujcie krew! Zwiążcie rękę.

Ale nikt się nie ruszył. Jedni nie wiedzieli, jak związać rękę, drudzy osłupieli.

– Oto fabryka! – krzyknął sąsiad Gosławskiego. – Ani doktora, ani felczera. Gdzie Szmit? biegnijcie po Szmita!

Kilku ruszyło po Szmita, owego robotnika, który miał zastępować felczera. Tymczasem stary kowal, przytomniejszy widać od innych, ukłąkł przy rannym i ścisnął mu palcami rękę powyżej łokcia. Krew poczęła spływać wolniej. Rana była straszna. Zamiast dłoni zostały tylko dwa palce: wskazujący i wielki.

Reszta ręki prawie do łokcia była poszarpana i jakby usiekana z zakrwawionymi szmatami koszuli.

Ledwie w kwadrans zjawił się Szmit przerażony nie mniej od innych. Obwiązał on zmiażdżoną rękę mnóstwem gałganów, które natychmiast przesiąkły krwią, i kazał zanieść rannego do domu.

Koledzy położyli go na warsztatowych noszach; dwu niosło go, dwu podtrzymywało mu głowę; reszta otoczyła ich – i tak szli gromadą.

W kantorze nie było nikogo; w pałacyku Adlera nie świeciło się. Psy zwietrzywszy krew zaczęły wyć. Nocny stróż zdjął czapkę i patrzył wybladły na orszak posuwający się z wolna po gościńcu oświeconym blaskami księżyca.

W otwartym oknie robotniczego domu ukazał się człowiek ubrany w bieliznę i zapytał:

– Hej, a co tam?

– Gosławskiemu urwało rękę! – odpowiedziano z gromady.

Chory cicho jęczał.

Z daleka na gościńcu rozległ się turkot i kłus. Ujrzano parę siwych koni, stangreta w liberii[26] na koźle, a w głębi powozu – rozwalonego Ferdynanda Adlera, który z pijatyki wracał do domu.

– Na bok! – krzyknął stangret na gromadę.

– To ty zjedź na bok, bo my niesiemy rannego.

Smutny orszak zrównał się z powozem. Młody Adler ocknął się z drzemki, wychylił się z powozu i zapytał:

– A to co?

– Gosławskiemu urwało rękę.

– Czy temu, co ma ładną żonę?

Chwila milczenia.

– Widzisz, jaki mądry! – mruknął ktoś.

Ferdynand oprzytomniał i zmieniając ton mowy zapytał:

– Doktór opatrzył go?

– Doktora nie ma przecież w fabryce.

> Ferdynand –
> obojętność
> wobec rannego

---

[26] *liberia* – specjalny ubiór dla służby.

– Ach, prawda!... A felczer?

– I felczera nie ma!

– Aha! To trzeba posłać konie do miasteczka.

– Jużci, że trzeba – odpowiedział ktoś. – Może wielmożny pan zaraz z miejsca każe zawrócić?

– Moje konie są zmęczone – odparł Ferdynand – ale wyślę inne.

Powozik ruszył.

– Podły! – rzekł jeden z robotników. – Jak my zmęczymy się przy robocie, to nas nie zmienia, ale o konie to dba!

– Bo konia trzeba kupić, a ludzie są darmo – wtrącił inny.

Gromada doszła do domu, w którym mieszkał Gosławski. W oknie paliła się jeszcze lampa. Jeden z robotników ostrożnie zapukał.

– Kto tam?

– Niech pani Gosławska otworzy!

Po chwili we drzwiach ukazała się do połowy rozebrana kobieta.

– Co to jest? – zapytała patrząc na gromadę, przerażona.

– Mąż pani trochę skaleczył się i przynieśliśmy go.

Gosławska podbiegła do noszów.

– Jezu mój! – krzyknęła. – Co tobie, Kaziu?

– Nie budź dzieci – szepnął mąż.

– Matko miłosierna, krew!... Tyle krwi!

– Cicho! cicho! – szeptał ranny. – Rękę mi urwało, ale to nic. Poszlijcie po doktora.

Kobieta zaczęła łkać, trząść się. Dwaj robotnicy wzięli ją pod rękę i wprowadzili do pokoju. Inni wnieśli rannego, który siniał z bólu i gryzł wargi, lecz obawiał się jęknąć, aby nie obudzić dzieci.

Z rana doniesiono Adlerowi o wypadku. Wysłuchał pogrążony w zamyśleniu i spytał:

– A doktór był?

– Posłano do miasta w nocy, ale i doktór, i felczer rozjechali się do chorych.

– Trzeba sprowadzić innego. Trzeba także wysłać ale depeszę do Warszawy po ślusarza na miejsce Gosławskiego.

Około godziny dziesiątej poszedł do warsztatu obejrzeć tokarnią, która zepsuła się. Przy nieszczęsnej machinie stąpił niechcący w kałużę krwi i drgnął, ale wnet zapanował nad sobą. Uważnie przypatrzył się zębatym kołom, na których widać było zsiadłą krew, ciało ludzkie, parę kawałków płótna z koszuli i kilka szczerb.

– Czy mamy jeszcze takie samo kółko? – zapytał mechanika.

– Tak! – szepnął blady Niemiec, którego widok krwi przyprawiał o mdłości.

– A doktór jest?

– Jeszcze nie ma.

Adler syknął. Nieobecność lekarza robiła na nim przykre wrażenie.

Około południa dano znać fabrykantowi, że doktór przyjechał. Stary szybko wyszedł z domu. Przechodząc około drzwi Ferdynanda, który po pijatyce jeszcze spał, zapukał w nie kijem; ale syn nie odezwał się.

Przed mieszkaniem Gosławskiego stało dużo robotników. W kościele mało kto był. Wszyscy pragnęli dowiedzieć się o losie rannego i usłyszeć szczegóły wypadku. Gosławską i dzieci wzięła do siebie sąsiadka.

Tłum szemrał, ale gdy zobaczono Adlera, umilkły rozmowy. Tylko najbojaźliwsi witali się z nim, inni odwracali się, a śmielsi patrzyli na niego nie uchylając czapek. Fabrykanta coś tknęło.

„Czego oni chcą ode mnie?" – pomyślał.

Zaczepił jednego z robotników Niemców i spytał, jak się chory ma.

– Nie wiadomo – odparł zapytany pochmurnie. – Podobno mu odjęli całą rękę.

Adler posłał po doktora, aby wyszedł do niego.

– No, jak tam? – zapytał fabrykant.

– Umiera – odpowiedział lekarz.

Adler zatoczył się i rzekł podniesionym głosem:

– To nie może być! Ludzie przecież tracą obie ręce, nawet obie nogi, a jednak nie umierają...

– Opatrunek był zły, krew uszła. Przy tym chory jest przepracowany.

Odpowiedź ta rozeszła się prędko między stojącymi przy domu. Tłum znowu począł szemrać.

– Ja ale dobrze panu zapłacę! – rzekł Adler. – Niech pan tylko jego pilnuje starannie. To nie może być, ażeby mężczyzna z takiego skaleczenia umierał!

W tej chwili chory odezwał się. Lekarz pobiegł do mieszkania, a fabrykant zwrócił się z powrotem ku domowi.

– Gdyby doktor był przy fabryce, nie stałoby się nieszczęście! – zawołał ktoś z tłumu.

– Nam wszystkim zejdzie na taki koniec, jeżeli będą nas trzymali w warsztatach do północka! – krzyknął drugi.

Tu i owdzie poczęto kląć i grozić. Ale olbrzymi tkacz włożył ręce do kieszeni i z podniesioną głową szedł przez największy tłum. Tylko oczy miał przymknięte i szyja mu zbladła. Zdawał się nie słyszeć tego, co mówią dalsi, a bliżsi rozstępowali się przed nim, instynktownie odgadując, że człowiek ten nie lęka się ani klątw, ani pogróżek, ani nawet otwartej napaści.

Nad wieczorem Gosławski, którego nie odstępował doktor, wezwał żonę; weszła na palcach, chwiejąc się i powstrzymując łzy, które jej wzrok zasłaniały.

Ranny leżał dziwnie wynędzniały, z osłupiałymi oczyma. Przy mroku zdawało się, że twarz jego ma barwę ziemi.

– Gdzie jesteś, Magdziu? – spytał niewyraźnie, a potem mówił z długimi przerwami. – Już nic z naszego warsztatu! Nie ma ręki! Za nią i ja pójdę, bo po co bym miał darmo chleb zjadać?

Żona zapłakała.

– Czy jesteś tu, Magdziu?... pamiętaj o dzieciach. Pieniądze są w tej szufladce, wiesz... Na mój pogrzeb... Tyle much lata mi przed oczami... Tak piszczy...

Zaczął się niespokojnie poruszać i chrapać jak człowiek, który twardo zasypia. Doktór dał znak ręką i ktoś gwałtem wyprowadził Gosławską do mieszkania sąsiadów.

Gosławski – śmierć

W kilka minut wszedł tam lekarz. Biedna kobieta spojrzała mu w oczy i z płaczem uklękła na ziemi.

– O panie! dlaczego pan wyszedł od niego?... Czy z nim tak źle? Czy może...

– Bóg panią pocieszy – rzekł doktór.

Otoczyły ją kobiety i starały się uspokoić.

– Nie płaczcie, pani Gosławska. Bóg dał, Bóg wziął!... Wstańcie. Nie płaczcie, bo was dzieci usłyszą.

Wdowa aż zatchnęła się.

– O, zostawcie mnie na ziemi, mnie tu lżej – szeptała. – Niech wam Bóg da wszystko dobre, tak jak mnie dał złe. Już nie ma Kazika!... O mój ty człowieku kochany, po cóżeś tyle pracował i cierpiał?... Jeszcze onegdaj mówił, że w październiku będziemy na swoim... Masz swój grób, ale nie warsztat... Och...

Aż czkawki dostała z płaczu i poczęła gryźć chustkę, byle łkań nie usłyszały dzieci.

Ale gdy do mieszkania nieboszczyka weszło kilku robotników i poczęli odsuwać sprzęty, gdy zrozumiała, że męża jej żaden hałas już nie obudzi, jęknęła strasznym głosem i wpadła w omdlenie.

Mechanizm wyzysku – bezradność robotników

Śmierć Gosławskiego stała się źródłem zaburzeń w fabryce i kłopotów dla Adlera. We wtorek przyszła do niego deputacja prosząc, aby pozwolił wszystkim robotnikom wyjść na pogrzeb. Fabrykant uniósł się gniewem, pozwolił wysłać po kilku delegatów z każdej sali, a jednocześnie zapowiedział, że każdy inny robotnik, który poważy się opuścić warsztat, zapłaci karę.

Pomimo to większa część robotników tłumem wyszła. Adler nakazał zrobić apel, każdemu nieobecnemu strącić z płacy połowę dziennego zarobku i dwa złote za karę.

Wówczas gorętsi zaczęli namawiać kolegów do porzucenia fabryki, a jeden z palaczy bąknął, że warto by kocioł wysadzić w powietrze. W każdym innym razie Adler gawędy te puściłby mimo uszu, ale teraz wściekłość go ogarnęła. Szemrania nazwał buntem, zażądał straży z miasta, śmielszych wygnał z fabryki raz na zawsze, a palaczowi wytoczył proces.

Wobec tak stanowczych kroków robotnicy zmiękli. Przestali grozić bezrobociem, lecz natomiast żądali, ażeby Adler przyjął na powrót wygnanych, a za pieniądze z kar ażeby choć felczera ugodził do fabryki.

Adler odpowiedział na to, że zrobi tak, jak jemu się podoba i kiedy mu się podoba, a o wypędzonych ani chciał słuchać.

W następny poniedziałek było już cicho w fabryce, a pastor Böhme przyjechał do Adlera, ażeby go udobruchać i skłonić do słusznych ustępstw dla robotników. Nadspodziewanie zastał przyjaciela swego bardziej zaciętym niż kiedykolwiek. Na wszystkie przedstawienia stary tkacz odpowiadał, że jeżeli miał co zrobić, to już teraz nic nie zrobi. Raczej zamknie fabrykę.

– Ty ale wiesz, Marcinie – mówił Adler – że oni nas w gazetach opisali? W jakimś piśmie humorystycznym wyśmiewają mego Ferdynanda, a w dziennikach mówią, że Gosławski zginął z powodu nadmiaru pracy i braku doktora!...

– Jużci w tym jest część racji... – odparł Böhme.

– Nie ma żadnej! – krzyknął fabrykant. – Ja więcej pracowałem niż Gosławski i każdy niemiecki robotnik więcej pracuje. A doktór mógł był tak samo wyjechać z fabryki do chorego, jak wyjechał z miasteczka...

– Zostałby jednak felczer... – wtrącił pastor.

Adler na ten zarzut nic nie odpowiedział. Chodził po pokoju wielkimi krokami i sapał; w końcu zaproponował gościowi, ażeby przenieśli się z mieszkania do ogrodu.

– Johann! – krzyknął na odchodnym – wynieś flaszkę reńskiego wina do altanki.

Przyszli do altany, która stała nad sadzawką. Łagodny powiew wiatru, chłód drzew, a może i kielich dobrego wina uspokoiły Adlera. Böhme przypatrywał się olbrzymowi przez wierzch złotych okularów, a widząc w nim zmianę na lepsze umyślił przypuścić jeszcze jeden atak.

– No! – rzekł trącając jego kieliszek swoim. – Człowiek, który pije takie doskonałe wino, nie może mieć twardego serca. Daruj im karę, miły Gotliebie, przyjmij wypędzonych i zgódź doktora... Za twoje zdrowie!...

– Piję za twoje zdrowie, Marcinie, i powiadam: nic z tego!... – odparł fabrykant już bez gniewu.

Pastor potrząsł głową.

– Hm!... – mruknął – to źle, żeś taki zacięty.

– Nie mogę moich interesów poświęcać dla sentymentu. Jeżeli dziś ustąpię im na tysiąc rubli, to oni jutro zechcą miliona.

– Przesadzasz! – odparł Böhme kwaśno. – A ja ci powiem, że jeżeli za dziesięć tysięcy rubli możesz skończyć tę historię, to daj piętnaście – i kończ!...

– Już się ale wszystko skończyło – rzekł Adler. – Hultaje poszli precz, a inni dowiedzieli się, że u mnie jest rygor. Gdybym ja był taki miękki jak ty, cała fabryka chodziłaby mi po głowie.

Pastor umilknął, podniósł oczy do góry, zamyślił się. Potem począł rzucać na czystą powierzchnię sadzawki to korek, to kawałki drzewa...

– Czego ty ale, Marcinie, rzucasz śmiecie na wodę? – spytał go Adler.

Pastor pokiwał głową i wyciągnął rękę w kierunku sadzawki, na której każdy rzucony przedmiot wytwarzał coraz szersze koła.

– Czy widzisz, Gotliebie, te fale?... – spytał fabrykanta. – Widzisz, jak one rosną i płyną coraz dalej?...

– Tak się zawsze robi – odparł Adler. – Cóż w tym dziwnego?

Motyw fali zła

– Masz rację – rzekł pastor. – Tak się robi zawsze i wszędzie: na sadzawce i w naszym życiu. Kiedy złe czy dobre upadnie na świat, powstają około niego fale coraz większe i idą dalej a dalej...

– Nic nie rozumiem! – przerwał Adler pijąc flegmatycznie wina z kielicha.

– Zaraz ci wytłomaczę, tylko nie gniewaj się.

– Ja się na ciebie nigdy przecie nie gniewam – odpowiedział fabrykant.

– Otóż, widzisz, jest tak. Ty źle wychowałeś syna i rzuciłeś go w świat jak ten patyk na wodę. On narobił długów, i to jest pierwsza fala. Ty zniżyłeś płace robotnikom i oddaliłeś lekarza, a to jest druga fala. Śmierć Gosławskiego – to trzecia. Nieporządki w fabryce i opisy w gazetach – czwarta. Wypędzanie robotników, procesy – to piąta fala... A jaka będzie szósta i dziesiąta?...

– Nic mnie to nie obchodzi! – rzekł Adler. – Niech sobie twoje fale idą w świat
i trapią głupich, mnie nic do tego...

Pastor rzucił korek przy brzegu sadzawki i znowu wskazał go tkaczowi.

– Patrz, Gotliebie! Niekiedy dziesiąta fala odbija się od brzegu i wraca... tam,
skąd wyszła.

Starego fabrykanta zastanowiło to porównanie, bardzo zresztą jasne. Przez chwilę
można było myśleć, że się waha, że zbudziła się w nim jakaś nieokreślona obawa.
Ale trwało to tylko chwilę. Adler miał umysł zbyt realny i zbyt słabą wyobraźnią,
ażeby mógł bawić się w przeczuwanie odległych wypadków. Osądził więc, że pastor
bredzi po kaznodziejsku, i odparł, śmiejąc się, grubym głosem:

– Ho! ho! mój Marcinie, toteż ja postarałem się, ażeby twoja fala nie wróciła do mnie.

– Kto wie?...

– Ani doktór nie wróci, ani podżegacze do bezrobocia, ani pieniądze za kary, ani...
ani nawet Gosławski!...

– Nieszczęście może wrócić...

– Ho! ho!... nie wróci, nie!... A jeżeli wróci, rozbije się o moją pięść, o fabrykę,
o towarzystwo asekuracyj, o policję, a nareszcie – o mój majątek...

Późno w nocy rozeszli się przyjaciele.

„Jaki to wariat z tego Marcina! – myślał fabrykant. – On mnie chce nastraszyć!..."

A pastor jadąc swoim wózkiem do domu patrzył w niebo i z trwogą zapytywał:

– Jaka tu fala powróci?...

Porównanie to przyszło mu na myśl znienacka i Böhme uważał je za pewien rodzaj
objawienia. Wierzył, że fala krzywdy wrócić musi, ale kiedy i która?...

Tej nocy miał niespokojne sny. Rzucał się i krzyczał, aż zbudziła go żona.

– Marcinie! co ty wygadujesz?... czyś chory?...

Böhme siadł na łóżku oblany zimnym potem.

– Czy ci się śniło co strasznego?... – zapytała żona.

– Tak, ale nie pamiętam... Czy ja co mówiłem?...

– Wołałeś coś nie do rzeczy: „Fala!... wraca!... wraca!..."

– Niech nas Bóg ma w swojej opiece! – szepnął pastor czując w głębi serca wielką
trwogę.

VI

W oczach ludzkich złe czy dobre życiowe fakta wówczas dopiero zdają się nabierać znaczenia, gdy odbiją się w druku.

O starym Adlerze od dawna wiedziano, że jest egoistą i wyzyskiwaczem, o Ferdynandzie, że jest egoistą i rozpustnikiem; ale dopiero artykuły wydrukowane z powodu
śmierci Gosławskiego oburzyły przeciw nim opinią.

Teraz cała okolica poczęła zajmować się fabryką. Opowiadano o wszystkim, co się
tam działo, i komentowano w odpowiedni sposób. Ludzie wiedzieli o najdrobniejszych
szczegółach. Wiedzieli, ile Ferdynand narobił długów za granicą, ile obecnie tracił

i co jego ojciec odbijał na zmniejszaniu zarobków, a powiększaniu pracy robotnikom. Nade wszystko jednak oburzano się z powodu śmierci Gosławskiego, który w oczach ogółu był ofiarą chciwości starego fabrykanta i rozpusty jego syna.

Wprawdzie niektórzy wspominali, że w każdym zakładzie przemysłowym i przy każdej machinie nie wyłączając młocarni i sieczkarni może trafić się nieszczęście. Ale ich łatwo pokonywano. Jak to, mówiono, więc w fabryce godzi się trzymać robotników od świtu do północy? Więc w zakładzie posiadającym setki machin nie powinien być lekarz i felczer? Czy Adler jest tak ubogi, że tysiąc rubli wydanych na obsługę sanitarną zrobi mu różnicę? Wszakże dawniej był tam lekarz i felczer, i dopiero gdy młody narobił długów, stary spłaca je krwią ludzi, których i bez tego wyzyskiwał.

Taki nastrój opinii niebawem dał się uczuć Ferdynandowi. Paru ludzi młodych na wyraźny rozkaz swoich rodziców zerwało z nim stosunki. Inni bardzo ochłodli i postępowali z Ferdynandem raczej przyzwoicie aniżeli serdecznie. Nawet i od tych przyjaciół, jacy mu pozostali, a pozostali nie najświetniejsi, słyszał nieraz zdania wyglądające na przycinki.

Nie dość na tym. W hotelu, w restauracji, winiarni, cukierni, które to zakłady wiele na nim zarabiały, podsuwano mu jakby umyślnie pisma, w których znajdowały się korespondencje o przyczynach śmierci Gosławskiego. A gdy raz otoczony swoim sztabem zapytał subiekta, czy jest w sklepie dobre czerwone wino? – odpowiedziano mu:

– Jest, panie!... czerwoniutkie jak krew...

Może w kim innym podobne objawy zbudziłyby zastanowienie. Ktoś inny widząc powszechną niechęć może usunąłby się na jakiś czas, a nawet zmienił tryb życia i starał się oddziaływać na ojca. Ale Ferdynand nie należał do rzędu tych i n n y c h. On przede wszystkim nie mógł pracować, chciał hulać, nie słuchał opinii, lecz przeciwnie – drażnił ją i wyzywał. Sądząc po swoich marnych przyjaciołach był pewny, że prędzej lub później wszyscy ugną się przed nim, że nikt nie ośmieli się stawić mu oporu. Głucha walka tocząca się między nim i ogółem gniewała go i podniecała. Widział w niej nie tylko źródła przykrości, ale i przyszłego tryumfu; był bowiem zdecydowany pierwszemu człowiekowi, który mu wejdzie w drogę, zrobić awanturę. A tak czuł potrzebę awantury, czegoś, co by mu wstrząsnęło nerwy i wyrobiło opinią niebezpiecznego!

Był to syn ojca, który także lubował się w druzgotaniu przeszkód, chociaż na innej drodze.

Niemiłą osobą dla Ferdynanda był niejaki Zapora, obywatel ziemski i sędzia gminy. Człowiek ten, wzrostu średniego, gruby, niezręczny, miał powierzchowność surową i odpychającą. Patrzył spod oka, mówił niewiele, głosem stanowczym, nie robiąc z nikim

Zapora –
przedstawienie
postaci

ceremonii i nazywając ludzi i rzeczy po imieniu. Pod tą jednak skorupą ukrywał się wielki rozum i obszerna wiedza, serce pełne szlachetnych uczuć i nieugięty charakter.

Zapory nie można było przekupić uprzejmością, dowcipem, stanowiskiem ani ładnymi teoriami. Słuchał wszystkiego obojętnie, ponuro patrząc na mówcę. Ale rachował tylko czyny i starał się wniknąć w głąb człowieka. W kim poznał prawość, ten stawał się jego przyjacielem w dobrej i złej doli. Ale ludźmi złymi, pozbawionymi charakteru, próżnującymi, hulakami gardził i nie starał się tego ukrywać.

Młody Adler spotykał niekiedy chmurną osobę sędziego, ale nie rozmawiał z nim ani razu – nie miał sposobności. Zapora ze swej strony nie szukał go i nie unikał, nie zajmował się nim, a w rozmowie z przyjaciółmi nazywał go „błaznem".

Ludzie żyjący w bliższych stosunkach z Zaporą wiedzieli, że słówko: „ten błazen", oznaczało młodego Adlera. Doświadczeni przewidywali, że wcześniej lub później Zapora i Ferdynand w ciasnej sferze małomiasteczkowego życia zetknąć się muszą i że młody hulaka usłyszy niejedną gorzką prawdę.

Jak zwykle w podobnych wypadkach, Ferdynand podejrzewał, że Zapora nie lubi go; z robieniem więc znajomości nie spieszył się. Zresztą posądzał on Zaporę o pisanie korespondencyj o Gosławskim i obiecywał sobie, że przy okazji odpłaci mu pięknym za nadobne.

W początkach września był w miasteczku jarmark. Zjechało się dużo szlachty z kilku powiatów, przyjechał i Zapora, który miał w mieście kancelarią. Załatwił najpilniejsze sprawy urzędowe, kupił, co mu było potrzeba, i około drugiej w południe poszedł do restauracji na obiad.

W największej sali znalazł tłum znajomych. Wszystkie stoły, ustawione w jeden szereg, nakryto i ozdobiono mnóstwem butelek wina, przeważnie szampańskiego. Przygotowania zdawały się zapowiadać niezwykłą pijatykę.

– Cóż to znaczy? – spytał Zapora. – Czy kto zamówił obiad?

Otoczyli go znajomi, a między nimi kilku przyjaciół Adlera.

– Wyobraź sobie – rzekł ktoś ze śmiechem – że młody Adler zakupił wszystkie obiady i każdego, kto tu wejdzie, zaprasza na bankiet.

– Spodziewam się, że i sędzia nie odmówi nam swego towarzystwa – odezwał się jeden z przyjaciół Adlera.

Zapora spojrzał na niego z boku.

– Odmówię! – odparł.

Młody człowiek nie odznaczający się nadmiarem taktu począł nalegać.

– Dlaczegóż to, szanowny sędzio?

– Dlatego że na obiad wydany za pieniądze starego Adlera mógłby mnie prosić tylko stary Adler, a gdyby on mnie zaprosił – także bym odmówił.

Do rozmowy wmieszał się drugi przyjaciel Ferdynanda.

– Czy sędzia masz co do zarzucenia Adlerowi?

– Niewiele. Stary jest eksploatatorem[27], młody próżniakiem, a obaj przynoszą nam więcej szkody aniżeli pożytku.

Zapora – ocena Adlerów

Sumienie publiczne pierwszy raz odezwało się tak wyraźnie przez usta człowieka mającego cywilną odwagę. Przyjaciele Adlera umilkli, inni goście byli zakłopotani, kilku wrażliwszych wzięło kapelusze z zamiarem opuszczenia sali.

W tej chwili wbiegł młody Adler z innym swoim przyjacielem. Przy pierwszym kroku spostrzegł on oryginalną figurę sędziego i nie wiedząc o tym, co się stało, szepnął do towarzysza:

– Zapoznaj mnie z nim!... Podobno dobrze pije?

---

[27] *eksploatator* – wyzyskiwacz.

– Cudownie! – odparł towarzysz i nie zwłócząc poskoczył do Zapory.

– Cóż to za szczęśliwy traf! – rzekł. – Adler w tej knajpie wyprawia dziś miastu ucztę, sędzia zatem wpadłeś w sidła, z których go nie wypuścimy. Ale panowie jeszcze nie znają się...

W sali zrobiła się cisza. Wszyscy patrzyli.

– Pan Adler!... Pan Zapora!

– Dawno już pragnąłem poznać sędziego – rzekł Ferdynand i wyciągnął rękę.

– Miło mi! – odparł Zapora i swoją rękę cofnął.

> **Ferdynand i Zapora – spotkanie**

Niektórzy z obecnych poczęli sznurować usta. Ferdynand pobladł; przez chwilę stał zmieszany, ale odzyskał przytomność i nagle zmienił grę.

– Pragnąłem poznać sędziego – mówił dalej – ażeby podziękować mu za... korespondencją o moim ojcu do pism...

Zapora utopił w nim spojrzenie.

– O pańskim ojcu – rzekł spokojnie – pisałem jedną tylko korespondencją, mianowicie: do wójta gminy, ażeby go wezwał na sprawę.

Adler zakipiał z gniewu.

– Ach! Więc w takim razie pisywałeś pan tylko o mnie do pism humorystycznych?

Zapora ani na chwilę nie stracił zimnej krwi. Ścisnął w ręku laskę i odparł:

– Mylisz się pan. Korespondencje do pism humorystycznych zostawiam młodym ludziom bez zajęcia, którzy chcą zostać sławnymi w jakikolwiek sposób.

Adler już nie panował nad sobą.

– Pan mnie obrażasz! – krzyknął.

– Przeciwnie. Nawet nie zaprzeczę ostatniemu twierdzeniu, ażeby nie obrażać pana.

Zdawało się, że rozdrażniony młodzieniec rzuci się na Zaporę.

– Pan mi dasz satysfakcją – krzyczał Adler.

– Z przyjemnością.

– Ale natychmiast!

– No, naprzód muszę zjeść obiad, bom głodny. Zresztą za godzinę będę u siebie na pańskie usługi – odpowiedział Zapora chłodno.

Potem kiwnął głową paru znajomym i z wolna opuścił salę.

Uczta urządzona przez Adlera odbyła się dosyć kwaśno.

Wielu z gości wyszło przed obiadem, inni udawali wesołość. Ale za to Ferdynand miał doskonały humor. Pierwszy kieliszek wina uspokoił go, a dalsze podnieciły. Był kontent, że ma pojedynek, jeszcze z Zaporą! – i ani wątpił o tryumfie.

– Dam mu lekcją strzelania – szepnął do jednego z sekundantów[28] – i basta!...

A w duchu pomyślał:

„To mi lepiej wyreguluje stosunki aniżeli wszystkie obiady."

Doświadczeni awanturnicy, jakich nie brakło w sali, patrząc na młodego siłacza przyznawali mu charakter i fantazją.

– Dzięki niebu – mówił jeden z nich – i nasz partykularz będzie miał głośną sprawę.

---

[28] *sekundant* – świadek przy pojedynku.

– Żal mi tylko... – rzekł inny.

– Czego?

– Tych butelek, które padną trupem...

– Myślę, że im sprawimy świetny pogrzeb.

– Byle nie któremu z przeciwników.

– Wątpię. A jakież są warunki?

– Pistolety i walka do pierwszej krwi.

– Aj, do diabła! Czyjże to pomysł?

– Adlera.

– Czy on taki pewny siebie?

– Ogromnie strzela!...

W ten sposób rozmawiali przyjaciele Ferdynanda, ludzie obeznani z pojedynkami. Przy końcu obiadu dowiedziano się, że Zapora przyjął wszelkie warunki i że walka odbędzie się nazajutrz rano.

– Panowie! – rzekł na zakończenie Adler – proszę was dziś na stypę. Będziemy pili całą noc.

– Czy to praktycznie? – spytał ktoś.

– Ja to zawsze robię przed k o n t r e d a n s e m [29], wprawdzie... dopiero czwarty raz! – odpowiedział Ferdynand.

W innej restauracji zebrali się ludzie poważniejsi, przyjaciele Zapory; i ci także rozprawiali o zajściu.

– Fatalność! – mówił jeden – ażeby taki poważny człowiek musiał strzelać się z chłystkiem.

– Co prawda, to Zapora niepotrzebnie właził w ten pasztet.

– Wlazł przypadkiem, a cofnąć się już nie mógł.

– Dziwna historia – odezwał się milczący dotąd siwy szlachcic – że świszczypałka i powiem nawet, ladaco jak Adler nie tylko wchodzi w towarzystwa ludzi przyzwoitych, ale nawet ma sposobność zrobić awanturkę takiemu Zaporze. Dawniej nie ścierpiano by między ludźmi podobnej osobistości, choćby ze względu na postępowanie jego ojca.

– Toteż dlatego, panie radco, że opinia jest u nas trochę za miękka, ludzie uczciwi i silniejszego charakteru muszą nadstawiać głowy. Mnie po prostu żal Zapory.

– Czy on nie umie strzelać?

– Strzela jako tako, ale tamten jest artystą.

– Za pozwoleniem! – krzyknął młody blondyn. – Ponieważ panowie weszliście na moje terytorium, więc mam honor przypomnieć, że nie zawsze ten ginie, kto źle strzela. Pamiętam, jakem był sekundantem Stasia w pojedynku z Edziem, Staś nie umiał trzymać pistoletu, a przecież...

– No, ale w każdym razie bezpieczniej jest dobrze strzelać.

– Naturalnie! naturalnie! – pochwycił młody blondyn. – Ja, kiedy miałem pojedynek z jednym austriackim kapitanem, to zapowiedziałem mu, że dostanie kulą...

Tu szepnął coś do ucha staremu szlachcicowi.

---

[29] *kontredans* – taniec figurowy tańczony parami naprzeciw siebie, tu żartobliwie: pojedynek.

– I trafiłeś?

– Jak w tarczę, panie radco, jak w tarczę.

– A może to źle, że Zapora jest mańkut? – odezwał się ktoś inny.

– Przy pistoletach nic nie szkodzi – mówił blondyn – a przy pałaszach nawet dużo pomaga. Ja, kiedym się bił na rapiery[30] z jednym mańkutem, to mnie tak trzepnął w czoło, że doktorzy przez dwie godziny uważali mnie za umarłego... O, tu jest blizna.

– Bój się Boga! przez dwie?

– No, może przez półtorej.

– Półtorej godziny nie biło ci serce?

– No, może przez pół godziny. Tego przecież nie pamiętam... leżałem jak trup. Jeszcze mi wtedy mój służący, Niemiec, wyciągnął sakiewkę z lewej kieszeni.

– Skądże wiesz, że on?

– Jakże skąd? Złapałem hultaja na gorącym uczynku. Ja nie jestem skory do posądzania kogoś na wiatr!

Około godziny 6 wieczorem Ferdynand wrócił z restauracji do swego numeru. Chciał podrzemać trochę między pijatyką dzienną i nocną, ale nie mógł zasnąć. Począł chodzić po pokoju i wtedy spostrzegł, że naprzeciw jego okien leżą okna kancelarii Zapory.

Ulica była wąska, kancelaria znajdowała się na dole, a numer, w którym stał, na piętrze. Ferdynand jak na dłoni miał przed sobą mieszkanie Zapory i począł je obserwować.

Sędzia był tam i w tej chwili rozmawiał z ławnikiem i pisarzem pokazując im jakieś papiery. Trwało to przez pewien czas. Potem ławnik pożegnał Zaporę, pisarz wyszedł do siebie, a sędzia został sam.

Ustawił lampę na biurku, zapalił cygaro i zaczął pisać na arkuszu papieru. Naprzód dość długo tytuł, potem dalszy ciąg, szybko i równo. Adler był pewny, że sędzia na wszelki wypadek pisze testament.

Pomimo młodego wieku pojedynkował się już kilka razy. Walki te uważał za pewien rodzaj niebezpiecznej zabawy. Teraz przecie uczuł, że pojedynek może być posępną uroczystością, do której wypada się przygotować.

W jaki sposób?

Oto pisząc testament!

Położył się na kanapie.

Na korytarzu hotelowym słychać było co chwila głosy dzwonków i bieganinę służby. Ferdynand począł marzyć.

Kiedy był jeszcze małym chłopcem (działo się to w początkach rozwoju fabryki), zauważył w budynku machiny parowej niewielkie drzwi przybite gwoździem. Drzwi te zaciekawiały go i niepokoiły. Pewnego dnia zdobył się jednak na odwagę, odchylił zgięty gwóźdź, drzwi odskoczyły – i ujrzał za nimi kilka miedzianych rur, zwiniętą linę i miotłę.

Ferdynand – refleksje o sobie

Wypadek ten utkwił mu w pamięci i przypominał się przy każdym pojedynku. Ile razy świadkowie postawili go już na mecie, gdy ujrzał wymierzoną lufę przeciwnika

---

[30] *rapier* – broń sieczna o długiej obosiecznej klindze.

i uczuł swój palec na cynglu, przychodziły mu na myśl owe niepokojące drzwi i zgięty gwóźdź. Wtedy przyciskał cyngiel jak niegdyś gwóźdź i – sprawa się kończyła. Za tajemniczymi drzwiami losu, jakie czasem otwiera kula, Ferdynand nie spotykał nic osobliwego: co najwyżej rannego przeciwnika albo – kilkanaście butelek szampana wypitych w dobrym towarzystwie.

Takie też to i bywały owe pojedynki. Strzelało się o śpiewaczkę, o zakład na wyścigach, o potrącenie na ulicy...

Ale jutrzejszy pojedynek miał być różny od poprzednich. Tu występował do walki z jednej strony on, syn nielubianego ojca, a z drugiej strony człowiek szanowny, niejako reprezentant obrażonego ogółu. Za jego przeciwnikiem stali wszyscy ci, którzy mieli odwagę unikać Adlera, wszyscy robotnicy i prawie wszyscy oficjaliści fabryki. A za nim kto?

Nie ojciec, bo ten nie pozwoliłby mu strzelać się. Nie przyjaciele, którzy z nim pili, ponieważ ci zdawali się zakłopotanymi i czekali tylko na możność opuszczenia go przy lada sposobności.

Któż więc jest z nim? – nikt. A przeciw niemu cały tłum. Jeżeli rani Zaporę, da powód wrogom do nowych krzyków. Jeżeli sam zostanie raniony, powiedzą, że jest to kara boska na niego i na ojca.

Co to znaczy? Jakim sposobem znalazł się sam przeciw wszystkim, on, który chciał tylko hulać ze wszystkimi! Skąd między zbiorowiskiem ludzi delikatnych, miękkich, bojaźliwych, pobłażliwych, zresztą w najgorszym razie odwracających się od niego, wziął się człowiek szorstki, który mu w oczy mówił impertynencje? Jeżeli on istotnie był złym, to dlaczegóż inni go nie ostrzegli? Dlaczego błędy młodości mają kończyć się tragicznie?

Jak niegdyś tak i dziś, ale już w wigilią pojedynku, Ferdynand przypomniał sobie owe drzwi w fabryce ojca, lecz tym razem wyglądały one inaczej. Zdawało mu się, że gdyby je otworzył, zobaczyłby, zamiast rur, liny i miotły – trumnę z napisem: „Mieszkanie dla osoby pojedynczej." Trumnę z taką kartką widział raz przed sklepem stolarza w Warszawie.

– Mieszkanie dla osoby pojedynczej! – szepnął Ferdynand. – Zabawny stolarz!

Kanapa hotelowa nie odznaczała się miękkością. Ferdynand trzymał głowę na krawędzi i przypomniał sobie swój powozik, którym po pijanemu wracał niekiedy do domu. Powozik wygodny dla siedzącego, dla leżącego był tak niewygodnym jak ta kanapa. Zdawało mu się, że jedzie nim, że czuje lekkie drganie, słyszy turkot, tętent koni...

Jest już północ; szosę oświeca księżyc stojący wysoko. Powozik drży i turkoce, nagle – staje.

„Co to znaczy?" – pyta Ferdynand w marzeniu.

„Gosławskiemu urwało rękę" – odpowiada mu jakiś cichy głos.

„Czy temu, co ma ładną żonę?..." – pyta znowu Ferdynand, jak wówczas na jawie.

„Widzisz, jaki mądry!" – odpowiada mu ten sam głos.

„Mądry? co to jest mądrość?..." – mówi do siebie Ferdynand przewracając się na kanapie, jak gdyby nie chciał patrzeć na widziadła.

Ale widziadła nie znikają. I widzi, jak wówczas na jawie, gromadę ludzi otaczających kogoś, co leżał na noszach. Widzi jego rękę sterczącą nad piersiami i owiniętą w gałgany, na których czernią się wielkie płaty krwi. Przeciera oczy... Na próżno! Ludzie stoją i nosze stoją, a wszystko jest tak wyraźne, że na tle szosy widać nawet skrócone cienie przedmiotów i osób.

– Jak ten człowiek cierpi – szepnął Ferdynand. – I musi umrzeć! – dodał. – Ach! umrzeć.

Zdawało mu się, że on jest człowiekiem na noszach ze zdruzgotaną ręką, bolejącym, pozbawionym nadziei, że to jego wybladłe ciało oświetla ten straszny księżyc.

Skąd podobne myśli? Od kiedyż to szampan nasuwa tak smutne wizje?

Nagle doświadczył nie znanego dotychczas wrażenia. Czuł, że coś go nęka, obezwładnia, szarpie mu serce, świdruje w mózgu. Czuł, że chce krzyczeć, uciekać, schować się gdzieś.

Ferdynand skoczył na równe nogi. W pokoju był już zmrok.

– Do diabła! Ależ ja się boję!... – szepnął. – Ja się boję?... Ja?...

Z trudnością znalazł zapałki, rozsypał je, podniósł jedną, potarł – zgasła; drugą zapalił, a od niej świecę.

Spojrzał w lustro. Miał twarz szarą, oczy podkrojone, źrenice bardzo rozszerzone.

– Ja się boję? – pytał.

Świeca trzęsła mu się w ręku.

– Jeżeli jutro pistolet będzie mi tak skakał, to dobrze wyjdę! – rzekł.

Spojrzał przez okno. Tam w mieszkaniu na dole, po drugiej stronie ulicy, siedział Zapora przy biurku i pisał wciąż – równo i spokojnie.

Widok ten otrzeźwił Ferdynanda. Dzielny temperament wziął górę nad przywidzeniami.

„Pisz, sobie, kochanku – pomyślał patrząc na sędziego – a ja ci postawię kropkę!"

Na korytarzu rozległo się stąpanie. Zapukano do drzwi.

– Wstawaj, Ferdynandzie, biba gotowa! – zawołał ktoś.

Usłyszawszy znajomy głos, Ferdynand był już zupełnie sobą. Gdyby mu przyszło skoczyć w przepaść najeżoną bagnetami, nie zmrużyłby oka. Czuł znowu siłę lwa i tę szaloną odwagę młodości, dla której nie ma niebezpieczeństw, nie ma granic.

Kiedy otworzył drzwi i zobaczył swoich towarzyszów, wybuchnął serdecznym śmiechem. Śmiał się z chwilowego rozdrażnienia, z przywidzeń i z tego, że mógł pytać siebie: „Czy ja się boję?"

Nie – on się niczego nie boi, nawet tego, ażeby niebieskie sklepienie nie upadło mu na głowę. Jeżeli nie geniuszem, którego bynajmniej nie posiadał, to odwagą był on prawdziwym orłem, który siada na piorunach jak na gałęziach i śmiało patrzy w boskie oblicze samego Jowisza[31].

Do wschodu słońca biesiadowali towarzysze Adlera pod jego przywództwem. W restauracji okna drżały od śmiechów i wiwatów, a po wina trzeba było chodzić do obcych sklepów.

Około godziny szóstej wyjechały z miasta cztery powozy.

---

[31] *Jowisz* – najważniejszy bóg w mitologii starożytnych Rzymian.

VII

Od kilku dni do składów fabrycznych nadchodziły wielkie transporta bawełny. Adler w przewidywaniu podwyżki cen całą gotówkę obrócił na zakup tego produktu. Do fabryki sprowadzono obecnie ledwie cząstkę nabytku, którego ogromna ilość znajdowała się jeszcze w składach angielskich i niemieckich. Rachuby tkacza nie zawiodły go. Już w kilka tygodni po zawarciu umów o dostawę cena bawełny podniosła się i od tej pory podnosiła się wciąż. Zapytywano go, czyby nie odstąpił produktu o dwa procent wyżej – lecz Adler słuchać o tym nie chciał. Zacierał tylko ręce z zadowolenia. Dawno nie pamiętał tak korzystnej operacji i dziś wiedział, że nim przerobi surowy towar, majątek jego powiększy się przynajmniej o trzecią część.

„Wkrótce skończę z fabryką!" – mówił do siebie.

Dziwna rzecz. Od chwili, w której zobaczył na odległym widnokręgu kres swojej kilkudziesięcioletniej pracy, uczuł nie znane dotychczas osłabienie. Fabryka poczynała mu się przykrzyć. Chciał gdzieś wyjechać; tęsknił. Nieraz prosił syna, ażeby tak ciągle nie przebywał za domem, ale raczej siedział z ojcem i opowiadał mu o swoich podróżach. Coraz częściej wymykał się do pastora Böhme i tam całymi godzinami rozprawiał o czekającym go wypoczynku.

– Jestem znużony – mówił. – Śmierć Gosławskiego i fabryczne awantury stoją mi już kością w gardle.

Zamyślił się i nagle dodał:

– Czy ty uwierzysz, ale mój Marcinie, że niekiedy, szczególniej z rana, gdy o człowieka kłóci się praca z łóżkiem, zazdroszczę ci twego trybu życia. I nieraz mówię sobie: czy nie lepiej być pastorem, któremu ludzie nie klną, syn nie traci pieniędzy i nie wymyślają gazety?... Ale to głupstwo! Widać, że się zestarzałem.

I jak niedawno Gosławski, na którego grobie nie osiadła jeszcze ziemia, liczył dni pobytu w fabryce, tak dziś stary tkacz rachował miesiące.

– Do lipca roku przyszłego powinienem wyrobić wszystką bawełnę. W czerwcu trzeba ogłosić sprzedaż fabryki. Najdalej w sierpniu wypłacą mi, bo w kredyta bawić się nie myślę, a we wrześniu... No! ja nic nie powiem Ferdynandowi do ostatniej chwili. Dopiero chłopak ucieszy się!... Swoją drogą pieniądze oddam do banków i żyć będę tylko z procentu, bo inaczej ten hultaj straciłby wszystko w parę lat, a ja musiałbym jeszcze zostać gdzie obermajstrem... Ha! ha!

Niekiedy śniła mu się wielka góra sięgająca prawie do nieba, z której buchał ogień i na którą on wdrapywał się ze zwykłą mu zaciętością. Czasami marzył, że jedzie balonem coraz wyżej i wyżej, aż tam – skąd gwiazdy zdają się być większymi. To znowu widział tłumy tancerzy strojnych i pięknych, przebiegających bogate salony, które ciągnęły się nieskończenie daleko. Ale wszędzie był sam, Ferdynanda nie spostrzegał przy sobie.

Wtedy myślał:

„Ten hultaj tak odzwyczaił mnie od swego towarzystwa, że mi się nawet nie śni. Gdybyśmy jeszcze kilka lat pomieszkali w tej okolicy, zapomniałbym, jak wygląda."

Mimo to syna swego coraz mocniej kochał i jedynie dlatego pozwalał mu szaleć za domem i nie śmiał dłużej zatrzymywać przy sobie, że – go bardzo kochał.

„Co ja mam chłopca przykuwać do fabryki, która obmierzła mnie samemu? Co go może obchodzić, że ja za nim tęsknię? On przecież młody, a ja – stary dziad! On musi się bawić z młodymi, a ja mam także swoją zabawę – pracę."

Na drugi dzień po jarmarku w mieście stary tkacz obchodził jak zwykle wszystkie warsztaty i biura. Kilkudziesięciu robotników było na kiermaszu, więc w fabryce opowiadano sobie o figlu pana Ferdynanda, wiele przesadzając. Mówiono, że panicz zakupił obiady we wszystkich restauracjach i że każdy szlachcic chcący co zjeść albo wypić musiał pierwej kłaniać się młodemu panu.

Adler z początku śmiał się z figla, ale później obliczywszy naprędce, ile podobna zabawa mogła kosztować, spochmurniał.

– Hultaj Ferdynand – rzekł do buchaltera – wszystko nam ale strwoni, co zyskamy na podwyżce cen bawełny. Wielki kłopot mam z tym wariatem!

Na podwórzu stały fury z bawełną, którą najęci robotnicy przenosili do składów. Adler przypatrywał się robocie, obszedł składy, surowo nakazując, aby nikt nie ważył się palić papierosów, i powrócił do kantoru.

Przy bramie dwie kobiety żywo rozmawiały ze szwajcarem[32], lecz zobaczywszy Adlera uciekły.

Tkacz nie zwrócił na to uwagi.

Z kantoru wybiegł urzędnik, jakiś zmieszany. W kasie – buchalter, jego pomocnik i płatnik, zbici w kąt, naradzali się nad czymś z wyraźnymi oznakami wzburzenia. Ale na widok pryncypała rzucili się szybko do swych biurek pochylając twarze ku papierom.

Adlerowi i to nie wydało się dziwne. Wczoraj był jarmark, więc pewnie urzędnicy opowiadają sobie jakieś plotki.

W salonie dla interesantów Adler spotkał się oko w oko z nieznanym mężczyzną. Gość był zniecierpliwiony i niespokojny. Chodził prędko po sali i rzucał rękoma. Spostrzegłszy olbrzymiego fabrykanta, nagle stanął i zapytał zmieszany:

– Wszak pan Adler?

– Tak! – odparł tkacz. – Pan ma do mnie interes?

Gość przez długą chwilę nic nie odpowiadał, tylko mu usta lekko drżały.

Fabrykant pilnie mu się przypatrywał chcąc odgadnąć, kim jest i czego chce. Nie był to wcale kandydat na posadę fabryczną. Wyglądał raczej na bogatego panicza.

– Mam do pana ważny interes – rzekł gość.

– Może pan chcesz, ażebyśmy przeszli do mego domu? – spytał Adler domyślając się, że z tak wzburzonym człowiekiem lepiej będzie nie rozmawiać przy urzędnikach: może ma jaką pretensją?

Gość zawahał się, ale wnet odparł:

– Ha!... to pójdźmy do domu... Ja już tam byłem...

– Pan mnie szukał?

– Tak... Bo... widzi pan, panie Adler, my... przywieźliśmy Ferdynanda...

---

[32] *szwajcar* – odźwierny.

Myśl o jakimkolwiek nieszczęściu była tak daleką od fabrykanta, że prawie wesoło spytał:

– Czy Ferdynand tak się spił na jarmarku, że go aż odwieźć było potrzeba?

– On jest ranny – odparł gość.

Byli już na dziecińcu przed domem. Adler zatrzymał się nagle.

– Kto ranny? – zapytał.

– Ferdynand.

Starzec rozłożył ręce.

– Połamał nogi, kark skręcił? Co to znaczy?

– Ranny jest... kulą.

– Kulą? On? Jakim sposobem?

– Miał pojedynek.

Czerwona twarz fabrykanta miała teraz kolor cegły. Byli na ganku. Adler rzucił w sieni kapelusz i wpadł w otwarte drzwi. Nawet nie spytał, przez kogo syn został raniony. Cóż go to obchodziło?

W pierwszym pokoju zobaczył służących i jeszcze jednego nieznanego mężczyznę. Fabrykant odepchnął ich i stanął przed szezlongiem, na którym leżał Ferdynand.

Ranny nie miał na sobie surduta ani kamizelki. Twarz jego była tak strasznie zmieniona, że tkacz w pierwszej chwili nie mógł poznać własnego syna. W głowach siedział doktór.

Adler patrzył... patrzył... potem upadł na nie zajęte krzesło i oparłszy potężne dłonie na kolanach rzekł stłumionym głosem:

– Co ty wyrabiasz, łajdaku!

Ferdynand spojrzał na niego z nieopisanym smutkiem. Ujął ojcowską rękę i – pierwszy raz od bardzo dawna – pocałował ją.

Adler wstrząsnął się. Oniemiał.

Ferdynand począł mówić cicho, z przerwami:

– Musiałem, papo... musiałem!... Wszyscy na nas krzyczeli... szlachta, kelnerzy, gazety. Mówili, że ja tracę pieniądze, a ty obdzierasz robotników... Niedługo... pluliby nam w oczy...

– Nie męcz się pan! – szepnął doktór.

Starzec otworzył duże usta, pochylił się nad synem, patrzył, słuchał. Postawa jego wyrażała najwyższe zdziwienie, żal.

– Ratuj mnie, papo! – rzekł Ferdynand podniesionym głosem. – Ja obiecałem doktorowi dziesięć tysięcy...

Chmura niezadowolenia przemknęła po twarzy Adlera.

– Dlaczego aż tyle? – zapytał machinalnie.

– Bo ja... ginę... Czuję, że ginę!...

Starzec zerwał się.

– Tyś wariat! – zawołał. – Zrobiłeś głupstwo, łajdactwo!... No, ale jeszcze nie umierasz...

– Umieram! – jęknął ranny.

Adler klasnął w ręce.

– Oszalał! jak Boga kocham, oszalał!

Zaczął biegać po pokoju, wyciągać palce, aż trzeszczały, i nagle stając przed doktorem zawołał:

– No, powiedzże mu pan, że on jest głupi... Mówi o śmierci i myśli, że ja mu dam umrzeć... tobie umrzeć?... Obiecałeś doktorowi dziesięć tysięcy? To za mało. Doktorze – mówił starzec gorączkowo – ja za mego syna dam sto tysięcy rubli, jeżeli jest chociaż cień niebezpieczeństwa. Bo za to tylko, że on głupi, ja płacić nie będę. Jakiż jego stan?

– Nic wprawdzie niebezpiecznego – mówił doktór – zawsze jednak kuracja musi być staranna.

– No, tak! – przerwał mu Adler. – Czy słyszałeś, Ferdynand, co powiedział doktór?... A jeżeliś słyszał, więc mnie i sobie głowy nie zawracaj... Johann! Wysłać depesze do Warszawy, niech zjadą się najlepsi doktorzy, ekstracugiem[33]. Jeżeli potrzeba, posłać do Berlina i Wiednia, wreszcie do Paryża. Pan doktór niech da adresy najsławniejszych. Ja zapłacę... ja mam czym płacić!

– O! jak mi straszno! – jęknął Ferdynand rzucając się na szezlongu.

Ojciec przypadł do niego.

– Uspokój się pan! – mówił lekarz.

– Papo! – krzyknął ranny. – Papo mój, ja już ciebie nie widzę...

Na ustach pokazała mu się krwawa piana. W oczach i na twarzy malowała się trwoga i rozpacz.

– Powietrza! – zawołał.

Zerwał się z szezlonga i wystawiając ręce naprzód, jak ślepy, pobiegł do okna. Wtem ręce zwisły mu. Zwrócił się znowu, zatoczył do szezlonga i upadł nań uderzając głową o ścianę.

Jeszcze raz zwrócił się do ojca, szeroko i z trudem roztworzył oczy i dwie łzy zwisły mu na powiekach.

Adler, cały drżący, obezwładniony, usiadł przy nim i swoimi wielkimi rękoma otarł mu łzy i pianę z ust.

– Ferdynandzie! Ferdynandzie! – szeptał – uspokój się. Będziesz żył; ja oddam cały majątek.

Wtem uczuł, że syn cięży mu w objęciach i upada.

– Doktorze! ocuć go, on mdleje!

– Panie Adler, wyjdź stąd! – rzekł doktór.

– Dlaczego mam wyjść? Ja nie mogę wyjść, kiedy syn potrzebuje mojej pomocy...

– Już nie potrzebuje – odparł cicho lekarz.

Adler patrzał na syna, trząsł go, szczypał. Na bandażu okrywającym piersi ukazała się duża plama krwi. Ferdynand był trupem.

Starca szał ogarnął. Zerwał się z szezlonga, kopnął nogą krzesło, potrącił lekarza i wybiegł na dziedziniec, potem na szosę.

Na szosie spotkał jednego z furmanów, którzy przywieźli bawełnę. Schwycił go za ramiona i krzyknął:

– Czy ty wiesz?... Syn mój umarł!

> **Adler – opis przeżyć po śmierci syna**

---

[33] *ekstracug* – pociąg specjalny, poza rozkładem jazdy.

Rzucił człowieka na szosę i pobiegł do budki szwajcara.

– Hej! zwołać mi przed dom wszystkich ludzi, niech przyjdą... Natychmiast!

Tym samym pędem wrócił do pokoju, gdzie leżał zmarły syn, usiadł naprzeciw niego i patrzył, patrzył...

Ocknął się dopiero w jakie pół godziny.

– Dlaczego tak cicho? – zapytał. – Czy się maszyna zepsuła?

– Pan kazał zwołać robotników, więc maszynę zatrzymali i wszyscy czekają na dziedzińcu – odparł Johann.

– Po co? Na co? Niech idą do roboty! Ja nie chcę, żeby było tak cicho. Puścić maszynę i wszystkie warsztaty w ruch. Niech tkają, niech przędą, niech się kręcą, niech krzyczą!...

Schwycił się oburącz za głowę.

– Mój syn... syn... syn! – szeptał.

Od dawna już wysłano po pastora, który w tej chwili przyjechał i wbiegł z płaczem do pokoju.

– Gotliebie! – zawołał – ciężko nas dotknął Bóg, ale ufajmy jego miłosierdziu...

Adler przeciągle spojrzał na niego i rzekł wskazując na zwłoki syna:

– Patrz, Marcinie! to ja jestem. To nie jego, to mój trup. Gdybym nie wierzył w to, chybabym oszalał!... – Patrz – mówił dalej – to leży moja fabryka, mój majątek, moja nadzieja. Ale on żyje! Mów mi to, i wy wszyscy... to mnie uspokoi... O serce, serce moje! Jak mnie boli!

Fala krzywdy wróciła.

Motyw fali zła

Gdy doktór i sekundanci wyjechali, pastor począł namawiać Adlera, ażeby wyszedł. Usłuchał go i wyszli do ogrodu. Tam stary fabrykant stanął na jednym wzgórku, rozejrzał się i począł mówić:

– Gdybym mógł objąć...

Rozkrzyżował ręce.

– Gdybym mógł objąć wszystko, zdusić, rzucić na ziemię i skopać nogami, o tak, o!... Gdybym mógł! gdybym mógł!... Marcinie, ty nie wiesz, co się dzieje w mojej głowie i jak mnie serce boli!...

Upadł na ławkę i ciągnął dalej:

– Tam leży martwy syn mój, a ja – nic mu poradzić nie mogę. I wiesz, co ci powiem? Zdaje mi się, że za rok, za miesiąc, a może za tydzień doktorzy wynajdą sposób budzenia i leczenia takich rannych. Ale cóż, kiedy mnie nic z tego, choć za taki sposób oddałbym cały majątek i siebie!... Sprzedałbym siebie jak psa, jak sztukę perkalu. A jednak – nic zrobić nie mogę!

Pastor wziął go za rękę.

– Gotliebie, dawno ty się modliłeś?

– Czy ja wiem? Może trzydzieści, a może czterdzieści lat.

– Pamiętasz pacierz?

– Pamiętam, że... miałem syna.

– Syn twój jest u Boga.

Adler spuścił głowę.

– Jaki ten wasz Bóg drapieżny!...

– Nie bluźnij! Jeszcze spotkasz się z nim.

– Kiedy?

– Kiedy wybije twoja godzina.

Starzec zamyślił się, potem wydobył repetier[34] z kieszeni, nacisnął sprężynę, przysłuchał się dźwiękowi zegarka i rzekł:

– Moja godzina już wybiła, a ty, Marcinie, wróć do domu. Żona czeka cię, córka, kościół. Ciesz się nimi, odprawiaj swoje nabożeństwa, pij reńskie wino, a mnie – zostaw... Zdaje mi się, że czekam na pogrzeb całego świata i tylko słucham, rychło uderzą w jakiś wielki dzwon, od którego głowa mi pęknie. Zginie cały świat i ja w nim... Wróć do domu, Marcinie! Mnie przyjaciel niepotrzebny, a jeszcze mniej – pastor! Twoja wylękniona twarz nudzi mnie i drażni. Zresztą – ja obejdę się bez niańki; sam przecie wypiastowałem mego syna.

– Gotliebie, uspokój się – pomódl!

Adler zerwał się z ławki.

– Idź do licha! – krzyknął.

Potem szybko pobiegł w głąb ogrodu i przez furtkę wymknął się na pole.

Pastor nie wiedział, co począć. Wrócił do pałacu pełen złych przeczuć. Chciał wysłać kogo, aby z daleka pilnował Adlera, ale służba lękała się swego pana.

Pastor wezwał do siebie buchaltera i opowiedział mu, że jego pryncypał niezupełnie przytomny wybiegł w pole.

– Ech! to nic – odparł buchalter. – Zmęczy się i wróci spokojniejszy. On tak zawsze robił, jeżeli się czym bardzo zmartwił.

Upłynęło kilka godzin, nadszedł wieczor, ale starego tkacza nie było widać.

Nigdy jeszcze nie rozprawiano z takim zajęciem we wszystkich warsztatach jak dziś od chwili przywiezienia rannego Adlera i jego śmierci. Nieszczęście Gosławskiego poruszyło wprawdzie całą fabrykę, przypomniało ludziom ich krzywdy, a surowość pryncypała rozdrażniła ich; ale w obecnym wypadku działo się wcale inaczej.

Pierwszym wrażeniem tłumu na wieść o szybkiej śmierci Ferdynanda było zdziwienie i przestrach. Zdawało im się, że z pogodnego nieba uderzył piorun, że fabryka zachwiała się w posadach, że słońce cofnęło się w biegu. Nikomu, począwszy od naczelnego buchaltera, a skończywszy na ostatniej robotnicy i nocnym stróżu, nie mogło pomieścić się w głowach, że Ferdynand nie żyje. On, taki młody, silny, wesoły, bogaty! On, który nic nie robił, przy żadnej maszynie nie wystawał! On, syn potężnego ojca, nie żyje! Zginął prędzej aniżeli mizerny robotnik Gosławski, zginął jak zając od strzału, prawie w okamgnieniu!

> **Robotnicy – reakcja na śmierć Ferdynanda**

Ci ludzie prości, ubodzy, zależni, dla których Adler był bóstwem groźnym, wyższym nad wszelkie władze, największym magnatem i najsilniejszym człowiekiem – ci ludzie przestraszyli się. Zdawało im się w pierwszej chwili, że średni szlachcic i skromny sędzia gminny, Zapora, który zabił Ferdynanda, popełnił świętokradztwo. Jak on śmiał strzelać do panicza, wobec którego najzuchwalsi robotnicy spuszczali oczy, najmocniejsi tracili siłę? Co się to dzieje?

---

[34] *repetier* – zegarek kieszonkowy, wydzwaniający godzinę za naciśnięciem sprężyny.

I zdarzyła się rzecz osobliwa. Ci sami, którzy co dzień przeklinali fabrykanta i jego syna, ci sami złorzeczyli jego zabójcy. Niejeden gorętszy wołał, że takiego łotra trzeba zabić jak psa. Ale – gdyby ów łotr ukazał się nagle między nimi – uciekliby. Po pierwszym wybuchu nastąpiła chwila rozwagi. Maszyniści i obermajstrzy wytłomaczyli im, że Zapora nie strzelał do Ferdynanda jak myśliwy do ptaka, ale że Ferdynand sam chciał, ażeby do niego strzelano, i sam strzelał pierwszy. Była to więc walka. Ale po co Ferdynand mieszał się do takiej walki, jeżeli nie mógł zabić przeciwnika? dlaczego chybił? Za co ci dwaj ludzie, a raczej dwie potęgi nadziemskie – starły się ze sobą?

Ktoś szepnął, że tu chodziło o nich, o robotników, że Zapora zabił panicza, bo on tracił pieniądze zebrane z krzywdy ludzkiej. „Zresztą – dodawali starsi – Bóg skarał Adlera. Przekleństwa zostały wysłuchane."

Tym sposobem w ciągu kilku godzin utworzyła się legenda. Łzy i krew ludzka doszły do boskiego tronu i cud się stał, tu, w oczach całej okolicy. Pobożni zatrwożyli się, libertyni[35] nadrabiali miną, ale w sercu czuli jakiś dreszcz.

– Co to jeszcze będzie? – pytali wszyscy.

– A wiecie wy, że podobno stary zwariował?

– Jużci chyba tak, kiedy furmana cisnął na szosę, nas wszystkich zawołał nie wiadomo po co, a teraz wyleciał z domu i tuła się po polu.

– On tak zawsze robi, jak jest czego zły...

– Na kogóż on jest zły?... chyba na Pana Boga!

– Nie pyskuj tam!... Nie wzywaj imienia boskiego, bo się jeszcze co stanie!...

– Ciekawość, co teraz zrobi stary?

– A cóż?... może nas już krzywdzić nie będzie?   '

– W kantorze mówią, że pewnie sprzeda fabrykę i wyjedzie do swoich.

– Przecież on nikogo nie ma.

– Oj! znajdzie... Szwaby są plenne.

Tak szeptali robotnicy. Obermajstrzy byli powarzeni. Nie pytali o robotę, tylko biegali do kantoru po wiadomości. Jeden radził, ażeby na znak żałoby wstrzymać fabrykę; ale stary buchalter zgromił go.

– Niech wszystko idzie, jak szło – rzekł. – Pryncypał i tak jest niespełna rozumu: po cóż go drażnić?... Mnie samego największy żal i strach ogarnął wtedy, gdy fabryka stanęła i wszyscy poszli do pałacu. Kiedy trajkoczą maszyny, człowiekowi na sercu lżej i wydaje mu się, że się nic złego nie stało.

– Prawda!... prawda!... – potakiwali obecni.

Około szóstej wieczorem w kantorze ukazał się Adler. Wszedł jak widmo, nie wiadomo kiedy. Jego odzież powalana była ziemią, jak gdyby się tarzał. Krótkie lniane włosy jeżyły mu się. Był spocony i zdyszany. Białka oczu zaszły mu krwią; źrenice miał nierówno rozszerzone.

Wszedł do kantoru, począł prędko obiegać wszystkie sale i strzelać z palców. Urzędnicy drżeli na krzesłach.

---

[35] *libertyn* – tu: niedowiarek.

Młody korespondent czytał jakąś depeszę. Adler przystąpił do niego i spytał zmienionym głosem, choć spokojnie:

– Co to jest?

– Znowu bawełna poszła w górę – odparł korespondent. – Zyskaliśmy dziś sześć tysięcy...

Nie dokończył. Adler wyrwał mu depeszę z ręki, zmiął ją i rzucił mu w twarz.

– Podły jesteś!... – krzyknął na urzędnika. – Podły! jak śmiesz mi coś podobnego mówić?...

Począł znowu biegać po salonach i mruczyć:

– Człowiek jest najgorszym bydlęciem!... Psy widząc moją boleść nie śmią łasić się i uciekają z podtulonymi ogonami... A on mówi o sześciu tysiącach rubli!...

Stanął nad wylęknionym urzędnikiem i wytrząsając rękoma mówił chrapliwie:

– Zrób mi to, ty kamienny łbie, ażeby czas cofnął się o jeden tydzień... o jeden dzień... a ja ci oddam wszystkie moje zarobki. Wyjdę z przeklętego kraju bosy i nagi, wyczołgam się na kolanach, będę tłukł kamienie przy drodze, będę marł głód i jeszcze będę szczęśliwy... No, ty!... czy potrafisz czas cofnąć o jeden dzień... O pół dnia!...

Do kantoru wbiegł Böhme zawiadomiony, że Adler wrócił.

– Gotliebie – rzekł pastor – konie czekają, jedź do mnie...

Fabrykant wyprostował się, włożył obie ręce do kieszeni i zabłocony, zziajany, patrząc z góry na niego mówił z ironią:

– Mój ty święty Marcinie, ja nie pojadę do ciebie!... Więcej ci powiem: ja – ani tobie, ani twojej Annecie, ani twemu Józiowi nic zapiszę jednego grosza! Słyszysz?... Ja wiem, że ty jesteś sługa boży i że twoim językiem przemawia mądrość Pańska... Ale ja ci nie dam złamanego szeląga!... Mój majątek należy do mego syna i wcale nie jest przeznaczony na to, ażeby wspierał cnotę pastorskich dzieci... Idź ty, poczciwy Böhme, idź!... Idź do swojej chudej żony i do skromnej Annety opowiadać im, żeś trafił na bardzo mądrego wariata, którego nikt nie oszuka ani sztucznymi łzami, ani prawdziwie głupią miną!... Albo idź ty, Böhme, tam... do trupa... i mrucz nad nim pacierze... Ale ja ci powiadam, że prędzej jego znudzi twoja modlitwa, aniżeli mnie opęta twoja świątobliwa przezorność...

– Co ty mówisz, Gotliebie?... – pytał zdziwiony pastor.

– No, przecież ja mówię wyraźnie!... Spiknęliście się wszyscy, ażeby zabrać mój majątek, ażeby kiedyś twój Józio, technik, rządził się jak szara gęś w tej fabryce... Zabiliście mi syna... Chcecie zabić mnie... Ale nic z tego!... Ja nie należę do rzędu głupców, którzy za miliony rubli kupują zbawienie duszy u księży albo pastorów!...

– Gotliebie!... – przerwał mu pastor – ty mnie posądzasz?... mnie?...

Adler chwycił go za rękę i z wściekłością patrząc w oczy mówił:

– Czy ty pamiętasz, Böhme, ile razy groziłeś mi karą bożą?... **Motyw fali zła**
Dawniej robili to samo jezuici z głupimi bogaczami i wydrwiwali od nich majątki... Ale ja nie dałem się odrwić, trzymałem mój majątek, więc... Bóg mnie skarał!... Nie udawaj zdziwionego, Böhme!... Wszak nie tak dawno rzucałeś na sadzawkę korki i drzewo i pokazywałeś mi jakieś fale, mówiłeś, że powrócą... No – i powróciły twoje fale!... Tylko mój biedny syn już nie wróci... Pojechał w podróż, na którą potrzeba wiele, bardzo wiele pieniędzy i serca ojcowskiego, ażeby go strzegło od

jezuitów i pastorów!... Idź, Böhme!... Mdło mi się robi, kiedy patrzę na twój długi nos, który ci się tak brzydko zaczerwienił... Idź, Böhme, do mego syna, a ponieważ głos twój słychać podobno aż na tamtym świecie, więc powiedz mu...

Adler nigdy nie był tak wymownym jak w tej chwili, gdy go opuszczał rozum. Chwycił pastora za ramię i wyprowadził go za drzwi. Potem zaczął znowu obchodzić wszystkie biura.

Nareszcie wybiegł z kantoru. Wieczorny mrok zasłonił go, a huk maszyn fabrycznych zagłuszył jego kroki.

Urzędnicy byli przerażeni. Nikt już nie wątpił, że Adler jest obłąkany, przynajmniej chwilowo. Ale o śledzeniu go, o rozciągnięciu nad nim opieki nikt nie myślał. Wobec wielkich i szybko rozwijających się nieszczęść wszyscy potracili głowy. Umieli machinalnie odrabiać zwykłe czynności, ale na jakiś samodzielny krok wobec pryncypała, nawet oszalałego, nikt zdobyć się nie potrafił.

Pastor Böhme rozumiał grozę położenia. Znając charakter Adlera przewidywał jakieś nowe niebezpieczeństwa i choć w części zapobiegłby im, ale nie śmiał wydawać żadnych rozporządzeń. Komu tu rozkazywać? kto by go słuchał?

Tymczasem wypadki szły naprzód. Około siódmej jeden z robotników spostrzegł, że małe drzwi do składu bawełny są otwarte. Lecz nim zawiadomił o tym magazyniera, nim ludzie przybiegli, drzwi zamknęły się.

W fabryce poczęto szeptać o kradzieży, to znowu o pokutującym duchu Ferdynanda... Dano znać urzędnikom, którzy już wyszli z biura. Paru z nich przybiegło. Tknięci przeczuciem obejrzeli kantor i przekonali się, że braknie najważniejszych kluczy od fabryki.

Kto je zabrał?... Bez kwestii pryncypał. Ale gdzie on sam jest w tej chwili?... Szwajcar zapewniał, że widział Adlera wchodzącego przez bramę; pomimo jednak czujności nie spostrzegł, ażeby wychodził. Adler więc znajdował się w obrębie fabryki; ale kto go zechce szukać w gmachu tak wielkim śród nocy?

Tym razem zdaje się, że stary buchalter odgadł rodzaj niebezpieczeństwa grożącego fabryce. Zwołał obermajstrów, kazał ustawić wartę przy kantorze, wstrzymać machinę i cofnąć robotników ze wszystkich sal.

Nim jednak wysłuchano tych rozporządzeń rozległ się głos dzwonu na trwogę. Ze składów bawełny przez wszystkie otwory począł wydobywać się gęsty dym i gdzieniegdzie płomyki ognia.

Na to hasło robotnicy, już zdemoralizowani dotychczasowymi wypadkami, ulegli panice i tłumem opuścili warsztaty. Przestrach był tak wielki i ucieczka tak szybka, że w żadnej sali nie zgaszono świateł, nie zamknięto drzwi, nie wstrzymano nawet machiny parowej.

Popłoch jednak był prawdziwym szczęściem uciekających. Zaledwie bowiem robotnicy zebrali się na dziedzińcu w celu ratowania składów bawełny, a już ogień pokazał się w magazynie tkanin.

– Co to znaczy? To ktoś podpala! – odezwały się głosy wśród tłumu.

– Sam pryncypał podpala fabrykę! – odpowiedział ktoś.

– Gdzie on jest?

– Nie wiadomo, ale jest w obrębie gmachów... Teraz ogień wybuchnął w gręplarni i w przędzalni.

– Widocznie sam Adler podpala!...
– Ale którędy wchodzi do sal?
– Zabrał klucze z kantoru.
– Więc po cóż my mamy ratować fabrykę, jeżeli on ją niszczy?
– Któż nam każe ratować?
– A co będziemy jutro jedli?

Takie wykrzykniki i płacz kobiet rozlegały się w zbitym tłumie kilkuset ludzi bezsilnych wobec klęski. Rzeczywiście ratunek był niepodobny. Zebrani w osłupieniu przypatrywali się pożarowi, który w jednych miejscach potęgował się, w innych dopiero poczynał.

Fabryka przedstawiała szczególny obraz.

Na tle pochmurnej nocy jesiennej widać było kilkanaście olbrzymich gmachów dziwnie uiluminowanych. Z każdego otworu składów wydobywały się czerwone płomyki jak pochodnie.

Opis pożaru fabryki

W budynku głównym, mającym kształt podkowy, na lewym skrzydle paliło się czwarte piętro, na prawym – dół. Wszystkie sale środkowego gmachu oświetlały lampy gazowe, przy których było widać szybko poruszające się tkackie warsztaty. Na podwórzu oblanym czerwoną, coraz jaśniejszą łuną stał ogromny tłum ludzi przestraszonych i narzekających.

Szmerowi głosów ludzkich wtórował huk, turkot i szelest machin.

Z każdą chwilą ogień potężniał; ściany składów prawie zniknęły pod zasłoną dymu i płomieni. Na lewym skrzydle zapalił się dach, na prawym pożar wdarł się na pierwsze piętro i wybuchał oknami parterowymi. Na dziedzińcu robiło się coraz widniej.

Nagle szmer ludzi umilkł. Wszystkich oczy zwróciły się na korpus główny, dotychczas nie tknięty. Tam, na drugim piętrze, między warsztatami, przy świetle gazowych lamp ukazał się olbrzymi cień człowieka. Cień chodził tam i na powrót, a gdziekolwiek zatrzymał się dłużej, tam po chwili robiło się widniej. Wyciągnięte na warsztatach tkaniny i osnowy, podłoga napojona tłuszczem, drewniane ramy maszyn: wszystko to chwytało ogień z niesłychaną łatwością. Po upływie kilku minut drugie piętro głównego korpusu było już podpalone. Cień ludzki ukazał się na trzecim piętrze, przeszedł je z wolna i znowu znikł. Wkrótce zobaczono go na sali najwyższej, na czwartym piętrze.

– To on! to on! – mówiono.

Teraz już cała fabryka stała w ogniu. Ze składów bawełny buchał płomień jak z wulkanu, aż pod obłoki. Ze wszystkich okien prawego skrzydła wydobywał się dym i ogień; na lewym skrzydle dach wyginał się i trzeszczał. Szyby pryskały i z dźwiękiem wylatywały na dziedziniec. W niektórych salach pod cięższymi machinami załamywała się podłoga.

Wśród piekielnego łoskotu, deszczu iskier, obłoków dymu, nad powodzią płomieni, które w korpusie głównym ogarnęły wszystkie piętra, w najwyższej sali wyraźnie widać było cień ludzki. Poruszał się on spokojnie, bez pośpiechu, jak czuwający nad robotnikami dozorca. Niekiedy stawał w którym z mnogich okien i patrzył – nie wiadomo, czy na tłum zebranych, czy na pałacyk.

Wtem z ogromnym łoskotem zapadł się dach lewego skrzydła. W chwilę później runęło drugie piętro prawego skrzydła. Olbrzymie snopy iskier wzbiły się do góry. Było jasno jak w dzień. W składzie bawełny załamały się od razu dwa piętra i na tłum robotników spadł deszcz gorącego popiołu. Zrobiło się duszno. Niektóre machiny głównego korpusu poczęły dziwnie zgrzytać, nareszcie wywracać się. Skutkiem zmniejszenia się oporu koło rozpędowe machiny parowej obracało się z szaloną prędkością, wydając przy tym głos podobny do wycia. Ściany pękały, w jednym miejscu spadł komin, a gruzy jego zatoczyły się aż pod nogi zebranych.

W gmachu głównym dym i ogień chwilami zasłaniał czwarte piętro, na którym widać było cień człowieka spokojnie chodzącego wzdłuż oświetlonej sali

Wśród tłumu rozległ się szmer zgrozy, niepodobny do głosów ludzkich. Tłum zaczął poruszać się, krzyczeć, wskazywać na okna...

W stronie fabryki gazu rozległ się stłumiony huk. W sali na czwartym piętrze płomienie lamp błysnęły jaśniej – i zgasły. Ogień ukazał się w dymnikach głównego korpusu. Zatrzeszczał cały gmach i z łoskotem piorunu zapadło się kilka sufitów.

Na dziedzińcu zrobiło się tak gorąco, że tłum cofnął się, Koło rozpędowe machiny parowej toczyło się już wolniej, wreszcie – stanęło.

...W fabryce, jeszcze przed godziną bogatej i ożywionej, wszechwładnie panował ogień. Słychać było trzeszczenie płonących belek, pękanie murów i ciężkie upadki żelaznych części machin.

Adler, znakomity przemysłowiec, nieugięty wyznawca walki o byt, zebrawszy w ciągu kilkudziesięciu lat miliony, dobrowolnie przywalił się ich gruzami.

Motyw fali zła   Fala krzywdy wróciła.

Warszawa, w czerwcu 1880 r.

OPRACOWANIE

BIOGRAFIA BOLESŁAWA PRUSA

Aleksander Głowacki, herbu Prus, piszący pod pseudonimem Bolesław Prus, urodził się w Hrubieszowie **20 sierpnia 1847** r. Jego ojciec, Antoni, był oficjalistą w majątku obszarniczym, matka Apolonia pochodziła z rodziny Trembińskich. Dzieciństwo przyszłego pisarza było trudne. W wieku trzech lat stracił matkę, a ojciec nie bardzo dbał o dzieci. Po jego śmierci tułały się po rodzinie. Aleksander mieszkał najpierw w Puławach u babki, która niewiele czasu poświęcała wnukowi – chłopiec nie miał tam należytej opieki. Kiedy miał siedem lat, opiekę nad nim przejęła ciotka, Domicela z Trembińskich Olszewska. Była to dzielna kobieta, prawdziwa emancypantka, zarabiająca na utrzymanie rodziny prowadzeniem w Lublinie sklepu z kapeluszami. Aleksander miło wspominał pobyt u ciotki, tym bardziej że mógł liczyć na jej wsparcie także potem, gdy już opuścił jej dom.

W 1857 r. Prus rozpoczął naukę w Powiatowej Szkole Realnej przy Gimnazjum Gubernialnym w Lublinie. W 1861 r. opuścił Lublin i przeszedł pod opiekę brata Leona, który właśnie ukończył studia filologiczne na uniwersytecie kijowskim i rozpoczął pracę nauczyciela historii i geografii w Siedlcach. Starszy o 13 lat od Aleksandra, Leon, był zaangażowany w przedpowstaniową działalność konspiracyjną i zaangażował w nią brata. Pracował kolejno w Siedlcach, Kielcach, a wraz z nim przenosił się i Aleksander. W Kielcach Prus przerwał naukę i wstąpił do oddziału powstańczego. 1 września 1863 r. został ciężko ranny w potyczce pod wsią Białką, położoną 4 km od Siedlec. Znalazł się w szpitalu, potem został aresztowany. Od 20 stycznia 1864 r. do końca kwietnia tegoż roku przebywał w więzieniu na Zamku Lubelskim. Wyrokiem sądu wojennego został skazany na pozbawienie szlachectwa i oddany za poręczeniem pod opiekę wuja Klemensa Olszewskiego. Powrócił więc do szkoły po dwuletniej przerwie w nauce, starszy i bardziej doświadczony od kolegów. Z powstania wyszedł chory, z obniżoną odpornością fizyczną i psychiczną. Stracił też brata i opiekuna, gdyż Leon przypłacił udział w powstaniu nieuleczalną chorobą psychiczną. Przede wszystkim jednak Aleksander stracił wiele złudzeń: nadzieję na rozwiązanie sprawy polskiej w drodze powstańczego zrywu oraz wiarę w swój naród.

W prowincjonalnej szkole czuł się źle, mimo sukcesów odnoszonych na lekcjach matematyki i języka polskiego. Marzył o studiowaniu w Petersburgu, ale z powodu trudności finansowych było to niemożliwe. 30 czerwca 1866 r. otrzymał wreszcie świadectwo ukończenia gimnazjum w Lublinie, a w październiku rozpoczął studia na

Wydziale Matematyczno-Fizycznym Szkoły Głównej w Warszawie. Marzył o twórczej pracy uczonego, matematyka lub przyrodnika. Tymczasem jednak borykał się z trudnościami materialnymi. Musiał zarobić na swoje utrzymanie, gdyż pomoc rodziny zawiodła. Kłopoty te spowodowały przerwanie studiów w 1869 r. Prus próbował jeszcze podjąć naukę w Instytucie Gospodarstwa Wiejskiego i Leśnictwa w Puławach, ale we wrześniu 1870 r. wrócił do Warszawy.

Pracował jako robotnik. Podjął także próby działalności dziennikarskiej i odczytowej. Współpracował z czasopismami „Niwa", „Opiekun Domowy", „Mucha", „Kurier Warszawski". W 1872 r. związał się na stałe z dziennikarstwem. W „Niwie" próbował zamieszczać artykuły naukowe i te podpisywał: Aleksander Głowacki. W „Opiekunie Domowym" zaczął drukować felietony pt. *Listy ze starego obozu*, które podpisywał: Bolesław Prus. Zawsze marzył o pracy naukowej, więc zdecydował podpisywać własnym nazwiskiem tylko poważne artykuły. Felietony traktowane jako *„praca parobcza"* zasługiwały, jego zdaniem, tylko na pseudonim. Nie przypuszczał, że w pamięci potomnych pozostanie na zawsze jako Bolesław Prus.

Stopniowo stabilizowała się sytuacja materialna Prusa: miał stałą pracę kasjera w banku, dorabiał pracując jako dziennikarz, mógł więc zrealizować swe plany małżeńskie. Ślub pisarza z Oktawią Trembińską odbył się 14 stycznia 1875 r., a 23 marca tegoż roku ukazała się w „Kurierze Warszawskim" pierwsza kronika tygodniowa. Odtąd rozpoczęła się długa działalność Prusa-felietonisty – kroniki do „Kuriera Warszawskiego" pisywał do 1887 r.

Współpracował też z czasopismami „Ateneum" i „Nowiny" (ostatnie z nich, niestety bez powodzenia, redagował). Równolegle z pracą dziennikarską rozwijała się działalność beletrystyczna. Początki nie zapowiadały późniejszych wielkich osiągnięć. *Szkice warszawskie* (1874), *Powiastki cmentarne* (1875), powieść *Pałac i rudera* (1875), *Przeklęte szczęście* i *Dusze w niewoli* (1876) to utwory słabe. Pisarz ujawnił swój talent dopiero w opowiadaniach i nowelach: *Przygoda Stasia* (1879), *Powracająca fala* (1880), *Michałko* (1880), *Antek* (1881), *Nawrócony* (1881). Zapowiedzią późniejszych osiągnięć jest niewątpliwie *Anielka* drukowana w 1880 r. w „Kurierze Warszawskim". Potem wyszły kolejno takie arcydzieła nowelistyki polskiej, jak: *Kamizelka*, *On* (1882), *Milknące głosy* (1883), *Omyłka* (1884), *Na wakacjach* (1885).

Mimo sukcesów literackich Prus nie porzucił dziennikarstwa: nadal współpracował z „Kurierem Warszawskim", a także z „Tygodnikiem Ilustrowanym" i „Echem Muzycznym i Teatralnym". W wymienionych wyżej czasopismach ukazywały się nie tylko kroniki, ale także utwory literackie, stanowiące trwały dorobek polskiej nowelistyki i powieści. W 1883 r. wydrukowane zostały *Grzechy dzieciństwa*, w 1885 r. *Bajki* oraz *Placówka*. W 1890 r. ukazało się wydanie książkowe *Lalki*, drukowanej w „Kurierze Codziennym" od 1887 r., a w 1888 r. nowela *Z legend dawnego Egiptu*, w 1890 r. *Sen*. Od 1890 r. w „Kurierze Codziennym" drukowane były *Emancypantki* (wydanie książkowe w 1893 r.), od 1895 r. *Faraon* (wydanie książkowe w 1897 r.).

Życie osobiste Prusa było ubogie, monotonne i niezbyt urozmaicone. Wakacje spędzał w Nałęczowie, bywał w Zakopanem, podróżował czasami po kraju służbowo, jako reporter. Marzył o Paryżu, ale długo nie udawało mu się zrealizować tych marzeń. Mimo sukcesów literackich sytuacja materialna pisarza nadal była ciężka. W 1887 r.

zerwał współpracę z „Kurierem Warszawskim" i odtąd kroniki tygodniowe ukazywały się w „Kurierze Codziennym" (do 1901 r.). W 1890 r. Prus nauczył się jeździć na rowerze i stał się szczerym miłośnikiem tego sportu. W 1892 r., na ślubie Stefana Żeromskiego z Oktawią Rodkiewiczową, pisarz wystąpił w charakterze świadka, bo od dawna był z panią Oktawią zaprzyjaźniony i opiekował się początkującym pisarzem.

Po sukcesie *Faraona* Prus wyjechał w swą pierwszą i ostatnią zagraniczną podróż do Berlina, Drezna, Karlsbadu, Raperswilu (gdzie odwiedził Żeromskich) i do wymarzonego Paryża. W tym okresie artysta stał się w opinii społecznej reprezentantem pewnej postawy moralnej – poczucia obowiązku codziennej pracy dla ogółu i pewnego typu działalności – drobnych, ale licznych ulepszeń. Był więc proszony na patrona wielu inicjatyw społecznych, np.: Towarzystwa Higieny Praktycznej, Towarzystwa Przeciwżebraczego, Kasy Literackiej itp. Bogata jest publicystyka Prusa z tego okresu, natomiast plon literacki ostatnich lat nie jest już ani bogaty, ani artystycznie interesujący. Od 1901 r. pisarz zapadł na zdrowiu, w 1904 r. przeżył osobiste nieszczęście: samobójczą śmierć wychowanka – Emila. W 1907 r. zmarł mu brat, Leon. Mimo tych tragedii Prus wziął udział w wielu akcjach społecznych, wygłaszał liczne odczyty.

19 maja 1912 r. zmarł na atak serca. Pogrzeb, który odbył się 22 maja, był wielką manifestacją wszystkich mieszkańców Warszawy. Prus został pochowany na Powązkach, na nagrobku widnieje napis: „Serce serc".

KALENDARIUM ŻYCIA I TWÓRCZOŚCI

20 VIII 1847 – data urodzin Aleksandra Głowackiego, znanego w literaturze polskiej jako Bolesław Prus (Hrubieszów).

1857 – początek edukacji szkolnej Prusa, najpierw w Lublinie, potem w Siedlcach, Kielcach i znowu w Lublinie.

1861-1863 – udział w działaniach konspiracyjnych i powstańczych.

1863 – 1 IX Prus został ranny pod Białką.

1864 – od stycznia do kwietnia Prus przebywał w więzieniu na Zamku Lubelskim.

30 VI 1866 – ukończył gimnazjum w Lublinie, w październiku rozpoczął studia w Szkole Głównej.

1869 – przerwanie studiów z powodów materialnych.

1872 – początek działalności dziennikarskiej pod pseudonimem Prus.

14 I 1875 – ślub z Oktawią Trembińską.

23 III – pierwsza kronika tygodniowa.

Dzieła Bolesława Prusa:

1874 – *Szkice warszawskie*

1875 – *Powiastki cmentarne*
  Pałac i rudera

1876   – *Przeklęte szczęście*
         Dusze w niewoli
1879 – ***Przygoda Stasia***
1880 – ***Powracająca fala***
         Michałko
         Anielka
1881 – ***Antek***
         Nawrócony
1882 – ***Kamizelka***
         On
1883   – *Milknące głosy*
         Grzechy dzieciństwa
1884   – Omyłka
1885 – ***Na wakacjach***
         Bajki
         Placówka
         Cienie
1887   – w „Kurierze Codziennym" rozpoczęto druk *Lalki* (wyd. książkowe 1890),
         – zerwanie współpracy z „Kurierem Warszawskim", kroniki tygodniowe uka-
         zywały się w „Kurierze Codziennym".
1888   – *Z legend dawnego Egiptu*
1890   – *Sen*
         – w „Kurierze Codziennym" zaczęto drukować *Emancypantki* (wyd. książko-
         we 1893)
1895   – *Faraon* (wyd. książkowe 1897)
19 V 1912 – śmierć Bolesława Prusa.

NOWELA – ROZWÓJ GATUNKU I JEGO CECHY

Początki gatunku nowelistycznego przypadają jeszcze na czasy antyczne, ale zachowało się niewiele utworów antycznych, które można zaliczyć do nowel. Rozkwit gatunku obserwujemy natomiast w okresach późniejszych: w średniowieczu i w odrodzeniu. Nowela wywodzi się z luźnych opowieści o przygodach wędrowców, kupców, z żywotów świętych, kronik, sensacyjnych historii itp. Słupem milowym w rozwoju gatunku jest *Dekameron*, czyli cykl nowelistyczny Giovanniego Boccaccia, włoskiego pisarza z XIV w. Zasady kompozycyjne noweli, wykształcone w utworach Boccaccia, są respektowane do dzisiejszego dnia.

Cechy gatunku

1. **Zwięzłość**, niewielkie rozmiary.
2. **Jednowątkowość**: aby osiągnąć zwięzłość, autor nie komplikuje fabuły, stara się o maksymalną prostotę i przejrzystość zdarzeń, często opiera utwór na jednym zdarzeniu (taki utwór zwany jest anegdotą).
3. Brak opisów i charakterystyk postaci, zwykle świadczy o nich ich postępowanie.
4. Przejrzysta konstrukcja utworu, w którym autor ukazuje fragment życia bohatera. Wszystkie wydarzenia mają wewnętrzną logikę rozwojową, od zawiązania fabuły do jej rozwiązania. Zakończenie noweli podkreślone jest wyrazistą puentą.
5. Wyraźny ośrodek kompozycyjny w postaci **punktu kulminacyjnego, motywu, kontrastu** organizujący utwór, np.:
   a) nowela *Sokół* Boccaccia: punktem kulminacyjnym jest wizyta Monny Giovanny u Federiga i prośba, by podarował jej choremu synkowi sokoła, którego młodzieniec zabił, aby przygotować ucztę dla ukochanej. Jest to moment zwrotny noweli, od tej chwili wypadki toczą się błyskawicznie;
   b) *Katarynka* B. Prusa: wpuszczenie kataryniarza na podwórko kamienicy;
   c) *Siłaczka* S. Żeromskiego: kontrast jako ośrodek kompozycyjny;
   d) *Kamizelka* B. Prusa: motyw kamizelki odgrywa ważną rolę w charakterystyce bohaterów.

Dalszy rozwój gatunku charakteryzuje odchodzenie od reguł w różnych kierunkach, a w rezultacie swobodniejsza konstrukcja opowiadania. Dzisiaj do utworów nowelistycznych zaliczamy także te, które nie mają wyraziście zarysowanych konturów kompozycyjnych, ale odznaczają się np. zwięzłością, wyrazistością wątku lub zdarzenia.

Wyraźne rozluźnienie kompozycji nowel obserwujemy w okresie pozytywizmu. Pisarze tego okresu piszą wiele krótkich utworów prozą, w wielu trzymają się reguł noweli, w wielu też je rozluźniają. Tworzą opowiadania o szerzej zarysowanej fabule, np. *Antek* B. Prusa, o kilku wątkach, np. *Powracająca fala* Prusa itp. Wpływ na rozwój gatunku mają też formy prozy publicystycznej i naukowo-krytycznej jak reportaż, felieton, esej.

ANTEK

Tytuł

Utwór ten powstał w 1881 r. Tytuł to imię głównego bohatera – wiejskiego chłopca, którego losy ukazane zostały skrótowo, na przestrzeni kilkunastu lat życia. Podobne chwyty literackie, dotyczące tytułowania utworów, były częste w literaturze pozytywistycznej, zwłaszcza tendencyjnej. W krótkim czasie zaczęły funkcjonować jako znaki, symbole losów, postaw, zachowań, wiązano je także z konkretnymi hasłami programowymi pozytywistów – pracą organiczną, pracą u podstaw.

Gatunek

Tytuł jest także sygnałem, że *Antek* to opowiadanie biograficzne o jednym wątku, obejmującym wydarzenia kilkunastu lat – to różni utwór od noweli. Natomiast typowe dla noweli cechy tego utworu to: zwięzłość, zwartość narracji, stosunkowo mała liczba bohaterów, jedno miejsce akcji.

Czas i miejsce akcji

Zarówno czas jak i miejsce wydarzeń nie są dokładnie określone, co zresztą dla akcji opowiadania nie jest istotne. Pierwsze zdanie utworu zawiera informacje o miejscu, w którym rozgrywają się wydarzenia: *„Antek urodził się we wsi nad Wisłą”* (str. 9) i to wystarczy – Prus pisze bowiem o realiach życia na wsi w latach 70. XIX w. Nie przedstawia konkretnego miejsca, to niepotrzebne – sytuacja wszędzie była podobna.

Plan wydarzeń

1. **Dzieciństwo Antka**: pomoc rodzicom, niebezpieczne przygody, fascynacja wiatrakami, pierwsze rzeźby, choroba i śmierć siostry Rozalki.
2. **W szkole**: stosunek nauczyciela do uczniów, praca w nauczycielskim gospodarstwie, zakończenie „nauki” z powodu braku pieniędzy.
3. Ciężkie czasy, **Antek jako uczeń kowala**: słabości (pociąg do alkoholu) i obawy kowala (niechęć do zdolnych czeladników, którzy w przyszłości mogliby stanowić konkurencję)
   a) niepospolity rzemieślniczy talent Antka;
   b) „egzamin” – podkucie konia;
   c) gniew kowala i zakaz przebywania w kuźni; powrót do domu.
4. **Pobyt w domu**: pomoc matce, prace rzeźbiarskie wykonywane z coraz większą pasją.
5. Antek i wójtowa – pierwsze młodzieńcze uczucie.
6. **Decyzja opuszczenia rodzinnego domu**, wędrówka do miasta.

Treść

Prus ukazał chronologicznie kilkanaście lat z życia Antka, wybierając sytuacje ważniejsze i wstrzymując akcję, by można je było dokładniej obserwować.

Dzieciństwo chłopca niczym się nie różniło od dzieciństwa jego rówieśników: przez dwa lata sypiał w nie malowanej kołysce po zmarłym bracie, a potem ustąpił miejsca siostrze, Rozalce, którą musiał się też zaopiekować. *„Przez ten rok kołysał siostrę, a przez cały następny – rozglądał się po świecie. Raz wpadł w rzekę, drugi raz dostał batem od przejezdnego furmana za to, że go o mało konie nie stratowały, a trzeci raz psy tak go pogryzły, że dwa tygodnie leżał na piecu. Doświadczył więc niemało"* (str. 5). **Beznamiętna, prosta narracja** sprzyja prezentacji losu wiejskiego dziecka, którym nikt się nie zajmuje, ponieważ rodzice nie mają na to czasu, zajęci pracą często przekraczającą ich siły. Zresztą od piątego roku życia Antek także pracował: pasł świnie, potem krowy, a młodsza od niego Rozalka zajmowała się domem.

Rodzice mieli z Antkiem same kłopoty: zamiast pracować, rozmyślał i marzył o wiatraku, który pewnego dnia ujrzał za Wisłą. Ciekawość dodała mu odwagi, przeprawił się promem na drugą stronę rzeki i zobaczył wiatrak z bliska. Odtąd strugał *„wiatraki, płoty, drabiny, studnie, a nawet całe chałupy"* (str. 6), nie zważając na surowe kary, jakie otrzymywał, kiedy bydło przez niego pilnowane weszło w szkodę. *„Przez ten czas urodził mu się jeszcze jeden brat, Wojtek, siostra podrosła, a ojca drzewo przytłukło – w lesie"* (str. 6) – relacjonuje narrator.

Epizodem, który Antek zapamiętał na całe życie, były okoliczności śmierci siostry, Rozalki. Dziewczynka zmarła w wyniku znachorskich praktyk Grzegorzowej, której wskazówkom matka Antka ślepo się poddała, nie mając odwagi protestować i głęboko wierząc w „mądrość" znachorki. Zdarzenie to jest koronnym dowodem nędzy i ciemnoty panujących na wsi. Podobne argumenty, tyle że humorystycznie ujęte, są zawarte w relacjach na temat wiejskiej oświaty. Ponieważ z Antka nie było pociechy w gospodarstwie, po naradzie z kumem Andrzejem matka postanowiła posłać go do szkoły. Początkowo chłopiec uczył się z zapałem, ponieważ liczył, że dowie się czegoś o wiatrakach, ale nauczyciel skutecznie pozbawił go ochoty do nauki, a że matka nie miała pieniędzy, chłopiec poznał zaledwie dwie litery alfabetu i po dwóch miesiącach przestał uczęszczać do szkoły.

Kolejnym ważnym epizodem w życiu Antka był pobyt w terminie u kowala. Chłopiec rwał się do pracy, szybko się uczył, wykonywał z metalu różne przedmioty, stawał się coraz lepszym rzemieślnikiem. Nie podobało się to kowalowi, który obawiał się konkurencji, więc po dwóch latach wyrzucił zdolnego ucznia. Odtąd Antek zajmował się wykonywaniem rzeźb, które kupował szynkarz Mordko i sprzedawał z zyskiem, wyzyskując nieświadomego wartości swych prac artystę. Chłopak tymczasem urósł, przeżył pierwszą miłość do pięknej wójtowej, ale wciąż nie było z niego pożytku w gospodarstwie. Matka i kum Andrzej zdecydowali więc, że powinien iść w świat, wyuczyć się jakiegoś rzemiosła. Zakończeniem opowiadania jest wzruszające pożegnanie z matką i kumem pod przydrożną figurą i odejście Antka.

Bohater – charakterystyka

Prezentując losy Antka, Prus cały czas podkreśla wyjątkowość chłopca, wyróżniającego się wśród rówieśników, i obojętność, niezrozumienie wiejskiego środowiska. Antek jest przede wszystkim ciekawy świata, wszystko go interesuje. Pisarz ogranicza się do krótkiego, ale niezwykle trafnego określenia: *„rozglądał się po świecie"* (str. 5).

Potem przyszło zainteresowanie wiatrakami, prawdziwa pasja, bo nie stłumiły jej nawet surowe kary. *„Ale chłopcu wiatrak spokojności nie dawał. Antek widywał go przecie co dzień. Widywał go i w nocy przez sen"* (str. 6). Ciekawość, upór, dociekliwość dodały mu odwagi, zakradł się na prom, by zobaczyć wiatrak na własne oczy, z bliska. Od tej pory rzeźbił wiatraki i inne przedmioty i... psuł koziki. Matka, kum Andrzej ubolewali nad nim, martwili się, że wyrośnie na darmozjada, hultaja, obawiali się nawet, że być może chłopiec jest mało rozgarnięty i nie będzie umiał poradzić sobie w życiu. Nie potrafili odkryć i zrozumieć niepospolitych zdolności dziecka, karali je za to, że za wszelką cenę chciało realizować swoje pasje. Mimo to chłopiec coraz częściej objawiał swoją wyjątkowość, był bystry, skłonny do refleksji, starał się poznawać świat najlepiej jak umiał, był wytrwały i uparty.

Pomysł pójścia do szkoły bardzo mu się podobał – liczył, że może tam nauczą go, jak budować wiatraki. Szybko odkrył bezwartościowość lekcji, nie podobała mu się również praca w gospodarstwie, do której nauczyciel często wykorzystywał swoich uczniów. Słowa Antka: *„Jak nas uczy po chłopsku – to łże. Napisze se na tablicy jakiś znak i mówi, że to dom z izbą, sienią, z obrazami. Człowiek przecie ma oczy i widzi, że to nie jest dom. A jak nas uczy po szkolnemu, to kat go zrozumie!"* (str. 12) – są znakomitą oceną bezużyteczności metod stosowanych przez nauczyciela.

Antek miał wyobraźnię, zmysł plastyczny, zdolności manualne, ale nie znalazł mistrza, który pomógłby mu je rozwinąć. Mógł to zrobić kowal, bo chłopiec rwał się do pracy w metalu, był uparty, nie przerażała go ciężka praca, z radością ją wykonywał. Tymczasem majster nie chciał dopuścić, by terminatorzy nauczyli się zawodu zbyt szybko, gdyż straciłby darmowych robotników i wychował sobie konkurentów. O zdolnościach Antka świadczy fakt, że tylko obserwując pracę kowala nauczył się podkuwać konie. Błędem szczerego chłopca było, iż się do tego przyznał. W końcu powrócił do domu. *„Teraz siedząc w domu pomagał czasem w gospodarstwie, ale przeważnie robił swoje maszyny i rzeźbił figury"* (str. 15). Narzędzia robił sobie sam, władał nimi biegle, był niezwykle zdolnym samoukiem. Jego rzeźby rozchodziły się po okolicy, Żyd na nich nieźle zarabiał, ale Antek, w swojej naiwności i prostocie, nie wiedział o tym.

O duchowym bogactwie Antka świadczy jego miłość do wójtowej: *„.... wydała się chłopcu jako święta, wobec której ludzie milkną i rzucają się w proch"* (str. 17). Dzięki niej pojął tragizm swego losu, zaczął marzyć o szczęściu. Mimo to, kiedy pojawiła się propozycja opuszczenia wsi, Antek przeraził się w pierwszej chwili: *„kiedy mi strasznie żal opuszczać swoich"*. Nie wiadomo, czy znalazł możliwości rozwoju swego talentu. Jak każdy rasowy artysta Antek nie potrafił troszczyć się o sprawy codzienne, zabiegać o własne interesy, korzyści, jeśli więc spotkał ludzi nieuczciwych, pewnie z łatwością mogli wykorzystywać jego talent. Mogło się też zdarzyć, że w końcu udało mu się znaleźć swego mistrza, który uświadomił mu jego zdolności i nauczył je pożytkować.

Formy narracji, sposoby opowiadania i opisywania rzeczywistości

W sposobie opowiadania i opisu zwraca uwagę bardzo prosta narracja, złożona z krótkich, nasyconych treścią zdań. Narrator mówi o zdarzeniach zwięźle, rzeczowo, np.: *„W chacie była z Rozalią wielka wygoda. Dziewczyna zimą zamiatała izbę, nosiła wodę, a nawet potrafiła krupnik ugotować. Latem posyłano ją do bydła z Antkiem, bo chłopak zajęty struganiem nigdy się nie dopilnował"* (str. 6). Pisarz jest oszczędny w opisach, rezygnując ze wskazań teoretyków realizmu, którzy zalecali nasycanie opisów szczegółami, drobiazgami, kolorami. Prus w ten sposób opisuje wiejski pejzaż: *„Każdy chłopski dom szarą słomą pokryty miał ogródek, a w ogródku śliwki węgierki, spomiędzy których widać było komin sadzą uczerniony i pożarną drabinkę."* (str. 5) – to wystarczy, by zasygnalizować miejsce akcji. Często posługuje się też opisem wyraźnie zabarwionym emocjonalnie, np.: *„a wiadomo, że ojciec Antka już od kilku lat wypoczywał na tym wzgórzu, gdzie przez żywopłot czerwonymi jagodami okryty spoglądają na wioskę smutne krzyże"* (str. 13). Taki króciutki opis zawiera informacje o chłopskim życiu, po którym śmierć jest wypoczynkiem oraz o smutnym losie pozostawionej bez męskiej opieki rodziny. Kontrast *„smutnych krzyży"* i *„czerwonych jagód"* pogłębia nastrój opisu.

Narrator stara się być **obiektywny**, ale nie może się oprzeć pragnieniu bezpośredniego kontaktowania się z odbiorcą. Chce mu wszystko wytłumaczyć, poruszyć jego sumienie, obudzić wrażliwość. Na początku odwołuje się do wyobraźni czytelnika: *„Kiedyś stanął na środku wsi, zdawało ci się, że oba pasma gór biegną ku sobie, ażeby zetknąć się tam, gdzie z rana wstaje czerwone słońce. Ale było to złudzenie"* (str. 5) – to opis rodzinnej wsi Antka. Na końcu autor zwraca się do odbiorców bezpośrednio, prosząc ich o wsparcie dla Antka: *„Może spotkacie kiedy wiejskiego chłopca, który szuka zarobku i takiej nauki, jakiej między swoimi nie mógł znaleźć. (...) Wówczas podajcie rękę pomocy temu dziecku"* (str. 21). Prus nie unika także komentarzy: dyskretnych, delikatnych, ale wyraźnych, np. w portrecie nauczyciela: *„... zastała go jak sobie łatał stary kożuch"*, *„Wielmożny pan, któremu słoma wyglądała z dziurawych butów, wziął Antka pod brodę, popatrzył mu w oczy i poklepał"* (str. 9). Cytaty te dotyczą sytuacji wiejskiego nauczyciela i poniekąd usprawiedliwiają jego zachowanie.

Wyraźniejszy komentarz uogólniający zawarty jest w cytacie: *„Dziwiono się tulentowi nieznanego samouka, niezgorzej nawet płacono za wyroby Mordce, ale o chłopcu nikt się nie pytał, a tym bardziej nikt nie myślał o podaniu mu pomocnej ręki. Alboż kto pielęgnuje polne kwiaty, dzikie gruszki i wiśnie, choć niby wiadomo, że przy staraniu i z nich byłby większy pożytek?..."* (str. 15). Prus unika przy tym ocen przedstawionej sytuacji, nie osądza chłopów, ciemnych, zacofanych, ale nie mających możliwości, by to zmienić. Przedstawiając fakty świadczące o zacofaniu cywilizacyjnym wsi, pisarz stara się oglądać rzeczywistość oczami bohaterów, przytacza ich oceny bezpośrednio lub w narracji. Trudno mu się jednak czasami ustrzec od gorzkiego lub ironicznego komentarza: *„Drabiny te zaprowadzono nie od dawna, a ludzie myśleli, że one lepiej chronić będą chaty od ognia niż dawniej bocianie gniazda. Toteż gdy płonął* *jaki budynek, dziwili się bardzo, ale go nie ratowali"* (str. 5). Jest to fragment narracji z przytoczeniem opinii wieśniaków, bez komentarza odautorskiego, ale wyraźnie świadczy o zacofaniu wsi.

Gdy Antek pyta matkę o wiatraki, ta odpowiada: *„At, głupiś"*, a narrator wyjaśnia *„Gdzie ona miała czas i rozum do udzielania objaśnień o wiatrakach!..."* (str. 6). Jest to informacja, ale i komentarz do sytuacji i wiedzy matki-chłopki. Dosłownie przytacza autor także sądy otoczenia o Antku: *„Nieraz matka widząc, że dziewucha, choć młodsza, ma więcej rozumu i chęci aniżeli Antek, załamywała z żalu ręce"* (str. 7). Kum Andrzej natomiast dowodził: *„Jego by zatem trza naprzód do szkoły, a potem do majstra. Nauczy się z książki, nauczy się rzemiosła i jeżeli nie zgałganieje, będzie żył"* (str. 7).

Narrator przytacza też opinię wsi o śmierci Rozalki: *„Umarła dziewucha – to trudno. Widać, że już tak było przeznaczone. Alboż to jedno dziecko co rok we wsi umiera, a przecież zawsze ich jest pełno!"* (str. 8). W ostatnim zdaniu pobrzmiewa jednak gorzka refleksja. Cały epizod ze śmiercią Rozalki relacjonowany jest bez jednego komentarza, chyba żeby za ironiczny komentarz uznać epitet *„wielka znachorka"* i określenie: *„posmarowała ją nawet sadłem"* (str. 7).

Taka oszczędność słowa jest charakterystyczna dla całego utworu. Ciekawy efekt uzyskuje Prus, przytaczając opinie chłopów o pożytkach z edukacji. Niski poziom wiejskich szkół, niekompetencja nauczycieli powodują, że chłopi nie widzą potrzeby posyłania dzieci do szkoły. Przykłady: *„... takich, co nie płacą mu osobno, gorzej uczy"* (str. 9), *„On niby, jak z nim gadać, to taki jest trochę głupowaty, ale uczy – jak wypada."* (str. 9). Antek stwierdza: *„Com się tam miał nauczyć! (...) Kartofle skrobią się tak we szkole, jak i w domu, świniom tak samo daje się jeść. Tyle tylko, żem parę razy profesorowi buty wyczyścił. Ale za to porwali na mnie odzienie przy tych tam... rozgrzewkach..."* (str. 12). Taki obraz szkoły nie wymaga komentarza odautorskiego, sam jest dla siebie komentarzem.

Najbardziej interesujące są te partie narracji, gdzie na świat patrzy się oczami Antka, ciekawego, spostrzegawczego dziecka. Szkoła *„Wydała mu się taka prawie porządna jak ta izba w karczmie, co w niej szynkwas stoi, a ławki były w niej jedna za drugą jak w kościele."* (str. 9), *„Cóż to była za radość! Teraz brakowało Antkowi tylko żony, żeby mógł ją bić, i już byłby z niego prawdziwy młynarz!"* (str. 6). Wszystkie zastosowane efekty służą pogłębieniu dramatycznej wymowy utworu o losie dziecka, którego talenty i możliwości być może się zmarnowały, bo nie znalazło zrozumienia w zbyt ciemnym i zacofanym środowisku.

Temat i problematyka

Tematem opowiadania są dzieje wiejskiego chłopca, Antka, różniącego się od rówieśników wrażliwością, zmysłem artystycznym i sposobem patrzenia na świat, słowem – „odmieńca". Prus umieścił historię Antka na tle życia jednej z polskich wsi, ukazał jego matkę, rodzeństwo: Rozalkę i Wojtka, kuma Andrzeja, znachorkę Grzegorzową, nauczyciela, piękną wójtową. Scenki z życia tych ludzi są ilustracją **pro-**

blemu zacofania i ciemnoty panujących na wsi. Jej mieszkańcy dotknięci są skrajną nędzą i brakiem nadziei na poprawę losu. Na pierwszym planie utworu wyeksponowany został **problem losu dzieci wiejskich**, nie mających szans rozwijania swoich uzdolnień i zamiłowań. Brak zrozumienia w środowisku, w którym dorastają oraz obojętność ludzi z zewnątrz, którzy mogliby pomóc, często są powodem unicestwienia jednostek utalentowanych, wyjątkowych, wrażliwych (zwróć uwagę na podobieństwo sytuacji Antka do położenia Janka z noweli H. Sienkiewicza *Janko Muzykant*).

NAWRÓCONY

Tytuł, temat, problem

Nowela pt. *Nawrócony* powstała w 1881 r. Tytuł odnosi się do bohatera utworu, pana Łukasza, który pod wpływem snu o piekle i karach, jakie spotkają tam grzeszników, uległ nawróceniu. Autor wykorzystał więc schemat znany literaturze, choćby z *Opowieści wigilijnej* K. Dickensa, ale zastosował go w sposób nowatorski, posługując się podwójnym nawróceniem bohatera. Tak więc tytuł to również sugestia **tematu** utworu (chwilowe nawrócenie skąpca pod wpływem snu) oraz **problemu** (krytyka skąpstwa, egoizmu, interesowności, a jednocześnie pesymistyczne powątpiewanie, by taki zdeklarowany kutwa mógł się kiedykolwiek zmienić).

Czas i miejsce akcji

Akcja utworu toczy się w Warszawie, na Starym Mieście. Gdzieś w pobliżu jest kolumna Zygmunta (*„poszedł po wodę koło Zygmunta"* – str. 35). Są to czasy współczesne Prusowi. Jednowątkowa, krótka akcja mieści się w trzech godzinach; narrator skrupulatnie notuje: *„Rzucił okiem na zegar. Szósta – i mrok już zapełnia pokój. Jest więc szósta wieczór. Ostatnia zaś godzina, jaką słyszał, była trzecia"* (str. 38). Do zasadniczego zwrotu akcji i dramatycznego, przewrotnego zakończenia dochodzi następnego dnia po południu.

Plan wydarzeń

1. Skąpstwo i tryb życia pana Łukasza.
2. Przeszłość bohatera: pierwsze objawy chorobliwego skąpstwa, pilna nauka, aby otrzymać wszelkie możliwe nagrody, praca w biurze, zabiegi o łaski zwierzchników, przykry stosunek do kolegów, ślub i śmierć żony, wychowanie córki i kontakty z nią i zięciem.
3. Przyjaźń z Kryspinem, spotkania przy kartach.
4. Wiadomość o śmierci adwokata, sen o piekle.

a) spotkanie z Kryspinem i pozostałymi przyjaciółmi, którzy w piekle tworzą sąd;
b) postanowienie poddania Łukasza próbom, dzięki którym będzie można udowodnić, że był za życia dobrym człowiekiem;
c) polecenie zrobienia dobrowolnej i bezinteresownej ofiary dla ubogich; zaklęcie duszy Łukasza w stary pantofel – bohater daje bezprzykładne dowody skąpstwa;
d) wypędzenie Łukasza z piekła, wieczny pobyt na ziemi jako kara za jego skąpstwo.
5. Przemiana bohatera – pomoc lokatorom kamienicy.
6. Przyjazd adwokata Kryspina, który – jak się okazało – wcale nie zginął w katastrofie kolejowej; pan Łukasz odzyskuje swe dawne cechy.

Treść

Zdarzenia jednego wątku są ściśle związane z postacią bohatera, pana Łukasza. Pan Łukasz, warszawski mieszczanin, całe życie strawił na zaspokajaniu swego instynktu posiadania: walczył ze wszystkimi, by zagarnąć jak najwięcej dla siebie. Nawet jedynej córce nie chciał przekazać kamienicy, którą odziedziczyła po matce i procesował się z nią. Tak więc starość zastała go samotnego, w mieszkaniu typowym dla skąpca: nagromadził w nim, wyłudzając lub kupując za bezcen, przedmioty niepotrzebne i bezużyteczne, które leżą bez ładu i składu, pokryte kurzem. Oprócz nich ma jeszcze w woreczku na piersiach pieniądze i papiery wartościowe na 30 tysięcy rubli. Jest zupełnie sam: skłócony z rodziną, pozbawiony służby. Z dawnych przyjaciół, z którymi grywał w preferansa, pozostał mu tylko adwokat Kryspin.

Bohatera interesuje jedynie gromadzenie pieniędzy. Myśli tylko o tym, jak nie płacić podatku, jak przerzucić koszty remontu na lokatorów, jak podnieść komorne, nie zapłacić rzemieślnikowi za usługę.

Akcja rozpoczyna się w chwili, gdy pan Łukasz, w przeddzień procesu z córką, czeka na przyjazd adwokata i przyjaciela w jednej osobie. Sytuacja się komplikuje, kiedy bohater otrzymuje list z wiadomością, iż adwokat zginął w katastrofie kolejowej. Zrozpaczony kładzie się na łóżku i popada w stan odrętwienia, wydaje mu się, że umiera. W pewnej chwili spostrzega, że stoi przed jakimiś drzwiami. Za nimi zauważa Kryspina i swych dawnych przyjaciół: sędziów i prokuratorów. Po krótkiej rozmowie orientuje się, że jest w piekle. Nie rozstrzygnięto jednak jeszcze, w jakim kręgu piekieł ma się znaleźć i czy będzie mógł nadal grywać w karty z dawnymi przyjaciółmi. Ma o tym zadecydować dochodzenie, dotyczące tego, czy pan Łukasz choć raz w życiu dokonał czegoś bezinteresownie. Okazuje się, że stary kutwa nigdy niczego takiego nie zrobił. Wszystko to, co on sam uważa za czyn bezinteresowny, jest tylko dobrze zamaskowanym, a niekiedy nawet zupełnie jawnym działaniem we własnym interesie.

Wreszcie prowadzący dochodzenie postanawiają poddać skąpca kilku próbom. Najpierw każą mu złożyć ofiarę na ubogich. Pan Łukasz daje trzy ruble, ale do ogłoszenia dodaje reklamę własnej kamienicy. Otrzymawszy polecenie rezygnacji z części reklamowej, drastycznie zmniejsza ofiarowaną sumę do pięciu kopiejek. Na pytanie diabła, dlaczego składa taką ofiarę, nie zapomina dodać, że na zbawienie własnej duszy. Jego datek przestaje być bezinteresowny i w dodatku jest śmiesznie niski, jak na wzmiankowany przcz pana Łukasza cel. Diabeł orzeka, iż nie chce mieć w piekle tak lichej duszy. Wtedy sąd decyduje się na ostatnią próbę: dusza bohatera zostaje zaklęta w stary pantofel, aby choć w tej postaci oddał ludziom jakąś przysługę. Ale nawet w takim wcieleniu dusza skąpca nie chce służyć ludziom bezinteresownie. Od żebraczki, która znajduje pantofel, pan Łukasz żąda tylu dowodów wdzięczności, że w końcu kobieta ciska stary pantofel na samo dno piekła. Decyzją diabła pan Łukasz zostaje wyrzucony nawet z piekła i skazany na wieczne życie w swoim mieszkaniu.

Kiedy starzec budzi się na podłodzc we własnym pokoju, obolały i zmęczony, ogarnia go przcrażenie. Wstrząśnięty piekielną wizją uświadamia sobie pustkę i bezsens własnego życia. Nagromadzone bogactwo traci dla niego wartość, odwołuje więc licytację stolarza i darowuje mu zaległe komorne, oddaje murarzowi zajęte narzędzia i wypłaca mu należność. Opowieść powinna się w tym miejscu zakończyć: skruszony grzesznik zmienia swoje życie, wymowa dydaktyczna utworu widoczna jest jak na dłoni. I tu spotyka nas niespodzianka.

Na drugi dzień pan Kryspin, który nie zginął w katastrofie kolejowej, przynosi panu Łukaszowi wiadomość, że przegrał proces z córką o kamienicę. Musi więc wnieść apelację albo oddać dom. W duszy bohatera toczy się walka chciwości z postanowieniem poprawy. Gdy ostatecznie uświadamia sobie, że przeżyty koszmar był tylko snem, natura bierze górę i pan Łukasz wraca do dawnego trybu życia, żałując 13 rubli, które stracił w chwili słabości. Zakończenie utworu jest przewrotne i bardzo poeymistyczne, ale chyba jednak prawdziwsze.

Bohater – charakterystyka

Sylwetka chciwca została w noweli zarysowana niezwykle ostro. Prus opisuje go ze złośliwym, zjadliwym humorem. Już wygląd zewnętrzny świadczy o jego przykrej naturze: *„Był to starzec wysoki, chudy, pochylony. Liczył około siedemdziesięciu lut i miał czarne, dość gęste włosy upstrzonc siwymi kosmykami. Nic posiadał ani jednego zęba, a śpiczasta broda zbiegała mu się z hakowatym nosem, co fizjognomii starca nie nadawało przyjemnego wyrazu”* (str. 23). Sposobem charakteryzowania bohatera jest też prezentowanie go poprzez otoczenie, w którym żyje: *„Prócz tego największego były jeszcze dwa pokoje mniejsze, tak już zapełnione gratami, że chodzenie po nich przedstawiało pewne trudności. Graty owe, niepodobne jedne do drugich, ustawione nieporządnie, ściśnięte, próchniejące, wyglądały tak, jak gdyby z różnych stron świata spędzono je do wspólnego grobu”* (str. 23). O charakterze pana Łukasza świadczy całc jego życie: jako dziecko *„wydrwiwał on od swoich rówieśników zabawki”* (str. 24), jako uczeń pracował dla nagród, jako pracownik chciał *„wykonywać wszelkie prace, zabierać wszystkie pensje i łaski zwierzchników”* (str. 24). To ostatnie było już trudniejsze, więc skupił się na gromadzeniu dóbr. Zachłanność, egoizm pozbawiły go przyjaciół i znajomych. Gromadząc majątek, wcale z niego nie korzystał: jadał licho, nigdzie nie bywał, nie dbał o zdrowie. Żona rychło mu zmarła i zostawiła jedną córkę, o którą pan Łukasz wcale się nie troszczył, wydał ją szybko za mąż i procesował się z zięciem o posag. Żył samotnie i wcale nie czuł potrzeby kontaktów z ludźmi. Przez jakiś czas miał rozrywkę – grywał w preferansa z adwokatem Kryspinem, sędziami i prokuratorem. Gdy koledzy pomarli, został mu tylko Kryspin.

Nie żył w zgodzie z sąsiadami, kłócił się z nimi o komorne, nie dbał o dom. Nie było w nim za grosz współczucia, litości. Zagroził rodzinie stolarza licytacją, mimo że widział ich nędzę spowodowaną chorobą ojca – jedynego żywiciela. Nie zapłacił murarzowi, który u niego pracował, a nawet zajął mu narzędzia, uniemożliwiając pracę zarobkową. Był więc wyzyskiwaczem, oszustem. Nic sobie nie robił z tego, że ludzie źle o nim mówili i wynajmowali mieszkania w jego kamienicy tylko w ostateczności.

O skąpstwie pana Łukasza dobitnie świadczą medytacje na temat wielokrotnie łatanego i wreszcie wyrzuconego na śmietnik pantofla – chciwiec jeszcze się zastanawia, czy może nie za wcześnie go wyrzucił. Na wieść o śmierci Kryspina martwi się głównie tym, że jego zastępcy będzie musiał zapłacić, a Kryspinowi nie płacił za prowadzenie procesu. Nie ma zupełnie poczucia, że czyni źle. Na myśl o piekle stwierdza: *„Za co* (...) *Cóżem ja komu winien?"* i dodaje: *„Naturalnie, żem nic nikomu nie winien... Jak żyję, nie pożyczałem pieniędzy od nikogo!..."* (str. 27). W zestawieniu tych dwóch znaczeń słowa „winien" wyraźnie widać charakter Łukasza. Jedyna wina, według niego, to być komuś winnym jakieś dobra; o moralnym sensie winy i grzechu bohater nie ma pojęcia. Także w piekle myśli tylko o pieniądzach i dziwi się, iż nie mają one tutaj żadnej wartości. Nie rozumie, dlaczego się tam znalazł, a na pytania o czyny bezinteresowne odpowiada, że bezinteresownie postępował przez całe życie, ale nie pamięta, co takiego robił, bo jest stary. Jest więc niepoprawny, zatwardziały, nie rozumie swoich błędów, poddany egzaminowi – nie zdaje go. Dlatego tak trudno uwierzyć w jego poprawę po przebudzeniu, natomiast prawdziwe i szczere wydaje się jego stwierdzenie: *„Wczoraj byłem trochę rozstrojony, obiecałem, że cofnę licytacją, i nawet (wstyd mi wyznać!) dałem babie dwa ruble... Ale dziś jestem już zupełnie trzeźwy i uroczyście odwołuję wszystkie nierozsądne obietnice"* (str. 41).

W osobie pana Łukasza Prus stworzył postać skąpca porównywalną pod względem trafności rysów z Harpagonem Moliera.

Kompozycja *Nawróconego* jako klasycznej noweli

Bogata, obfitująca w zdarzenia akcja i ciekawa sylwetka bohatera zostały pokazane na niespełna trzydziestu stronach tekstu. Stało się to możliwe dzięki zwartości, zwięzłości bardzo treściwych opisów i ograniczeniu wypowiedzi do podania niezbędnych faktów. Początek jest najkrótszy z możliwych: *„Pan Łukasz siedział zamyślony"* (str. 23) – autor zaczyna więc, przechodząc od razu do rzeczy. Potem następuje opis postaci, połączony z oceną bohatera, zaprezentowanego też na tle środowiska, w jakim żyje, i krótka historia jego życia oraz stosunków z przyjaciółmi, sąsiadami i lokatorami. Zanim pan Łukasz zaczyna śnić, wiemy już o nim prawie wszystko. Co więcej, autor systematycznie wymienia rekwizyty kojarzące się z piekłem, do którego przeniesie akcję w śnie bohatera. Na ulicy gotuje się smoła i pana Łukasza dusi dym, na śmietniku leży pantofel, w który zostanie zaklęta dusza pana Łukasza, a wreszcie posłaniec, zły, że nie dostał napiwku, przeklina skąpca: *„Bodaj cię z piekła wyrzucili!..."* (str. 26), co faktycznie ma miejsce w końcowej sekwencji utworu. Absurdalność przekleństwa zastanawia nawet samego bohatera: *„Mnie by tam z piekła wyrzucili!..."* (str. 27).

Najciekawszą częścią utworu jest groteskowy obraz piekła i absurdalny proces pana Łukasza. Jest to obraz zaskakujący i, choć są w nim diabły i ogień piekielny, niezwykle przypominający ziemską rzeczywistość. Wyrzucony z niego chciwiec rozmyśla: *„Zdawało mu się jednak, że piekło jest dość podobne do Warszawy i że kary, trapiące grzeszników, są raczej dalszym ciągiem ich żywota aniżeli jakimiś wymyślnymi mękami!"* (str. 36). Życie bohatera było tak ponure, szare, bezbarwne i pozbawione pierwiastków duchowych, że piekło, według niego, niewiele różni się od ziemi i martwi się, że go z niego wyrzucono, skazując na życie, jakie wiódł dotychczas. To wydaje mu się gorsze od piekła. Obraz piekła ma także wymowę satyryczną, której ostrze skierowane jest przeciw mieszkańcom i władzom Warszawy.

Po wyrzuceniu z piekła bohater się budzi i następuje radykalna zmiana w jego zachowaniu. Niestety na krótko – gwałtowny i zupełnie niespodziewany zwrot w akcji powoduje, że pan Łukasz wraca do swych przyzwyczajeń. Zakończenie jest dobitne, z wyraźnie zasygnalizowaną puentą. Taka budowa: zwarta, jednowątkowa, oparta na jednym wydarzeniu, z dobitnym początkiem i zakończeniem jest typowa dla klasycznej noweli. *Nawrócony* jest więc przykładem takiej właśnie noweli, której wyznaczniki są przez Prusa realizowane w sposób doskonały.

Narrator i narracja

Jak w wielu innych utworach B. Prusa, tak i w *Nawróconym* występuje narrator nie kryjący swych opinii i szukający bezpośredniego kontaktu myślowego z czytelnikiem. Oceny narratora dotyczą głównie pana Łukasza, jego nieprzyjemnego wyglądu, np. *„Okrągłe zapadnięte oczy, a nad nimi brwi krzaczaste – żółta, pomarszczona skóra na twarzy i lekkie trzęsienie głowy nie robiły go piękniejszym"* (str. 23).

Najwyraźniej narrator ujawnia swe opinie w refleksjach uogólniających, takich jak: *„Istnieje wodorost pochodzący, jak mówią, z Ameryki, który odznacza się takim łakomstwem i tak szybkim rozwojem, że gdyby go nie wytępiono, zapchałby sobą wszystkie rzeki, stawy i jeziora na świecie, zagarnąłby każdy cal ziemi wilgotnej, pochłonąłby wszystek węgiel z powietrza, zdusiłby wszystkie inne wodorosty nie przez zawiść, złość lub przez brak poszanowania cudzych praw, ale tak sobie, z wrodzonego popędu. Pan Łukasz był podobną istotą w rodzaju ludzkim"* (str. 23).

Także opisy wnętrza mieszkania pana Łukasza są wyraźnie zabarwione emocjonalnie. Narrator świetnie się też posługuje ironią, jak choćby przytaczając refleksję bohatera dotyczącą jego córki i ewentualności, że po odzyskaniu kamienicy każe ona ojcu płacić komorne: *„Ona zawsze była dobrym dzieckiem... Ale zresztą – dodał z westchnieniem – i to być może. Dzisiejszy świat jest taki chciwy!..."* (str. 25). Takie słowa wypowiada najbardziej znany z warszawskich skąpców, który w dodatku do tej pory posiada kamienicę córki, a przegranie procesu traktuje jak wielkie nieszczęście.

Podobna ironia pobrzmiewa w słowach: *„Niepoczciwi ludzie oczerniali pana Łukasza. Mówili, że jest chciwy, zły ojciec, zły gospodarz i że chociaż na piersiach nosi trzydzieści tysięcy rubli listami zastawnymi, przecież nie chce odnawiać mieszkań i zarywa lokatorów, o ile się da"* (str. 25).

Obraz piekła w noweli utrzymany jest **w konwencji satyrycznej** i groteskowej. Po pierwsze bohater zastaje w nim dawnych kolegów i cieszy się, że będzie mógł z nimi nadal grać w karty. Jego zdziwienie budzi fakt, że pieniądze nie mają tu żadnej wartości, bo *„wikt mamy darmo, mieszkanie darmo, odzienie nie niszczy się, a w preferansa grywamy o grzechy powszednie"* (str. 30). Wprawdzie są tu też diabły, ogień i grzesznicy jęczący w łańcuchach, ale sala, w której znalazł się pan Łukasz, przypomina sąd lub biuro notarialne. Najciekawsze jest jednak to, że bohater odnajduje w piekle widoczne podobieństwa do ziemskiej rzeczywistości, np. archiwum z teczkami akt opatrzonych nazwiskami właścicieli kamienic w Warszawie, akt preferansistów, wiściarzy itp. *„Nad szafami widać było gęstą pajęczynę, pająki z twarzami słynnych lichwiarzy, które zajmowały się udręczaniem much. W tych biednych owadach pan Łukasz poznał najznakomitszych współczesnych rozrzutników"* (str. 31). Wkraczamy więc tu na teren satyry. Podobnie sądy ziemskie zostały skrytykowane przez porównanie z piekielnym. *„Pan Łukasz spostrzegł, że już w połowie prokuratorskiej mowy wszyscy sędziowie twardo zasnęli. Nie dziwiło go to jednak, gdyż jako zapamiętały procesowicz bardzo często bywał na sądach tam na ziemi"* (str. 32). Nie zaskakuje go także zachowanie obrońcy, który *„Gmatwał sprawę, kręcił i kłamał tak znakomicie, że aż w zakratowanych oknach sali ukazywały się zdziwione twarze diabłów"* (str. 32).

Wyśmienity portret zbiorowy mieszkańców Warszawy, przedstawicieli różnych profesji i zajęć zbliżony jest do **karykatury**. Piekło jest podobne do miasta, a kara polega na tym, że ludzie są skazani na te same czynności, jakie wykonywali za życia. Zarząd miejski dalej rządzi, tyle że także *„po całych dniach jeździ drabiniastymi wozami po piekielnych brukach, nie lepszych od warszawskich"* (str. 36). Znani ze swych miłosnych podbojów amanci nadal uwodzą, ale ich wybranki teraz mają po 80 lat i urodę stosowną do wieku.

„W ratuszu kilkanaście komitetów naradzało się nad kanalizacją, oczyszczeniem miasta, drożyzną mięsa i tym podobnymi kwestiami." (str. 37) i też, jak na ziemi, bez widocznych skutków. Dziennikarze wiecznie parzyli herbatę, recenzenci musieli grać w omawianych przez siebie sztukach i czytać własne artykuły itp. Z pewnością, pisząc ten fragment, Prus korzystał ze swoich dziennikarskich i reporterskich doświadczeń.

Po obejrzeniu piekła bohater znowu znalazł się na ziemi, gdzie niemal natychmiast podjął decyzje mające radykalnie zmienić jego życie. Nawet zatęsknił za ludźmi, za ludzką twarzą, za rozmową, ale *„na miasto iść nie śmiał obawiając się, ażeby mu nie przypomniało zbyt wyraźnie piekła"* (str. 40). Pan Łukasz, podobnie jak Dante, odbył wędrówkę przez piekło i ujrzał w nim karykaturalne odbicie świata. Nie przeżył jednak głębokiej wewnętrznej przemiany, jego wędrówka nie miała znaczenia.

MICHAŁKO

 Tytuł

Opowiadanie powstało w 1880 r. Tytuł to imię głównego bohatera, którego dzieje są tematem utworu.

Gatunek

Zwięzłość, zwartość jednowątkowej akcji, skupionej na postaci bohatera, zbliżają utwór do noweli. Rozległość czasowa i luźność kompozycji, rozbitej na kilka części – epizodów, są powodem, dla którego należy traktować *Michałka* jako opowiadanie biograficzne.

Czas i miejsce akcji

Michałko jest opowiadaniem, którego akcja rozgrywa się w czasach współczesnych autorowi. Wskazują na to fakty związane z rozbudową kolejnictwa i rozwojem budownictwa w Warszawie, dzięki czemu Michałko i jemu podobni znajdują pracę. Miejscem akcji jest Warszawa, a raczej jej przedmieścia i place budów. Miasto widziane jest oczami Michałka – przybysza ze wsi, przerażonego gwarem, ilością spotykanych na ulicach ludzi, ogromem Warszawy. Nie zna jej, raz po raz się gubi i nie potrafi wrócić w miejsce, z którego wyszedł. Dzięki takiej prezentacji duże miasto staje się wielkim, złowrogim labiryntem, co służy podkreśleniu dramatyzmu akcji. Wyjątkowej wymowy nabiera także bohaterski czyn nieporadnego, zagubionego w nim, ciemnego według innych chłopa, który bez wahania ryzykuje życiem, aby uratować człowieka, mimo że nikt z tłumu zebranych nie waży się na to.

Plan wydarzeń

1. Zakończenie robót przy kolei; Michałko wyrusza do miasta.
2. Praca na budowie, pierwsze uczucie do dziewczyny i pierwsze rozczarowanie.
3. Wędrówka przez miasto; zagubiony; poszukiwania nowej pracy.
4. Katastrofa – zawalenie kamienicy
   a) Michałko spieszy na ratunek;
   b) wynosi spod gruzów człowieka;
   c) wystraszony przez jednego z bardziej agresywnych gapiów znika.

Treść i kompozycja

Prus bez wstępów, od pierwszych słów opowiadania przechodzi do rzeczy: *„Roboty przy kolei skończono. Podradczyk wypłacił, komu co należało, oszukał, kogo można, i ludzie poczęli rozchodzić się gromadami, każdy do swojej wsi"* (str. 43). Tylko *„durny Michałko"* nie miał dokąd pójść. Zainteresował się nim inżynier i poradził, by jechał do Warszawy, gdzie dużo się buduje. Część utworu, zawierająca opis podróży Michałka do stolicy, posłużyła pisarzowi do zaprezentowania bohatera, jego przeszłości, sytuacji życiowej, a także mentalności, świadomości wiejskiego chłopaka, najemnego robotnika pozbawionego jakiegokolwiek życiowego oparcia, bez doświadczenia, wykształcenia, samotnie borykającego się z losem.

W części drugiej autor przedstawił pracę Michałka na budowie i jego proste, szczere, choć nie do końca uświadomione uczucie do zatrudnionej tam dziewczyny. Ta część mogłaby być osobną nowelą. Ma dramaturgię, konflikt, świetnie nakreśloną sytuację. Mimo zwięzłości autor doskonale przedstawił trzech bohaterów dramatu: bitą, poniewieraną, wykorzystywaną, ale kochającą czeladnika dziewczynę, samego czeladnika, tchórzliwego i pozbawionego skrupułów, i ofiarę – Michałka, który ochrania dziewczynę, pracuje za nią, daje jej pieniądze, broni przed agresją kochanka, ale przegrywa, ponieważ nie jest kochany.

Część trzecia to historia poniewierki Michałka, który zagubiony w wielkim mieście, bezradny, popychany, daremnie szuka pracy. W końcu znajduje ją przy budowie fabryki, ale tylko na krótko, w dodatku znowu zostaje oszukany przy wypłacie i po raz kolejny rozpoczyna wędrówkę po mieście w poszukiwaniu zajęcia. W ostatnim epizodzie opowiadania autor ukazuje Michałka ratującego życie robotnikowi przysypanemu gruzem w zawalonym domu. Epizod ten jest **kulminacyjnym punktem** opowiadania, mógłby też być osobną nowelą, tak jest dramatyczny. Zaraz potem Prus umieścił **zakończenie**, zaskakujące, można powiedzieć negatywne, bo inne niż oczekiwane. Zamiast uznania i szacunku dla swego bohaterstwa, Michałko zostaje zlekceważony, w końcu ucieka przed krzykiem i agresją tłumu, który jeszcze przed chwilą wielbił odwagę nieznajomego. Będzie musiał nadal sam sobie radzić, nie wiadomo, jak potoczą się jego losy. W ostatniej scenie znowu podstawowym środkiem artystycznego wyrazu staje się prostota. W zwięzłych, krótkich zdaniach Prus opisuje poszukiwania Michałka, w momencie wzrostu napięcia, kiedy czytelnik odnosi wrażenie, że lada moment bohater zostanie odnaleziony, autor kończy opowiadanie, ostatnie słowa padają po wymownej pauzie:

„W kilka minut później zaczęto z bramy wołać tego, który biedaka wyniósł spod gruzów. Nie odezwał się nikt.

– Jak on wygląda? – pytano.

– To chłop. Miał białą sukmanę, okrągłą czapkę i był bosy...

– Nie ma tam takiego na ulicy?...

Poczęto szukać.

– Był tu taki – krzyknął ktoś – ale poszedł!...

Rozbiegła się policja, rozbiegli się robotnicy i – nie znaleźli Michałka." (str. 56).

Bohater – charakterystyka

Michałko, zwany *„durnym Michałkiem"*, pochodził z Wilczołyków. Po zakończeniu pracy na budowie nieopodal rodzinnej wsi nie miał dokąd wracać. Samotny, ubogi, opuszczony przez pracujących z nim robotników, z których każdy spieszył do własnego domu, nie miał gdzie iść. Właśnie w takim momencie życia Prus przedstawia swojego bohatera: *„Jak ten zając, co w tej oto chwili przeskakuje szyny, tak on, chłopski sierota, gniazdo miał w polu, a spiżarnię – gdzie Bóg da"* (str. 43). W tej sytuacji wyjazd Michałka do Warszawy jest nie tyle świadomie podjętą decyzją, ile koniecznością. Bohater ma przy tym specyficzne wyobrażenie o mieście: *„Choć go nazywali «durnym», tyle przecie rozumiał, że na świecie mniej przymiera się z głodu i łatwiej o nocleg aniżeli na wsi. O! na świecie chleb jest bielszy, na mięso można choć popatrzeć, domów więcej i ludzie nie tacy mizerni jak u nich"* (str. 44). Już na początku wielkiej odysei Michałka do miasta ujawniają się jego podstawowe cechy: naiwność, prostota, szczerość, dobroć, niewinność, ufność do ludzi i świata. Bohater przeżywa lęk przed nowością, olbrzymią przestrzenią, którą obserwuje podczas podróży, tęsknotę za rodzinnymi stronami, ale ani raz nie myśli o tym, że ktoś umyślnie mógłby mu zrobić krzywdę. Jest wzruszająco skromny i nieporadny, stara się żyć w zgodzie ze wszystkimi napotkanymi ludźmi, tylko jego wyjątkowa dobroduszność sprawia, że stać go na usprawiedliwienie tych, przez których cierpi, na przykład dziewczyny wykorzystującej jego dobroć i łagodność.

Zwracają uwagę szlachetność, takt i wrażliwość bohatera. Szanuje decyzję dziewczyny, nie narzuca się, wydaje się instynktownie rozumieć uczucia, których sam jeszcze nie doświadczył. Jest mądry naturalną, wynikającą wyłącznie z ludzkiej natury, „czystą" mądrością. Według jej praw nie można zbyt wiele wymagać od innych, trzeba szanować ich decyzje, chronić się przed gniewem, usuwać przed zbyt agresywnymi, ale chronić słabszych, pomagać potrzebującym, nawet... za cenę własnego życia. Wzruszająca jest walka Michałka z samym sobą tuż przed uratowaniem człowieka: *„Nie pójdę! Nie chcę!..."* myśli i w tej samej chwili rusza naprzód. Idzie w imię poczucia zwykłej ludzkiej solidarności z człowiekiem, który, jak on, przyszedł do miasta *„na zarobek"*, z poczucia obowiązku, aby ratować zagrożonego.

Prostota, naiwność i nieśmiałość bohatera są też przyczyną jego niepowodzeń, wie, że sam musi dawać sobie radę, z wdzięcznością przyjmuje pomoc, jednak nie liczy na innych. Nie potrafi się upominać o to, co mu się należy, liczy na uczciwość i prawość innych, ponieważ on sam jest uczciwy i prawy. Ta ufność w dobroć ludzi jest właśnie przyczyną jego nieszczęść, ale jednocześnie z niej bohater czerpie siłę, by przetrwać.

Narracja – świat widziany oczami bohatera

Najciekawszym zabiegiem zastosowanym w opowiadaniu jest ograniczenie do niezbędnego minimum opisów, refleksji, ocen, komentarzy odautorskich. Dzieje się tak dlatego, że narrator stara się rezygnować z własnego oglądu świata przedstawionego, a prezentuje go tak, jak widzi go bohater, *„durny Michałko"*. Czasami tylko opowiadający jakby wychyla się zza pleców bohatera i wtrąca jakąś pojedynczą uwagę. Niekiedy nawet trudno te wzmianki wyłowić z tekstu. Ich ton jest najczęściej gorzki, bo smutne są losy Michałka. Już pierwsze zdanie zawiera taką uwagę: urzędnik płacący robotnikom *„oszukał, kogo można"*, pewnie także Michałka. Dlaczego nazywano go *„durnym"*? Bo był sierotą, był samotny, nie miał nikogo, kto mógłby się za nim ująć. Był też zalękniony, zamknięty w sobie, małomówny. Pochodził ze wsi, nie miał wykształcenia, niewiele wiedział o świecie, *„nie miał gdzie iść"*.

Michałko nie wie, gdzie leży Warszawa, ale dzięki życzliwym ludziom wybiera się tam, by szukać pracy. Nie umie wyrażać swoich uczuć, ale na widok rodzinnej wsi, obok której przejeżdża pociąg, rozrzewnia się, śmieje, macha czapką, mocno przeżywa rozstanie z rodzinnymi stronami. Narrator notuje, że *„go coś bardzo nudziło w sercu, więc zaczął mówić pacierz"* (str. 44).

Dalej prezentuje świadomość Michałka, który wie, że na szerokim świecie mniej przymiera się z głodu niż we wsi. Ciekawie rozgląda się wokół i widzi *„piękne dwory i murowane budynki, lepsze niż u nich kościoły – albo karczmy"* (str. 44). Oto przykład spojrzenia na świat prostego chłopa, który porównuje widziane do tego, co zna i pamięta. Miasto widzi podobnie: *„Zdawało się, że domy włażą jeden na drugi, a w każdym tyle światła, co gwiazd na niebie. Na stu pogrzebach nie zobaczyłby tylu świec, co w tym mieście..."* (str. 44). Ogarniający go lęk Michałko łagodzi powtarzając sobie: *„Nie bój się, jakie to dziwne rzeczy na świecie..."* (str. 44). Gdy życzliwy inżynier pyta go, czy nie zginie między ludźmi, Michałko odpowiada: *„Komu ja, panie, zginę, kiedy nie mam nikogo?"*, a narrator dorzuca uwagę: *„Rzeczywiście, komu on miał zginąć!"* (str. 45). Podróż, choć przejmuje lękiem, jednak ekscytuje bohatera. Porównuje się on do bohatera baśni ludowej porwanego przez wicher. Lokomotywę widzi jako maszynę ziejącą ogniem, potężniejszą od wichru, czuje jak ona go niesie, porywa jak burza. Lęka się przyszłości, ale dźwiga swój los z pokorą: *„Taka wola boska. Od tego przecie biedny chłop, żeby dźwigał nędzę na karku, a w sercu obawę i żal..."* (str. 45).

Jego zakłopotana mina, pokorne spojrzenie wywołują agresję ludzi, którzy chętnie go poszturchują i śmieją się z niego. On jednak się tym nie przejmuje, bo cieszy się, że znalazł pracę, wie co będzie robił przez następnych kilka tygodni, zdaje sobie sprawę z tego, że jest bezpieczny, zarobi na siebie, zapewni sobie byt.

Na budowie poznaje dziewczynę, tak biedną jak on. Nie jest ładna, ale Michałko nie jest wybredny. Nie ma tu rozważań o miłości, są natomiast dobroć, łagodność, zrozumienie bohatera wobec kobiety – piękne gesty miłości: Michałko pracuje za dziewczynę, dzieli się z nią posiłkiem i daje jej pieniądze, które ona oddaje czeladnikowi, ze spokojem znosi drwiny kolegów, ma poczucie, że czyni dobrze i to mu wystarcza. Niestety nie zna świata i praw, które tu rządzą, jest zdziwiony i zasmucony zachowaniem dziewczyny, która porzuca go dla czeladnika, choć tamten nie jest dla niej dobry. Mimo to rozumie, że miłość nie polega jedynie na przywiązaniu i wzajemnym świadczeniu sobie dobroci, jest wrażliwy i zadziwiająco wyrozumiały: *„Cóż on na to poradzi, chociaż jest dobry i silny?... Instynktownie szanował jej przywiązanie do czeladnika, nie gniewał się, że daną mu obietnicę złamała, nie myślał narzucać gwałtem swoich uczuć. Ale pomimo to tak mu było jej żal, tak było żal..."* (str. 49).

Z żalu opuszcza budowę i poszukuje pracy. Staje się to pretekstem do zamieszczenia w opowiadaniu opisu Warszawy widzianej oczami Michałka. Dziwi się berlinkom, że choć wielkie, nie toną w Wiśle, podziwia most żelazny, koło zamku zdejmuje czapkę, bo myśli, że to kościół. Oszałamia go ruch, tłum ludzi, gubi się, błąka, aż trafia do jakiejś fabryki i dostaje pracę przy jej budowie. Po jej zakończeniu znowu zostaje oszukany.

Prus obiektywnie rejestruje, że Michałko raz po raz spotyka ludzi, którzy go oszukują albo wyśmiewają. Błąkając się po mieście, czuje się coraz bardziej zagubiony, przerażony, myśli o powrocie na wieś, ale nie może znaleźć kolei. Miasto wydaje mu się dżunglą, błądzi, nic wie, gdzie jest. W końcu w pobliżu ma miejsce wypadek i Michałko wraz z tłumem ciekawych staje przed zawaloną kamienicą. Ogarnia go ogromny strach, ale czuje także *„ból rannego, jego bojaźń, rozpacz, a jednocześnie czuł jakąś silę, która popychała go naprzód..."* (str. 55).

Michałko nie rozmyśla wiele, boi się, ale wie, że musi ratować rannego: *„Zdawało mu się, że w tłumie nikt, tylko on jeden ma obowiązek i – musi ratować człowieka, co przyszedł tu ze wsi na zarobek"* (str. 55). Solidarność z biedakiem, bratem, ludzkie współczucie, a także podświadome poczucie obowiązku są bodźcami, którymi kieruje się bohater. Pewnie nawet nie umie nazwać swych doznań, ale wie, że tak trzeba postąpić. Nie myśli, że się naraża, boi się, bo jest to poczucie instynktowne, ale czuje jednocześnie, że musi pomóc. Po fakcie skromnie odchodzi, nie czuje, by zrobił coś nadzwyczajnego. Otacza go tłum gapiów ciekawych wrażeń; jeden z nich przepędza Michałka, znowu grożąc policją.

Obojętni lub agresywni ludzie – oto środowisko, w którym znalazł się bohater. Zdarzają się też życzliwi: inżynier, przechodzień, który dał mu dziesięć groszy; dzięki nim Michałko wciąż wierzy w dobroć i szlachetność innych. Świat oglądany z pozycji bohatera może jest ubogi w obrazy, szczegóły, ładne widoki, wrażenia. Michałko odczuwa rzeczywistość jako chaos, ale – dzięki wartościom, które wyznaje – nigdy nie traci orientacji moralnej. One każą mu ufać ludziom, znosić w pokorze swój los, drwiny i śmiech, pomagać słabej kobiecie i biedakowi, którego spotkało nieszczęście.

Problematyka

Pisząc opowiadanie, Prus sięgnął po ważny i aktualny w tym okresie temat – problem związany z rozwojem kraju, zgodnie z pozytywistycznym hasłem pracy organicznej. Nie poprzestał na jałowych rozważaniach nad rozbudową miast i postępem technicznym, choć niewątpliwie i te akcenty są obecne w utworze. Pokazał natomiast konkretnego bohatera i konkretną sytuację, w jakiej się on znalazł. W czasie, kiedy powstawało opowiadanie, do miast rzeczywiście napływały rzesze ludności wiejskiej, a wyobrażenia Michałka o mieście były wspólne dla wielu chłopów poszukujących pracy, liczących na lepszą przyszłość w nowym środowisku. Tymczasem wyobrażane sobie przez nich niemal jak arkadia miasto wchłaniało ich w siebie, niektórym powodziło się tu lepiej, większości jednak bardzo źle. Zagubieni, bezradni, pozbawieni opieki, pomocy, jakiegokolwiek punktu oparcia, wyzyskiwani i oszukiwani skazani byli na wegetację, często w nędzy. **Kapitalistyczny wyzysk**, krzywda tysięcy prostych, uczciwych ludzi, którzy z ufnością oddali swe siły pracy nad postępem i nowym obliczem miast – to jeden problem utworu.

Drugi jest związany z prezentacją bohatera i sposobem traktowania go przez innych. Michałko to jeden z prostych, ale pełnych godności i szlachetności ludzi. Brak wykształcenia, a także dobroć, ufność, nieśmiałość, sprawiają, że już nie tylko majstrowie, ale nawet inni robotnicy traktują go jak człowieka niższej kategorii. Miasto działa na niego niszcząco, demoralizująco. Michałko jeszcze się opiera, ale to przecież początek jego drogi po Warszawie, doznał już wielu krzywd, nie wiadomo, jak zmieni się jego charakter i czy zachowa swoją szlachetność. Prus pokazuje, jak wrogo miasto traktuje przybyszów, jak drogo każe sobie płacić za możliwość pobytu i pracy tutaj. Bohater przeżywa lęk, czuje się samotny, zagubiony, z nikim nie może się porozumieć, jest coraz bardziej wyczerpany. Piękny jest jego gest, kiedy ratuje drugiego człowieka, jeszcze traktuje go jak brata, kogoś bliskiego, bo w takiej jak on sytuacji, ale czy to się nie zmieni? Czy po dłuższym pobycie w mieście Michałko w podobnej sytuacji nie stanie wśród gapiów? To kolejne problemy opowiadania, tym razem natury społecznej i moralnej: **wpływ miasta na ludzi z zewnątrz**, szlachetność i uczciwość narażone na zniszczenie, wreszcie obojętność i nieczułość wobec cudzej krzywdy.

KATARYNKA

Tytuł

Nowela powstała w 1880 r. Jest jednym z najbardziej znanych i lubianych utworów B. Prusa oraz, wbrew pozorom, utworem trudnym do omówienia. Z bezosobowym narratorem i przezroczystą, niezauważalną narracją wydaje się na pierwszy rzut oka utworem oczywistym, łatwym do interpretacji. Tymczasem najgłębsze jej sensy są ukryte i trzeba się ich domyślać. Tak jest i z tytułem. Wskazuje on na rekwizyt, o którym wspomina się na początku i który odegrał znaczącą rolę w przemianie bohatera na końcu. Katarynka jest motywem wiążącym cały utwór, spajającym go, jest prawie bohaterem utworu, wpływającym na zmianę postawy głównego bohatera, pana Tomasza.

Gatunek

Katarynka jest bez wątpienia nowelą, utworem jednowątkowym, zawierającym jedno znaczące wydarzenie, decydujące dla przyszłości bohatera, pod wpływem którego całe jego życie ulega zmianie. Narrator rezygnuje ze wstępu i natychmiast przechodzi do sedna opowieści. Całość zakończona została wyraźną puentą. Pewnym odstępstwem od konwencji noweli jest przedstawienie, choć skrótowe, biografii bohatera, obejmującej kilkadziesiąt lat.

Czas i miejsce akcji

Jak zwykle u Prusa i zgodnie z realistyczną metodą twórczą czas i miejsce akcji są konkretne i znajdują odpowiednik w rzeczywistości. Opowieść zaczyna się słowami: *„Na ulicy Miodowej co dzień około południa można było spotkać jegomościa w pewnym wieku, który chodził z placu Krasińskich ku ulicy Senatorskiej"* (str. 57). Miejscem akcji jest więc śródmieście Warszawy i okoliczne ulice, mające swój odpowiednik w rzeczywistości. Dalej Prus wymienia kościół Kapucynów, sklepy Pika (zegarmistrz) i Mieczkowskiego (fotograf). Wreszcie najważniejsze wydarzenia rozgrywają się w przeciętnej warszawskiej kamienicy, w mieszkaniu od frontu (które jest własnością pana Tomasza), w oficynie (zajmowanej przez wdowę z niewidomą córeczką) i na podwórzu. Miejsce więc przedstawione jest z reporterską ścisłością. Czas zaś jest współczesny Prusowi.

Treść, plan wydarzeń

1. Pan Tomasz – przeszłość, sposób i tryb życia
    a) **młodość**: zainteresowanie kobietami, pilna i sumienna praca w sądzie, liczne znajomości, aktywny tryb życia;
    b) **dojrzałość**: kariera zawodowa, objęcie stanowiska mecenasa, poszukiwania żony, fascynacja sztuką; zmiana dotychczasowego trybu życia – dbałość o własne wygody i spokój, przekształcenie luksusowo urządzonego mieszkania w salon, gdzie systematycznie spotykali się znajomi i przyjaciele bohatera, aby rozmawiać o sztuce i podziwiać dzieła zgromadzone przez pana Tomasza;
    c) **po porzuceniu praktyki adwokackiej**: spokojne, ustabilizowane życie, delektowanie się sztuką, całkowity brak zainteresowania innymi ludźmi i ich sprawami.
2. Mieszkanki oficyny – tryb życia
    a) ciężka i wytrwała praca dwu kobiet;
    b) samotność i smutek małej dziewczynki.
3. Odkrycie przez mecenasa kalectwa dziecka.
4. Historia choroby: utrata wzroku, złe prognozy lekarzy, nadzieja, że dziecko odzyska jednak zdolność widzenia; powolne przyzwyczajanie się bohaterki do nowego stanu, poznawanie świata na nowo, nabywanie zdolności „widzenia" innymi zmysłami; nuda i osamotnienie dziewczynki skazanej na nieustanny pobyt w niewielkim mieszkaniu, w towarzystwie matki i jej przyjaciółki.
5. Niespodziewane wydarzenie – wkroczenie na podwórko, wbrew poleceniu pana Tomasza i na skutek zbiegu okoliczności, kataryniarza; zachwyt niewidomego dziecka i upojenie muzyką, obserwacje pana Tomasza.
6. Wewnętrzna przemiana mecenasa, poczucie odpowiedzialności za innych i odkrycie, że może pomagać w nieszczęściu.

Bohater – charakterystyka

Głównym bohaterem noweli jest pan Tomasz, emerytowany adwokat, stary kawaler, koneser sztuki. Pierwszą część utworu zajmuje prezentacja bohatera i jego biografii. Narrator opisuje go szczegółowo, bezpośrednio i poprzez zachowania oraz przytaczane opinie znajomych. *„Jegomość miał twarz rumianą, szpakowate faworyty i siwe, łagodne oczy. Chodził pochylony, trzymając ręce w kieszeniach. W dzień pogodny nosił pod pachą laskę; w pochmurny – dźwigał jedwabny parasol angielski"* (str. 57).

Opisując postać, narrator jednocześnie akcentuje pewne cechy charakteru bohatera: pan Tomasz jest niezwykle punktualny, systematyczny, precyzyjny. Ma pewne przyzwyczajenia i nie lubi od nich odstępować. Prowadzi spokojny, uregulowany tryb życia, jest łagodny, życzliwy, z uśmiechem ustępuje ludziom spotkanym na swej drodze. Jest znawcą sztuki i wielbicielem pięknych kobiet. Teraz jedynie podziwia ich urodę. Kiedyś, jakieś trzydzieści lat temu, kochał wiele kobiet i spędzał czas między sądem a schadzkami.

Prezentując życiorys bohatera, narrator nie ocenia ani młodzieńczych szaleństw pana Tomasza, ani stopniowej stabilizacji jego trybu życia, choć czasami mówi o nim z nutką lekkiego humoru, a nawet ironii, np. *„Gdy został mecenasem, czoło, skutkiem natężonej pracy umysłowej, urosło mu aż do ciemienia, a na wąsach pokazało się kilka srebrnych włosów"* (str. 57).

W tym okresie życia pan Tomasz pomyślał o małżeństwie, wynajął mieszkanie, skrupulatnie je urządzał i równie starannie rozglądał się za kandydatką na żonę. Robił to chyba zbyt starannie, gdyż w końcu się nie ożenił. Narrator stwierdza z kpiną: *„Ta była za młoda, a tamtą uwielbiał już zbyt długo. Trzecia miała wdzięki i wiek właściwy, ale nieodpowiedni temperament, a czwarta posiadała wdzięki, wiek i temperament należyty, ale... nie czekając na oświadczyny mecenasa wyszła za doktora..."* (str. 58). Ostatecznie przeszła mecenasowi ochota na ożenek, zajął się kolekcjonowaniem dzieł sztuki i smakowaniem spokojnego, cichego, dostatniego życia. Otoczony pięknymi przedmiotami i gronem przyjaciół nie tęsknił do życia rodzinnego, zrezygnował też z głębszych uczuć.

Wiódł uporządkowane, monotonne życie, stał się chłodny i obojętny, ale było mu z tym dobrze i nie krzywdził nikogo. Narrator i w tym miejscu nie ocenia pana Tomasza, traktuje go życzliwie i informuje czytelnika: *„Nie zapalał się on, nie unosił, ale – smakował"* (str. 58). Jako uzupełnienie tej informacji należy potraktować przytoczoną wypowiedź przyjaciela pana Tomasza, który na zachwyty jednej z pań *„Co za obrazy... A jakie gładkie posadzki! ...Żona pana mecenasa będzie bardzo szczęśliwa"*, odpowiedział: *„Jeżeli do szczęścia wystarczą jej gładkie posadzki"* (str. 58).

Miał pan Tomasz jedną słabość, dziwactwo – nienawidził katarynek, płacił więc stróżowi, by nie wpuszczał katryniarzy na podwórko kamienicy, w której mieszkał. Ale los tak zrządził, że to właśnie katarynka odmieniła życie bohatera.

Niewidoma dziewczynka – druga bohaterka utworu

Samotnik i mizantrop, pan Tomasz, sądził, że w jego życiu nic się już nie zdarzy, niczego nie oczekiwał, egzystując spokojnie i życzliwie, z daleka przyglądając się ludziom. Tak właśnie obserwował lokatorki z przeciwka – dwie kobiety i ośmioletnią dziewczynkę. Najpierw narrator patrzy na lokatorki oczami pana Tomasza, który zauważa zapracowane kobiety i dziecko, dziwnie blade i spokojne. Bohater widzi smutek dziewczynki, jest nim prawie zgorszony, aż któregoś dnia odkrywa jego przyczynę: dziewczynka jest niewidoma. Od tego momentu narrator odchodzi od relacjonowania obserwacji pana Tomasza i opowiada o przyczynach kalectwa dziecka oraz losach lokatorek. Ta retrospektywna wstawka jest bardzo wzruszająca. Prus z niezwykłym wyczuciem, bardzo umiejętnie przedstawia przeżycia dziewczynki, szok jakiego dziecko doznaje, gdy uświadamia sobie, że już nigdy nie zobaczy słońca. Relacjom tym autor nadał formę dialogów z matką, w których dziewczynka pyta o kolory, o to, co widać w lustrze... Autor z dużym wyczuciem przedstawia proces adaptowania się dziecka do życia w ciemności, uczenie się rozpoznawania świata dotykiem, słuchem, węchem.

Są to najciekawsze partie noweli. Zawierają próbę opisu odbioru świata przez niewidome dziecko i to próbę udaną. Prus znakomicie umiał wczuć się w przeżycia kalekiej dziewczynki i opisać je w przejmujący sposób. Czytelnik nie zna nawet imienia bohaterki, ale po poznaniu jej losów staje mu się ona bardzo bliska. Podobne odczucia ma pan Tomasz. Nieszczęście i cierpienie dziecka sprawiają, że mecenas uświadamia sobie naprawdę wartościowe gesty i sposób życia. Widząc tańczącą dziewczynkę głęboko odczuwa, jak mało wart jest jego zmysł estetyczny wobec radości i szczęścia małej sąsiadki. Budzi się w nim nowy, wrażliwszy, lepszy, może szczęśliwszy, a na pewno mniej samotny człowiek.

Punkt kulminacyjny

Dopiero po przedstawieniu i zetknięciu obojga bohaterów narrator przechodzi do opowieści o zdarzeniu, które odmieniło ich życie i które jest związane z motywem katarynki, dotąd przewijającym się tylko przez utwór.

Nowy stróż nie wiedział o katarynkowej fobii pana Tomasza i wpuścił na podwórko kataryniarza. Pan Tomasz też zmienił nieco swe przyzwyczajenia i wcześniej wrócił do domu, by zająć się ciekawym problemem prawniczym, absorbującym go od wielu dni. Taki zbieg okoliczności musiał być powodem awantury. Wszystko ją zapowiadało: *„Wrażenie było potężne. Mecenas osłupiał. Nie wiedział, co myśleć i co począć. (...) To była rzeczywista katarynka, z popsutymi piszczałkami i bardzo głośną trąbą! W sercu mecenasa, tego wyrozumiałego, tego łagodnego człowieka, zbudziły się dzikie instynkta”* (str. 64).

Narrator nie analizuje przeżyć bohatera. Rejestruje je jedynie za pomocą krótkich, rzeczowych zdań. Mecenas już był gotów wszcząć awanturę, gdy spojrzał przez okno i spostrzegł reakcję niewidomej. Dziecko tańczyło z zarumienioną twarzyczką, płakało ze szczęścia. *„Niewidoma dziewczynka była upojona”* (str. 65) – rejestruje narrator. Opisując reakcję dziecka, Prus nie daje nawet wzmianki o tym, co przeżył pan Tomasz obserwujący dziewczynkę. A przeżył coś niezwykle ważnego, jeśli tak bardzo się zmienił. Pisarz zanotował jedynie zachowanie bohatera, który już spokojny, flegmatyczny, choć trochę blady, poleca stróżowi wpuszczać na podwórko kataryniarzy. Gdy zdziwiony służący puka się w czoło, pan Tomasz z uśmiechem rzuca kataryniarzowi dziesiątkę. Następnie znajduje adresy znanych warszawskich okulistów i stwierdza: „*Biedne dziecko!... Powinienem był zająć się nim od dawna...*" (str. 66).

To bardzo ciekawe zakończenie utworu. Prus rezygnuje zupełnie z analizy przeżyć bohatera. Dotąd opisywał go szczegółowo, choć bez rozwlekłości, rejestrował zachowania, reakcje. Czytelnik bardzo dobrze poznał pana Tomasza, wyrobił sobie o nim zdanie. Trudno przypuszczać, aby ten przyzwyczajony do swego wygodnego trybu życia starszy pan, w jakikolwiek sposób zmienił swoje zachowanie. I nagle, niespodziewanie następuje zmiana, a tymczasem autor nie wspomina słowem, na czym ona polega, i co się właściwie takiego stało. Tego trzeba się domyślić, wiadomo, że pan Tomasz poczuł się winny, że do tej pory pozostawał obojętny wobec nieszczęścia małej sąsiadki.

Jak już wspomniano, Prus nie ocenia bohatera, ale pomaga nam go ocenić. Nie jest to człowiek zły, nikogo nie krzywdzi, żyje sam dla siebie, zamknięty w sobie, zajęty swoimi sprawami, z chłodnym sercem, umysłem zaprzątniętym pięknymi przedmiotami i używaniem życia. Nagle w życiu tego człowieka coś się zdarzyło – nic tak naprawdę wielkiego, ale w duszy bohatera zaszło coś ważnego. Prus tego nie nazywa, każe się czytelnikowi domyślać, wyobrazić sobie, co takiego się stało. Ostatnie słowa pana Tomasza świadczą o poczuciu winy za dotychczasowe życie oraz o podjęciu decyzji, by coś w nim zmienić. Co się właściwie stało w sercu, w duszy pana Tomasza?

Problematyka

Odpowiedź na postawione wyżej pytanie mieści się w sferze zagadnień objętych problematyką utworu. **Temat** noweli łatwo sprecyzować: jest to obrazek z codziennego życia mieszkańców warszawskiej kamienicy i epizod z życiorysów dwojga ludzi, których zetknął los. W momencie tym pan Tomasz rezygnuje ze swej niechęci do katarynek, by sprawić przyjemność ociemniałemu dziecku. I tylko tyle... Już współcześni nazywali Prusa piewcą codzienności i rzeczywiście artysta umiał niezwykle ciekawie pisać o zwykłych sprawach i prostych, niczym nie wyróżniających się ludziach. Taki jest też temat omawianej noweli, a jednak można w niej odnaleźć poważne problemy moralne i psychologiczne.

Po pierwsze Prus ukazuje, że **warto być otwartym na sprawy innych ludzi**, dostrzegać je i pomagać, o ile to możliwe. Postać pana Tomasza dowodzi, jak **wielką przyjemność może sprawić rezygnacja z własnych egoistycznych upodobań, jeśli można tym sprawić radość bliźniemu**, zwłaszcza gdy jest to ktoś szczególnie potrzebujący. Na przykładzie pana Tomasza Prus próbuje uświadomić czytelnikowi, jak wiele zyskuje przy tym dający – w rzeczywistości, wraz z postanowieniem pomocy niewidomej, bohater odnalazł sens życia. Oboje potrzebowali pomocy, oboje byli bardzo samotni: ona, bo ciekawa świata, spragniona nowych wrażeń skazana była na życie w ciągłej ciemności; on, bo zamknięty w swoim mieszkaniu, otoczony luksusowymi i pięknymi przedmiotami tęsknił do więzi uczuciowej z innym człowiekiem, chciał czuć się potrzebny, darzony prawdziwą przyjaźnią, serdecznością, a po kilkudziesięciu latach życia dobitnie się przekonał, że nie zapewnią mu tego nawet najbardziej rzadkie i piękne dzieła sztuki.

Prus eksponuje także **problem kalectwa**, bezbronności i bezsilności dotkniętego nim dziecka. Pokazuje, jak ważny jest dla niego kontakt ze światem ludzi zdrowych, jak atrakcyjny i upragniony jest dla niego ten świat i jak ważne jest, by uczynić ten kontakt możliwym.

Pisarz zwraca wreszcie uwagę na **problem samotności**, która spotyka wszystkich ludzi. Pan Tomasz nie potrafił ułożyć swego życia tak, by się przed nią zabezpieczyć. Podświadomie chyba się jej lękał, próbował znaleźć sobie żonę, nie udało się. Choć miał wiernych przyjaciół, prowadził wygodny tryb życia, miał szerokie zainteresowania, z których nie zrezygnował z wiekiem, wiedział, że czegoś mu brakuje. Zdaje się, że widząc tańczące dziecko, zrozumiał swoje tęsknoty, a cytowane już zdanie *„Powinienem był zająć się nim od dawna"* kryje w sobie także chęć ukojenia własnej samotności.

KAMIZELKA

Tytuł

Nowela powstała w 1882 r. Jej tytuł dotyczy ważnego motywu występującego w opowieści, tj. starej, zniszczonej kamizelki. Nie jest ona tylko rekwizytem, staje się motywem, bo ważna jest dla narratora jako znak, dowód rzeczowy przeprowadzonych obserwacji, a dla mieszkającego naprzeciwko małżeństwa jest symbolem ich losu: bezmiaru niedoli i bezmiaru miłości.

Gatunek

Kamizelka zaliczana jest do nowel ze względu na zwięzłość, zwartość, wyraźne rozpoczęcie i zakończenie. Utwór ma budowę ramową: są to dwie nowelki jedna w drugiej. Pierwsza jest opowieścią o kolekcjonerskiej pasji narratora, a zwłaszcza o przyczynach zainteresowania kamizelką i o jej nabyciu. Druga to historia kilku miesięcy życia pewnej pary małżonków, sąsiadów narratora, będących obiektem obserwacji. Rozciągnięta w czasie na kilka miesięcy, choć krótka i jednowątkowa, staje się opowieścią biograficzną, podobnie jak *Katarynka* czy *Antek*.

Czas i miejsce akcji

Akcja toczy się w czasach współczesnych Prusowi, w ciągu kilku miesięcy, od kwietnia do listopada. Rozgrywa się w Warszawie, a dokładniej w pewnej bliżej nie określonej warszawskiej kamienicy. Wspomniany jest też Ogród Botaniczny, Łazienki, a także czytany przez bohatera „Kurier Świąteczny". Realia wzbogaca też scenka z żydowskim handlarzem starzyzną. Typowe jest zwłaszcza jego zachowanie podczas targowania się i specyficzny język.

Treść, plan wydarzeń

1. Opowiadanie narratora o jego osobliwej kolekcji, dokładny opis kamizelki, która związana jest z historią sąsiadów do niedawna jeszcze zajmujących mieszkanie naprzeciwko lokum narratora; streszczenie ich losów
   a) **kwiecień**: spokojne życie małżeństwa, w mieszkaniu oprócz nich przebywa jeszcze służąca;
   b) **lipiec**: rezygnacja z zatrudniania służącej – pogorszenie się sytuacji material-nej sąsiadów;
   c) **październik**: w mieszkaniu jest już tylko pani;
   d) **początek listopada**: licytacja sprzętów z mieszkania;
   e) **koniec listopada**: pani opuszcza mieszkanie.
2. Relacja narratora dotycząca nabycia przez niego starej kamizelki – własności bohatera mieszkającego naprzeciwko, wspomnienia związane z sąsiadami
   a) spokojny, skromny, ale ustabilizowany tryb życia, niedzielne spacery po tygo-dniu ciężkiej pracy, szczęście;
   b) początek choroby męża, wizyta doktora, przerażenie i nadzieja;
   c) zmiana trybu życia małżeństwa – mąż przestaje pracować, żona utrzymuje całe gospodarstwo, smutek i niepokój chorego, którego kobieta stara się coraz usil-niej uspokoić;
   d) rozmowa pani z doktorem, świadomość, że mąż jest nieuleczalnie chory, decy-zja ukrycia przed nim za wszelką cenę prawdy o jego stanie;
   e) sprawa kamizelki: pan przesuwa sprzączkę, aby nie niepokoić żony wciąż pogar-szającym się stanem swego zdrowia, pani skraca pasek, by uspokoić męża.
3. Refleksje narratora spoglądającego na starą, zniszczoną kamizelkę – świadectwo bezgranicznej miłości i oddania dwojga ludzi.

Bohaterowie – charakterystyka

Narrator – mieszkaniec jednej z warszawskich kamienic, prawdopodobnie zwy-kły, przeciętny człowiek charakteryzujący się może większą niż inni wrażliwością i posiadający doskonałą zdolność obserwacji. Z zamiłowania jest kolekcjonerem przedmiotów, które, pozbawione zupełnie materialnej wartości, mają to do siebie, że wywołują wspomnienia. Właśnie ta ich właściwość ma dla narratora noweli szczególne znaczenie. W jego zbiorze zwraca uwagę stara kamizelka związana z historią mieszkającego nieopodal małżeństwa. Narrator nie ukrywa, że ten „szmat sukna" przypomina smutek i zaraz potem dodaje, że człowiek czasem ma ochotę wspominać wydarzenia związane z tym uczuciem. Ma naturę refleksjonisty, być może jego także los ciężko doświadczył, ale zdobywa się na optymizm. Patrzy na świat z lekką ironią, jest pobłażliwy w stosunku do innych, potrafi zauważyć i właściwie ocenić piękno ludzkich uczuć i postaw.

Małżeństwo – sąsiedzi narratora, urzędnik i nauczycielka. Ludzie całkowicie sobie oddani, którzy potrafią dla siebie nawzajem cierpieć; skromni, spokojni, cieszący się własnym szczęściem i wspierający w nieszczęściu. Z pokorą i spokojem przyjmują to, co przynosi im los.

Pani jest opiekuńcza i troskliwa, roztacza wokół męża aurę spokoju i ciepła, wie, że właśnie tego chory najbardziej potrzebuje. Imponują opanowanie i wewnętrzna dyscyplina, z jaką kobieta narzuca sobie spokój w najtrudniejszych chwilach. Potrafi pokonać ból, lęk, brak nadziei, bezsilność i smutek męża, stara się, by w ostatnich miesiącach życia czuł się spokojny i kochany.

Mąż w pełni docenia starania żony, choć to przychodzi mu nieraz z wielkim trudem. Prawdopodobnie i on zdaje sobie sprawę z tego, jak poważna jest jego choroba. Jak każdy człowiek boi się śmierci, rejestruje najdrobniejsze fakty świadczące o pogorszeniu zdrowia, jest przerażony coraz większą utratą sprawności, rozgoryczony złym stanem psychicznym, własną drażliwością, przeżywa chwile skrajnego zwątpienia i braku nadziei. Mimo to zdobywa się jeszcze na drobne oszustwo w stosunku do żony – przesuwa sprzączki przy kamizelce, aby po jej powrocie z radością oświadczyć, że być może powraca do zdrowia, bo ubranie staje się zbyt ciasne. Oboje tworzą piękną parę.

Narrator i narracja

W opowieści ramowej występuje **pierwszoosobowy narrator**, zbieracz osobliwości, kolekcjoner wspomnień i przedmiotów z nimi związanych. Opowiada o swojej kolekcji tak: *„Jest tam mój dramat, który pisałem jeszcze w gimnazjum na lekcjach języka łacińskiego... Jest kilka zasuszonych kwiatów, które trzeba będzie zastąpić nowymi, jest... Zdaje się, że nie ma nic więcej oprócz pewnej bardzo starej i zniszczonej kamizelki"* (str. 67). Cytat świadczy o rodzaju zainteresowań kolekcjonera i o roli, jaką odgrywa w zbiorze tytułowa kamizelka. Narrator drobiazgowo ją opisuje, wyciąga na jej podstawie wnioski o właścicielu, dzieli się swymi uwagami, bezpośrednio zwracając się do odbiorcy: *„Patrząc na to od razu domyślasz się, że właściciel odzienia zapewne co dzień chudnął..."* (str. 67). Takie bezpośrednie zwroty nadają opowieści cechy gawędy. Następnie narrator wyznaje, dlaczego nabył kamizelkę i w jakich okolicznościach stał się jej właścicielem. Przyznaje, że *„Człowiek miewa w życiu takie chwile, że lubi otaczać się przedmiotami, które przypominają smutek"* (str. 67). Kamizelka przypomina mu sąsiadów, którzy przez kilka miesięcy byli obiektem jego zainteresowań. W kilku kronikarskich zdaniach streszcza wiele miesięcy swych obserwacji, a następnie wplata w opowieść barwny epizod targowania się o kamizelkę z żydowskim handlarzem. Scenka ta na zasadach kontrastu wnosi do smutnej, refleksyjnej opowieści ton żartobliwy, barwy życia, dialog ze sprytnym handlarzem, od razu wyczuwającym zainteresowanie nabywcy i podnoszącym z tego powodu cenę. Ciekawy jest zwłaszcza jego język: mieszanina warszawskiej gwary i żargonu polsko-żydowskiego *„A fajn mebel!...", „Jakie kamyzelkie?...", „Co wielmożnego pana po takie kamyzelkie?!"* (str. 68) itd.

Wreszcie narrator opowiada **dzieje sąsiadów.** Czyni to z takim przekonaniem, iż czytelnik zapomina o rygorach motywacji realistycznej i nie pyta, czy rzeczywiście niedyskretny obserwator cudzej niedoli mógł widzieć i słyszeć to wszystko, co działo się w mieszkaniu naprzeciwko. Narrator opowiada bez zbędnych słów. Podaje tylko tyle informacji, ile trzeba. Nie znamy nawet imion ani nazwisk bohaterów. Opisy są ograniczone do minimum, np. *„Byli to ludzie młodzi, ani ładni, ani brzydcy, w ogóle spokojni."* (str. 69). Opatruje swą opowieść komentarzami, będącymi uogólniającą filozoficzną refleksją o ludzkich losach, np. *„W ogóle biednym ludziom niewiele potrzeba do utrzymania duchowej równowagi. Trochę żywności, dużo roboty i dużo zdrowia. Reszta sama się jakoś znajduje"* (str. 69). Czasami przemyślenia te zabarwione są leciutką nutą ironii i goryczy, np. *„Moim sąsiadom, o ile się zdaje, nie brakło żywności, a przynajmniej roboty. Ale zdrowie nie zawsze dopisywało"* (str. 69). Trzeba przy tym pamiętać, że w swym komentarzu narrator starannie unika ocen, nie analizuje zachowań, nie wydaje sądów. Nie komentuje nawet danych dotyczących sytuacji życiowej bohaterów. Informuje: *„Mąż nie chodził już do biura, co mu tym mniej robiło kłopotu, że jako urzędnik najemny nie potrzebował brać urlopu, a mógł wrócić, kiedy by mu się podobało i – o ile znalazłby miejsce"* (str. 71). Komentarz nie jest tu potrzebny, bo doskonale wiemy, że chorujący najemny urzędnik nie znajdzie żadnej pracy, a więc nie ma urlopu, a także dochodów. Dalej narrator opowiada: *„Za to już wieczory spędzali razem. Pani zaś, aby nie próżnować, brała trochę więcej do szycia"* (str. 71). Znowu mamy do czynienia z suchą relacją, z której jednak możemy się domyślać, jak ciężko pracowała kobieta, aby zarobić na utrzymanie domu i leczenie męża. Końcowa refleksja narratora, podsumowująca dzieje małżonków, jest gorzka, ale i optymistyczna zarazem. Gorycz mieści się w spojrzeniu na przyrodę: *„Padał tylko śnieg tak gęsty i zimny, że nawet w grobach marzły ludzkie popioły"* (str. 73). Optymizm wyraził narrator w pytaniu retorycznym: *„Któż jednak powie, że za tymi chmurami nie ma słońca?..."* (str. 73).

Sposób opowiadania o ludzkiej niedoli i o ogromnej miłości

Opowiadanie o mężu i żonie, sąsiadach narratora, jest smutne i gorzkie, stąd te ponure refleksje końcowe. Jednocześnie jest to opowiadanie niezwykle budujące, bo autor mówi o tym, do jakich pięknych uczuć i czynów zdolni są zwyczajni, przeciętni ludzie. Prus mocno podkreśla zwyczajność swych bohaterów: on – drobny *„urzędniczek"*, ona nauczycielka. Żyją nad wyraz skromnie, w niedzielne popołudnie pozwalają sobie na kufel wody sodowej i dwa pierniki, ale są szczęśliwi. Brak imion i nazwiska, a także opuszczenie szczegółowych opisów bohaterów i ich życia pozwala narratorowi na maksymalne uogólnienie ich losów. Są to, jak w moralitecie, reprezentanci ogółu. Bohaterowie żyją, pracują, darzą się miłością, a potem dzielnie znoszą nieszczęście, które na nich spada. Historia ich życia opisana jest w sposób pełen niedomówień. Niedomówienie jest głównym środkiem artystycznym zastosowanym w tym utworze. Składniowym wyrazem tych niedomówień są krótkie zdania, równoważniki zdań, zdania urwane z wielokropkiem. Wydaje się, że więcej jest tu treści niewypowiedzianych niż wypowiedzianych. Nie mówi się o miłości, trosce, niepokoju, świadczą o nich czyny i niedopowiedziane zdania w dialogach. Nie mówi się o chorobie, śmierci, choć jej obecność wszyscy wyczuwają. Nawet doktor, odwiedzający chorego, posługuje się niedomówieniem, ale żona doskonale rozumie, co chce on powiedzieć, tak jak i lekarz wie, że już niewiele może pomóc, np.:

„– Tak, tak!... Ruch jest w ogóle potrzebny, ale małżonek pani musi parę dni poleżeć. Czy może wyjechać na wieś?

– Nie może... – szepnęła pani ze smutkiem.

– No – to nic! Więc zostanie w Warszawie. Ja będę go odwiedzał, a tymczasem – niech sobie poleży i odpocznie. (...) Rozumie się. Niech pani uspokoi się, a resztę zdać na Boga" (str. 70).

Ile tu jest powiedziane między wierszami: o biedzie małżonków, których nie stać na zdrowotny wyjazd na wieś, o beznadziejnym stanie chorego, któremu tak naprawdę tylko Bóg może pomóc...

Odtąd zaczyna się między małżonkami swoista gra, którą obserwuje skrupulatny narrator. Oparta jest ona właściwie na kłamstwie, ale w jak szlachetnym celu. Mąż i żona kochają się ogromnie, mają tylko siebie, żyją tylko dla siebie. Pozostała im nadzieja i wiara, może w cud. Podtrzymują ją, podsycają w sobie nawzajem. Żona zna stan męża, on też zdaje sobie sprawę, jak bardzo jest chory, ale potrzebuje zaprzeczeń i ona zaprzecza: *„I utopił w niej rozgorączkowane spojrzenie. Zdawało się, że pod tym wzrokiem mur wyszeptałby tajemnicę, gdyby ją posiadał. Na twarzy kobiety ukazał się dziwny spokój"* (str. 71). Ten spokój żony powoduje, że chory czuje się bardziej zdrowy i bezpieczny.

Potem w akcję zostaje wmieszana sprawa kamizelki. Mąż spostrzega, że chudnie, dzieli się niepokojem z żoną. Po kilku dniach zauważa, iż kamizelka stała się ciasna. Przyznaje się wtedy do drobnego oszustwa – do przesuwania sprzączki, by uspokoić żonę. Teraz jednak sam się cieszy, bo kamizelka rzeczywiście stała się ciasna. Nie zauważa biedak, iż kobieta także manipulowała przy kamizelce, skracając pasek. Rejestrując te drobne fakty, narrator zupełnie nie analizuje uczuć bohaterów, ale przecież są one w ich świetle tak oczywiste. Chory potrzebuje nadziei i troski, poprawia się wtedy jego samopoczucie. Kochająca żona jest zdolna do wszystkiego, by tylko mu pomóc, nawet do kłamstwa i udawania radości. Ona także bardzo cierpi, a jednak zachowuje udany spokój, zdobywa się na uśmiech, słowa otuchy. Chory mąż też nie chce zbytnio zasmucać żony, więc woli ją okłamywać i oszukiwać. W swej niedoli zachowują oni tyle męstwa, szlachetności, że trudno je wyrazić. Znoszą swój los z pokorą, rezygnacją, ale jednocześnie nie tracą nic ze swej ludzkiej dumy i godności. Ci zwykli ludzie są nieopisanie piękni w sposobie, w jaki przyjmują przeznaczenie. Prus dosięgnął szczytów artyzmu, opisując uczucia swych bohaterów. Na dodatek zrobił to oszczędnie, prawie bez słów, bo zarejestrował parę zdawkowych rozmów, zaprezentował kilka banalnych, codziennych zdarzeń. Brak w utworze monologów wewnętrznych, świadczących co czują, co myślą, co przeżywają bohaterowie, a jednak wszystko wiemy, obserwując wraz z narratorem dzieje paska i sprzączki przy kamizelce.

Problematyka

Była już o niej mowa, ale warto teraz dobitnie sformułować temat i problem noweli. **Tematem** są zdarzenia z kilku miesięcy życia pary małżonków, obejmujące chorobę i śmierć męża, obserwowane przez sąsiada – narratora.

Problem dotyczy uczuciowego bogactwa prostych, ubogich ludzi, ich zdolności do miłości, poświęcenia, nawet kłamstwa niosącego nadzieję, podtrzymującego na duchu.

Prus znowu okazał się w tym utworze piewcą codzienności i odkrywcą wartości tkwiących w każdym z nas.

NA WAKACJACH

Czas i miejsce akcji

Akcja toczy się w ciągu jednego dnia, latem, na wsi. W opowieści ramowej przyjaciele spotykają się wieczorem. Dramatycznej opowieści o pożarze przysłuchują się gwiazdy i towarzyszy *„od stawu rechotanie żab i kwilenie zbierających się do snu ptaków wodnych”* (str. 77). Pogodny, wakacyjny nastrój kontrastuje z powagą refleksji, do jakich skłania autor. Pożar, o którym mowa w centralnej części noweli, wybuchł rano.

Gatunek, kompozycja

Powstały w 1885 r. niewielki, czterostronicowy utwór jest klasyczną nowelą, opartą na jednym zdarzeniu. Opowieść jest zwarta, zamknięta, logicznie prowadzona od wybuchu pożaru do zakończenia, tj. wydobycia dziecka z płonącej chałupy. Nowela ma **kompozycję ramową**, tzn. opowieść o pożarze ujęta jest w ramę relacji o spotkaniu dwóch przyjaciół. Występuje w niej więc **dwóch narratorów**: pierwszy wprowadza w sytuację i jest słuchaczem opowieści drugiego narratora, jednocześnie jednego z bohaterów centralnej części utworu.

Plan wydarzeń

1. Spotkanie znajomych
2. Opowieść przyjaciela

a) pożar domu;
b) wahania biernego obserwatora;
c) bohaterskie zachowanie wiejskiej dziewczyny.
3. Komentarz narratora.

Treść

W części ramowej narrator zarysowuje sytuację, przedstawia się oraz informuje o swoim przyjacielu. Charakteryzuje go krótko, ale wyczerpująco, wyjaśnia też, co ich łączy, a następnie wysłuchuje relacji o pożarze.

Drugi narrator-bohater noweli opowiada o przebiegu akcji ratunkowej. Zwraca jednak uwagę nie tyle na działania ratowników, ile prezentuje swoje reakcje i refleksje. Krytycznie ocenia sposób budowania wiejskich chałup, łatwo ulegających pożarom, i ironicznie osądza nieudolność walczących z pożarem. Wyraźnie sytuuje się na pozycji **obserwatora**, stojącego z boku świadka. Zauważa więc *„organiścinę, która obrazem św. Floriana zażegnywała pożar, i chłopa, który medytował, trzymając w obu rękach pustą konewkę”*. Stwierdza: *„Oto nasz system budowania! (...) Dom płonie jakby go prochem nabito...”* i dochodzi do wniosku: *„Nie robiłem im żadnych uwag wiedząc, że nic nie grozi dalszym budynkom; chata zaś była nie do uratowania”* (str. 75). Tak więc chodzi tutaj nie tyle o przebieg pożaru, ile o motywację działań i refleksje bohatera.

Momentem zwrotnym w przebiegu zdarzeń staje się stwierdzenie jednego ze świadków, że w chacie jest śpiące dziecko. Narrator relacjonuje, iż nikt nie zareagował, ponieważ słoma na dachu domu już płonęła, i dodaje: *„wyznaję, że gdym to usłyszał, serce drgnęło mi w niezwykły sposób”* (str. 76). Dalszy ciąg opowieści to opis walki narratora z samym sobą, zmaganie się strachu, wątpliwości, rozsądku z pragnieniem ratowania dziecka, wypełnienia obowiązku wobec bliźniego. Ostatecznie zwycięża lęk, bohater nie zdobywa się na czyn. Jego wahaniom towarzyszy krzyk matki, którą zebrani powstrzymują przed rzuceniem się w płomienie. Wtedy pojawia się jeszcze jedna bohaterka – piętnastoletnia dziewczyna, która bez wahania biegnie w kierunku ognia, przechyla się przez futrynę okna i wynosi dziecko całe i zdrowe.

Relację o przebiegu akcji ratunkowej zamyka krótki dialog przyjaciół, z którego wynika, że dziecko ocalało, i dziewczynie nic się nie stało. Co więcej, dowiadujemy się, że nie była ona krewną poszkodowanych, że była zupełnie obca. Ani jeden, ani drugi narrator nie komentują zdarzenia, nie próbują wyjaśniać, dlaczego dziewczyna tak postąpiła. Bohater, świadek zdarzenia mówi: *„Chciałem jej wyrazić moje uznanie, ale nagle przyszły mi na myśl: jej dziki zapał i mój rozsądny takt wobec cudzego nieszczęścia, i... taki mnie wstyd ogarnął, że nie śmiałem do niej przemówić ani wyrazu”* (str. 77). Bohater nie tłumaczy się, nie wyjaśnia, dlaczego nie zdobył się na czyn, ale wstydzi się. To jest jego samoocena. Za komentarz mogą posłużyć słowa: *„My już tacy!”* powtórzone przez szumiące krzewy: *„Wy już tacy!”* (str. 77).

Bohaterowie – charakterystyka

Narrator pierwszy nie kryje się za zdarzeniami, wypowiada się w pierwszej osobie. Jest to młody człowiek, przebywający z przyjacielem na wakacjach. Łączą ich wspólne plany życiowe oraz zdrowy rozsądek i dystans wobec świata. Słuchając relacji kolegi o przebiegu akcji ratunkowej, wstrzymuje się od refleksji, tylko na początku ujawnia swą opinię: *„Zdziwiłem się; było rzeczą prawie niepodobną, ażeby «głupi wypadek» mógł zdarzyć się tak panującemu nad sobą człowiekowi"* (str. 75). Z drwiną traktuje przypuszczenie, że przyjaciel mógłby skoczyć w ogień, a więc ocenia go jako człowieka trzeźwego, opanowanego, praktycznego racjonalistę. Na końcu zadaje koledze kilka pytań i milknie, nie ocenia ani nie tłumaczy jego postawy.

Narrator drugi *„Był to przystojny blondyn, którego łagodne oczy mogły rozmarzyć niejedną kobietę. Mnie pociągał jego niewzruszony spokój i trzeźwość umysłu"* (str. 75) – tak przedstawia go przyjaciel, dodając jeszcze, że był to człowiek niezwykle opanowany. Potwierdzeniem tego spostrzeżenia jest sprawozdanie z przebiegu wydarzeń. Narrator krytycznie ocenia wysiłki chłopów próbujących ratować chałupę, jak i wiejskie budownictwo narażone na pożary. Jest też samokrytyczny, gdyż przyznaje, iż do oglądania zdarzenia popchnęła go *„filisterska ciekawość"* (str. 75). Drobiazgowo analizuje swoje reakcje, gdy okazało się, że w płonącej chacie jest dziecko. Stwierdza, że drgnęło w nim serce, ale nie wyjaśnia, co poczuł: litość, współczucie, miłość bliźniego, poczucie obowiązku czy też wszystko naraz. Czuje, że powinien ratować dziecko, ale nie może zdobyć się na działanie, a rozwaga podsuwa mu argumenty: może dziecko już nie żyje, może go nie znaleźć w płonącej izbie, może zostać posądzony o chęć popisania się i zostanie tanim kosztem bohaterem. Ostatecznie z gniewem ocenia swe porywy jako *„głupi sentymentalizm"*, stwierdza, że *„szkoda surduta"* i nie robi nic. Zwyciężają rozwaga, rozsądek, argumenty rozumu, trzeźwość, pragmatyzm, a także strach i egoizm. Pozostaje wstyd, bo prosta dziewczyna nie wahała się, nie kalkulowała i uratowała dziecko.

Stanowisko bohatera pozostaje w noweli bez oceny, bez komentarza czy wyjaśnień. Jego wstyd jednak świadczy, że sam ocenia się krytycznie. Słowa *„My już tacy!"* (str. 77) można rozumieć różnie: zbyt chłodni, trzeźwi, praktyczni, mądrzy, ale niezdolni do porywów serca, uczuć, pozbawieni zapału, spontaniczności...

Dziewczyna posiada zdolność *„dzikiego zapału"*, porywów serca i współczucia. Zwracają uwagę jej prostota, bezpośredniość, a nawet swego rodzaju życiowa beztroska – w niedługi czas po swoim bohaterskim wyczynie głośno śpiewa skrobiąc kartofle, co bardzo dziwi narratora. Dla niej to, co zrobiła, nie jest niczym wyjątkowym. Postąpiła zgodnie z prostym odruchem ratowania życia. To, co bohater oceniał racjonalnie: odległość, stopień nasilenia pożaru, szanse przeżycia dziecka w pełnej dymu, gorącej izbie, ona oceniła instynktownie i... jej ocena okazała się bardziej trafna. Działała spontanicznie, bez wahania. Pisarz nie wyjaśnia, dlaczego tak postąpiła, pewnie zresztą i ona sama nie umiałaby się wytłumaczyć. Zrobiła tak, ponieważ miała głębokie wewnętrzne poczucie, że tak trzeba.

Problematyka

Często w twórczości Bolesława Prusa bohaterami są ludzie prości, przeciętni, nie-wykształceni. Często również pisarz kontrastuje postawy tych prostych ludzi i ludzi z wyższych sfer. Ten zabieg służy wydobyciu wartości tkwiących w zwyczajnych, szarych, przeciętnych bohaterach. Podobnie i w noweli *Na wakacjach* Prus ukazuje niezgłębione pokłady wartości ukrytych w duszy prostej wiejskiej dziewczyny, zdolnej do bohaterstwa z wewnętrznego, nieuświadomionego poczucia obowiązku wobec bli-źniego. Innym problemem może być stwierdzenie, że nadmiar rozsądnej refleksji tłumi spontaniczność, hamuje zapał, czasem niszczy podstawowe, najbardziej ludzkie odruchy.

PRZYGODA STASIA

Czas i miejsce akcji

Akcja opowiadania rozgrywa się w czasach współczesnych Prusowi. W części pierwszej obejmuje kilka lat, w drugiej kilkanaście godzin od piątkowej wiadomości przyniesionej przez znachorkę Grzybinę, że Stawiński chce się widzieć z córką, poprzez sobotnie przygotowania do podróży, popołudniową wyprawę i tytułową przy-godę Stasia, po niedzielne rozwiązanie sprawy. Miejscem jest pogranicze miasteczka i wsi, gdzieś nad Wisłą. Miasteczko określone jest literą X, niedaleko stoi młyn Sta-wińskiego, a kilka kilometrów dalej, przebywanych przez kowalową piechotą, znaj-duje się kuźnia Szaraka.

Kompozycja

Utwór ukazał się w 1879 r., jest więc jednym z wcześniejszych dzieł pisarza. Mimo to, a może właśnie dlatego, urzeka świeżością, oryginalnością ujęcia tematu, potrak-towania bohaterów. Pod względem kompozycyjnym jest to utwór wyraźnie dwuczę-ściowy. **Część pierwsza** obejmuje kilka lat i dotyczy miłości oraz małżeństwa Mał-gosi Stawińskiej, młynarzówny, i kowala, Józefa Szaraka, oraz pierwszych miesięcy życia ich synka, Stasia. **Część druga** to właściwa przygoda Stasia, opis zabawnego zdarzenia, które rozegrało się w ciągu kilku godzin.

Część pierwsza jest **opowiadaniem o dość luźnej budowie**, złożonym z kilku epizodów: wstępnego przedstawienia małego bohatera, opowieści o jego matce – Mał-gorzacie, poznaniu się przyszłych rodziców Stasia i ich weselu oraz o narodzinach malca. Wiele miejsca poświęca narrator opisowi budzenia się świadomości bohatera, odkrywania przez niego świata, poznawania otoczenia i najbliższych. Zabawnym epi-zodem jest fragment o tym, jak kowal szukał nauczyciela dla małego Stasia i jak w związku z tym pokłócił się przy kielichu z organistą. Ładny jest też obrazek śpiącego w sadzie Stasia i pilnującego go psa Kurty, śniącego o zającach na grzędzie kapusty.

Część druga ma bardziej **zwartą budowę**, dotyczy jednego zdarzenia i mogłaby być osobną nowelą. Jej tematem jest wyprawa kowalowej z małym Stasiem do ojca, do młyna i przygoda, jaką przeżyli matka, syn, a także sędzia Łoski i jego goście.

 Plan wydarzeń

1. Ekspozycja – przedstawienie głównego bohatera oraz jego rodziny.
2. Małgosia – przeszłość: wrażliwość dorastającej dziewczyny, sposób oglądania świata
   a) spotkanie z kowalem;
   b) ślub, Małgosia w roli gospodyni.
3. Narodziny Stasia.
4. Kowal Szarak szuka nauczyciela dla syna, kłótnia z organistą.
5. Wyprawa Małgosi i Stasia do młynarza.
6. Przygoda Stasia.
7. Rozpacz matki.
8. Odnalezienie chłopca, wspólna radość.

Treść

Staś był uroczym, szczęśliwym dzieckiem, synem Małgorzaty Stawińskiej i kowala, Józefa Szaraka. Akcja rozpoczyna się, gdy Staś ma półtora roku, ale zaraz na początku, po opisie bohatera, narrator zwraca się w przeszłość i snuje opowieść o jego rodzicach. Więcej uwagi poświęca Małgosi, bo – jak wyjaśnia – Staś wdał się w matkę.

Małgosia miała osiemnaście lat, prowadziła ojcu gospodarstwo i tęskniła za miłością. Nie brakowało jej niczego, młynarz nie żałował dla córki pieniędzy, ale był oschły, zajęty interesami i nie okazywał uczuć. Dziewczyna marzyła, spragniona miłości znajdowała ukojenie w kontakcie z przyrodą i w przyjaźni ze starym młynem, który jako jedyny zdawał się ją rozumieć. Pewnego dnia młyn się zepsuł, sprowadzono więc kowala Szaraka. Naprawa trwała kilka dni. Małgosia starała się zrobić dobre wrażenie na gościu, gotowała mu smakołyki, nawet ojciec musiał przyznać, że okazała się znakomitą gospodynią. Kowal pracował ochoczo i popisywał się przed dziewczyną zręcznością, a wieczory spędzali razem na długich rozmowach. Gdy przyszło do rozliczenia z młynarzem, kowal przyznał, że najchętniej przyjąłby jako zapłatę jego córkę. Młynarz się zgodził i w kilka tygodni potem odbyło się huczne wesele, a po roku na świecie pojawił się mały Staś. Dziecko było zdrowe, rozwijało się prawidłowo, uczyło się rozpoznawać otoczenie, doznawało wielu wrażeń. Opis dorastania Stasia, kolejnych etapów wychodzenia z niemowlęctwa zajmuje w utworze wiele miejsca i stanowi o jego uroku.

Szarak był dumny z syna, więc wcześnie zaczął myśleć o jego edukacji. Postanowił omówić sprawę z organistą, który znał *Pismo Św.* i łacinę, więc wydał się kowalowi najlepszym kandydatem na stanowisko nauczyciela małego Stasia. Niestety, obaj panowie pokłócili się przy miodzie, Szarak został pobity przez organistę, co wywołało długotrwały konflikt między nimi.

W lecie, gdy matka pracowała w ogrodzie, Staś często sypiał w sadzie. Pilnował go pies, Kurta, przeżywający we śnie swe psie przygody.

Pewnego piątkowego popołudnia znachorka Grzybina przyniosła Małgosi wiadomość od ojca, że chciałby widzieć się z nią w sobotę, a w niedzielę zaprasza też do siebie Szaraka, bo zaistniała sytuacja, dzięki której będzie można pogodzić go z organistą. Szarak ucieszył się z możliwości zakończenia sporu, ale Małgosia uniosła się ambicją i przykazała mężowi, by nie ważył się wyciągać ręki do zgody. Szarak uległ namowom żony, ale jej nie rozumiał, tym bardziej że postanowiła mimo wszystko udać się do młyna. W sobotę pół dnia oporządzała gospodarstwo, przygotowując je na półtoradniową nieobecność gospodyni i po południu wyruszyła ze Stasiem do dziadka. Droga była żmudna, z górki na górkę, a że panował upał, kobieta się zmęczyła. Gdy więc na drodze pojawił się powóz, przyczepiła do niego z tyłu wózek z dzieckiem, by ułatwić sobie wędrówkę pod górę. Niestety, nie spostrzegła, kiedy woźnica smagnął konia batem i powóz potoczył się szybciej, a wraz z nim i malec w wózeczku. Kobieta biegła, krzyczała, ale nie była w stanie dogonić powozu. Zrozpaczona, zapłakana spotkała organistę i mimo urazy przyjęła pomoc w poszukiwaniach.

Tymczasem Staś zajechał za sędzią gminnym, panem Łoskim, do jego majątku. Pan Łoski miał opinię kobieciarza, jego żona była bardzo zazdrosna, gdy więc pojawił się przed domem z uroczym malcem, zebrane na tarasie towarzystwo żartowało z niego, robiono różne przytyki, aluzje, a wezwana szafarka orzekła stanowczo, że chłopiec jest zupełnie podobny do jaśnie pana. Umyte, nakarmione dziecko też czuło się doskonale, choć rozglądało się za matką. Kowalowa z organistą dojechali do miasteczka, gdzie dowiedzieli się, że takim powozem, jaki opisali, jeździ pan sędzia, więc udali się do dworu. Uszczęśliwiona matka odnalazła całego i zdrowego synka. W niedzielę organista z Szarakiem pogodzili się już bez przeszkód, a w poniedziałek z dworu państwa Łoskich przysłano dla Stasia w prezencie piękne cielątko.

Bohaterowie – charakterystyka

Staś, półtoraroczny malec, jest głównym bohaterem opowiadania i jego charakterystyka jest najmilszą, najbardziej udaną częścią utworu.

Nie po raz pierwszy i nie ostatni okazał się Prus mistrzem w przedstawianiu dzieci, w rozumieniu ich psychiki (por. *Anielka*, *Grzechy dzieciństwa*). *„Bohaterem opowiadania jest osoba, która ma – trochę więcej niż łokieć wzrostu, około 30 funtów wagi i ledwie od półtora roku odbywa doczesną wędrówkę. Tę klasę obywateli kraju ludzie dorośli przezywają dziećmi i w ogóle nie traktują dość poważnie”* (str. 79). Prus traktuje Stasia bardzo poważnie. Przedstawia go jako dziecko ładne i czyste, kochane przez rodziców, uwielbiane przez dziadka. Podkreśla przy tym jego zwyczajność i tłumaczy się przed czytelnikami, że tworzy bohatera tak pospolitego po to, aby nie dać powodu do współczucia mu, jako dziecku doświadczonemu jakąś ułomnością. Jest to aluzja do modnej w okresie pozytywizmu tematyki dziecięcej dotyczącej dzieci krzywdzonych, kalekich, posiadających marnujące się talenty, którą sam Prus też poruszał. Staś tymczasem *„krzyczał, jakby go ze skóry odzierano, a na rączkach i nóżkach miał tyle dołków, ile kosteczek."* (str. 85). Otoczony rodzicielską miłością, przeżywał *„uragan wrażeń"* (str. 85), poznawał barwy, dźwięki, doznania miłe i nieprzyjemne: *„Dziś śmiał się tylko na widok matki, która mu jeść dawała;* (...) *Lubił Kurtę, ponieważ pies był ciepły, lizał go i miał mordę jak aksamit"* (str. 86), *„Za to pieszczoty ojcowskie nie nęciły go"* (str. 86), lubił tylko, gdy ojciec go huśtał. Prus opisuje, jak rośnie szczęśliwe, kochane przez rodziców dziecko, jak uczy się chodzić, śpi w cieniu sadu pod opieką psa, czy cieszy się z wyprawy do dziadka. Ponieważ Staś jest dzieckiem szczęśliwym, nie boi się ludzi, nie jest przerażony swą przygodą. Rozgląda się wprawdzie za matką, ale nie płacze, je z apetytem, bo zgłodniał, podoba się więc wszystkim gościom Łoskiego i zdobywa nawet sympatię jego żony.

Małgosia kowalowa to prosta, wiejska kobieta. Jeszcze jako córka młynarza ma się wprawdzie za kogoś lepszego niż chłopki, umie czytać i przebiera w kawalerach, bo ojciec nie jest biedny. Małgosia nie ma matki, ojciec jest oschły, więc brak jej uczucia. *„W takich postawiona warunkach Małgosia żyła tylko z naturą, a kochała swój młyn..."* (str. 80). Traktuje go jak przyjaciela, zwierza mu się ze swych tęsknot. Jest to więc dziewczyna wrażliwa, z rozbudzoną wyobraźnią, dlatego szuka ukojenia swych pragnień w kontaktach z naturą. *„Natura wydawała się Małgosi bardzo wielkim jeziorem, którego zwierciadło sięgało aż do nieba,..."* (str. 80), *„zapytywała: czy własny jej byt nie jest tylko odbiciem się wszystkiego, co widzi i słyszy dokoła, jak te obrazy drzew i nieba, które odbijają się na falach stawu?..."* (str. 80). Rozterki Małgosi skończyły się, gdy poznała kowala Szaraka. Krąg jej zainteresowań zawęził się do chaty, ogrodu, dziecka, męża, spraw codziennych. Jest pracowita, gospodarna, kocha męża i syna. Gdy mąż się upije, robi awanturę, uniesiona ambicją nie pozwala mu się godzić z organistą. Szybko jednak żałuje swego zacietrzewienia, bo organista pomaga jej w potrzebie.

Kowalowa lubi ludzi, zwierzęta, kocha świat. Nie ma szerokich zainteresowań ani potrzeb kulturalnych, żyje swoim szczęściem i drobnymi ambicjami. Głęboko cierpi, gdy gubi syna. Znowu szuka wtedy porozumienia z naturą: *„Ileż tu ptaków siedzi na gniazdach i widzi jej macierzyńską rozpacz, a żaden nie śpieszy z pomocą"* (str. 98), *„Zdawało się, że na tym nieszczęsnym wózku leży jej serce gwałtem z piersi wydarte, bez miłosierdzia nie wiadomo gdzie ciągnione, a przywiązane do niej nitką, która coraz bardziej cieńczała"* (str. 98).

Kowal to poczciwy, prosty, pracowity chłop. W interesach wykazuje się sprytem, na przykład gdy odpowiada młynarzowi, że chciałby i jego córkę, i pieniądze. Żonę kocha i ulega jej, czasem nie rozumie jej wybuchów i wtedy ucieka do kuźni. Dla siebie niczego już nie pragnie, ale jest dumny z syna, więc podejmuje starania o jego wykształcenie, takie na jakie go stać. Chce być dobrym ojcem, więc nabywa dyscyplinę i straszy malca, że będzie go nią edukował, co jednak spotyka się ze zdecydowanym sprzeciwem kowalowej.

Zwyczajni bohaterowie Prusa nie są prostakami. Są to ludzie pracy, często szorstcy, o niezbyt rozległych zainteresowaniach, o niskiej ogólnej kulturze, ale dobrzy, uczciwi, kochający. Mają wady: chytrość, drobne ambicje, zacietrzewienie, ale żyją poczciwie, bez wielkich win i przede wszystkim nie krzywdząc innych. Są ze swego życia zadowoleni i są szczęśliwi. Prus przeciwstawia im **ludzi wykształconych z wyższych sfer**, urzędników.

Sędzia Łoski *„był to mężczyzna w średnim wieku, uczciwy i przyzwoity; miał przy tym dużo rozwagi, spory majątek i angielskie faworyty"* (str. 100). Miał też opinię kobieciarza, co denerwowało jego żonę, zwłaszcza że często wracał późno do domu. Znajomi też powątpiewali w jego małżeńską wierność, dlatego tak rozbawiła ich przygoda ze Stasiem. Sędzia jest przy tym człowiekiem próżnym, lubi zwracać na siebie uwagę. Widok Stasia zbił go z tropu, ale i rozczulił, chyba nie miałby nic przeciwko temu, by być jego ojcem. Atmosfera podejrzliwości i zazdrości panująca w jego rodzinie, żarty i aluzje przyjaciół przeciwstawione są w opowiadaniu szczerej, prostej miłości Szarakowej.

Burmistrz, burmistrzowa, rejent: nadęci, napuszeni, przekonani o swej ważności małomiasteczkowi notable. *„Burmistrz, człek mały i pękaty, szedł naprzód. Prawą rękę, w której trzymał laskę, założył na plecy; lewą, zgiętą w łokciu, niósł przed sobą w taki sposób, jak kwestujący w czasie sumy dziad nosi tackę. Przy tym uśmiechał się ciągle i przymykał oczy; ludzie mówili, że robi tak, aby «nie wiedzieć, skąd pada», naturalnie na ową wyciągniętą rękę"* (str. 102–103). Bezinteresownie nic robi niczego, nie pomaga także zrozpaczonej Szarakowej, zdobywa się jedynie na nieprzystojny żart. Burmistrzowa popisuje się znajomością języka francuskiego i edukacją zdobytą na pensji. Pozwala jej to uważać się za lepszą od Szarakowej. Oburzeni są zachowaniem kobiety, ich zdaniem zbyt poufałym. Nic sobie nie robią z jej cierpienia, nie rozumieją, ile strachu i rozpaczy przeżyła, bezskutecznie poszukując dziecka.

Przeciwstawienie obu grup bohaterów występuje także w narracji. Po zakomunikowaniu o urodzeniu się Stasia, narrator dodaje: *„W podobnych warunkach znalazłszy się piękne damy zasłaniają okna grubymi roletami, sprawiają sobie do pomocy mamki sztuczne i naturalne i przez miesiąc z okładem odpoczywając w haftowanym negliżu, jakby świat zbudowały, przyjmują powinszowania od pań i panów, półgłosem gadających po francusku. Ponieważ jednak Małgosi sztuki te były jej nie znane, więc już w 48 godzin wzięła się do roboty, a dziadek za nią chorował – naturalnie z radości"* (str. 85). Jak widać, narrator pochwala naturalność, prostotę, których zalety widoczne są wyraźniej w zestawieniu ze sztucznością, pozornym wykwintem i udawaniem.

Narrator i narracja

Narrator nie zachowuje obiektywizmu, jest obecny w utworze, wypowiada się **w pierwszej osobie liczby pojedynczej** i **szuka kontaktu z odbiorcami**. Tłumaczy im, dlaczego wybrał takiego bohatera jak Staś i jakie opowiadanie pisze: *„Dlatego z pewną obawą przedstawiam czytelnikom niedużego Stasia i przede wszystkim proszę ich o cierpliwość"* (str. 79); *„kowalowa odegra rolę bohaterki w zdarzeniu, które* *(ze smutkiem wyznajemy) nie będzie ani kryminalnym występkiem, ani romansem wołającym o pomstę do nieba"* (str. 79). Narrator opatruje też zdarzenia własnym uogólniającym komentarzem, np. *„Ale i cóż, kiedy na tym świecie zadowolenia ludzkie trwają bardzo krótko!..."* (str. 97) – gdy powóz z przyczepionym do niego wózkiem ze Stasiem ruszył szybciej, lub: *„Sława, raz zdobyta, trwa wiecznie!"* (str. 100) – o panu Łoskim i jego opinii kobieciarza. W trakcie prezentowania bohaterów i zdarzeń z ich życia narrator często posługuje się też **komizmem** o różnych odcieniach. Komiczna jest sytuacja, gdy kowal targuje się z młynarzem o Małgosię, a także ich dialog:

„– Co? – krzyknął stary – może wolisz dziewuchę niż pieniądze?...
– Wolę i to, i to..." (str. 84).

Komiczna jest scena sporu i bijatyki kowala z organistą, komiczny jest pan Łoski, gdy myśli, że to on jest przedmiotem powszechnego zainteresowania, a nie wózek ze Stasiem itp. Komiczne, prawie groteskowe są postacie burmistrza, burmistrzowej, rejenta, organisty. Komiczna jest krótka rozmowa Żydów z organistą, który chce ich chrzcić. Zwraca uwagę ich charakterystyczny język: *„Aj! waj!... Dy lobuz! Dy świńskie uches!"* (str. 104). Rozczulająco komiczna jest odpowiedź kowalowej na przypuszczenie, że jej Staś jest synem pana Łoskiego: *„Nie byłby on taki śliczny, jak jest, żeby był waszego pana. To syn kowala... Szaraka Józefa!..."* (str. 106).

Najwięcej ciepłego, życzliwego humoru występuje w opisach małego Stasia. Ciekawym też zabiegiem zastosowanym w narracji jest **opis przeżyć wewnętrznych** bohaterki poprzez opis przyrody i wtopionego w nią młyna. Małgosia słyszy w szumie pracującego młyna jakąś melodię, przyjaciel młyn wzywa ją, gdy samotna na stawie marzy o wtopieniu się w przyrodę: *„Płynęła ku nim, lecz wiatr odrzucał je na łąkę, nad którą wnet tworzyło się jezioro mgły srebrnobiałej, pełne pląsających blasków i cieniów... Kto się tam bawił i dlaczego jej nie dopuszczano?... (...) Ale nad samotną czuwał młyn, wierny przyjaciel"* (str. 81).

Narrator wydobywa w ten sposób tęsknoty dręczące dziewczynę, jej marzenia, pragnienia, by coś przeżyć, coś zmienić w swym życiu. Zabawne są też przytoczone przez narratora rozmyślania psa Kurty. „Bohater" ocenia postępowanie gospodyni, a narrator nazywa go wyrozumiałym, chytrym i pyskatym psem. Humorystyczne wrażenie sprawia także sen Kurty, marzącego o polowaniu na zające w kapuście i wygłaszającego płomienną filipikę przeciw leniuchom. **Personifikacje** występują także w opisie podróży Szarakowej i Stasia, gdy *„skowronek świergotem witał podróżną matkę"*, a *„makówki i chabry ciekawie wychylały się na drogę, jakby chcąc sprawdzić, czy nie jedzie kto znajomy?"* (str. 95–96). Dzięki tym i podobnym zabiegom opowiadanie zyskało ciepły, pogodny ton i miłą atmosferę.

Problematyka

W zdarzeniach ukazanych w utworze nie ma nic nadzwyczajnego, wręcz przeciwnie – uderza ich banalność, codzienność, szarość. **Tematem** swego opowiadania uczynił Prus życie zwyczajnych, prostych ludzi. Są to dzieje maleńkiego chłopczyka i jego rodziny. Zwraca jednak uwagę potraktowanie tematu niezwykłe w literaturze pozytywizmu. Prus ukazuje ludzi szczęśliwych, zadowolonych ze swego życia. Nie są oni nędzarzami, choć nie są bogaci. Ciężko pracują i znajdują szczęście w życiu rodzinnym. **Problemem** utworu jest pochwała takiego małego, cichego, stabilnego życia rodzinnego.

POWRACAJĄCA FALA

 ### Tytuł

Jest związany z problematyką moralną opowiadania. Poczciwy, bardzo religijny pastor ostrzega Adlera przed skutkami zła, którego sprawcą jest on i jego syn. Wyjaśnia: *„Kiedy złe czy dobre upadnie na świat, powstają około niego fale coraz większe i idą dalej a dalej..."* (str. 141). Potem mówi: *„Ty źle wychowałeś syna i rzuciłeś go w świat jak ten patyk na wodę. On narobił długów, i to jest pierwsza fala. Ty zniżyłeś płace robotnikom i oddaliłeś lekarza, a to jest druga fala. Śmierć Gosławskiego – to trzecia. Nieporządki w fabryce i opisy w gazetach – czwarta. Wypędzanie robotników, procesy – to piąta fala... A jaka będzie szósta i dziesiąta?..."* (str. 141). Kończąc swą przypowieść, pastor upomina: *„Nieszczęście może wrócić..."* (str. 142), ale Adler nic sobie nie robi z przestróg przyjaciela. Jest sprawcą zła, które rozlewa się i obejmuje coraz szersze kręgi. Zakończenie opowiadania przynosi spełnienie zapowiedzi pastora: *„Fala krzywdy wróciła"* (str. 160).

 ### Czas i miejsce akcji

Opowiadanie dotyczy wydarzeń współczesnych Prusowi, związanych z rozwojem przemysłu włókienniczego w Kongresówce przy udziale kapitału zagranicznego, zwłaszcza niemieckiego. Miejsce akcji to z pewnością okolice Łodzi, Pabianic, bo tam rozwijała się ta gałąź przemysłu. Prus nie nazywa miasteczka, w pobliżu którego mieściła się fabryka Adlera. Bohaterem zbiorowym utworu jest polski proletariat wywodzący się ze wsi, polscy ziemianie oraz niemieccy kapitaliści, majstrowie, wykwalifikowani robotnicy. Właściwa akcja rozpoczyna się w czerwcu (pastor Böhme jedzie do Adlera z wieścią o rozrzutności Ferdynanda), wypadek Gosławskiego ma miejsce w sierpniu, a pojedynek Ferdynanda z Zaporą i zakończenie utworu przypada na wrzesień.

Gatunek, kompozycja

Utwór powstał w 1880 r. Jest to wielowątkowe opowiadanie, jedno z bardziej rozbudowanych w spuściźnie B. Prusa. Fabuła utworu obejmuje kilkadziesiąt lat życia kilku bohaterów; ich dzieje składają się na kolejne wątki utworu:

– dzieje Gotlieba Adlera, niemieckiego fabrykanta, zbijającego fortunę w Kongresówce,
– historia jego syna, próżniaka i hulaki, Ferdynanda, rozpieszczanego i ogromnie kochanego przez ojca,
– przeciwstawione historii Adlera dzieje jego przyjaciela, pastora Marcina Böhme, i jego cnotliwej rodziny,
– sprawa Kazimierza Gosławskiego, ofiary wypadku w fabryce Adlera,
– wątek sędziego Zapory, reprezentującego w utworze opinię publiczną; w pojedynku z nim zginął Ferdynand Adler.

Akcja rozwija się powoli, narrator koncentruje się początkowo na przedstawieniu powrotu marnotrawnego syna, Ferdynanda, z zagranicy oraz na oszczędnościach poczynionych w fabryce przez Adlera w związku z roztrwonieniem przez utracjusza ogromnej sumy pieniędzy.

Szczególnie dużo miejsca zajmuje prezentacja postaci, mniej opisy miejsc i sytuacji. Narrator charakteryzuje postaci bezpośrednio i pośrednio. Zachowując anonimowość i kryjąc się za wydarzeniami (narracja w trzeciej osobie), nie unika jednak ocen, które stara się uogólniać, nadając im formę filozoficznych sentencji. Szczególnie wiele uwagi poświęca postaci starego Adlera, w charakterystyce którego stosuje maksymalną kondensację sformułowań i eksponowanie cech fizycznych, spoza których przebijają cechy psychiczne. Postać dobrodusznego pastora jest przeciwieństwem drapieżnego, bezwzględnego kapitalisty, a jej prezentacja służy złagodzeniu antyniemieckiej wymowy opowiadania. Ferdynand zaś jest skonstruowany jako typowy kosmopolita, rozrzutnik i cyniczny hulaka, trwoniący ojcowską krwawicę.

Wątki te zbiegają się w dramatycznym momencie, gdy w fabryce dochodzi do tragicznego wypadku, w którym Gosławski traci rękę, a potem z braku opieki lekarskiej i życie. To **kulminacyjny moment** opowieści. Następnie narrator skupia uwagę na głosach opinii publicznej na temat Adlerów, na ostrzeżeniach pastora, artykułach pojawiających się w gazetach. Do spięcia dochodzi, gdy spotykają się Ferdynand i sędzia Zapora, reprezentujący w utworze polskie ziemiaństwo. Wymiana zdań doprowadza do pojedynku, w wyniku którego ginie syn Adlera. Pojedynek to kolejny zwrot w akcji. Wyraźnie wyeksponowane zakończenie utworu jest nawiązaniem do tytułu i sytuacji wyjściowej: *„Fala krzywdy wróciła."* (str. 160).

Plan wydarzeń

1. Wizyta pastora Böhme u fabrykanta Gotlieba Adlera z wiadomością o długach Ferdynanda Adlera
   a) plany usprawiedliwienia beztroskiego młodzieńca;
   b) pobłażliwość Gotlieba w stosunku do syna;
   c) bezwzględne potraktowanie jednej z robotnic fabrycznych, która przyszła z prośbą o pomoc.
2. Oszczędności w fabryce spowodowane długami Ferdynanda.
3. Historia Gotlieba Adlera

a) **młodość**: praca w fabryce, zamiłowanie do zabaw, zazdrość wobec bogatych, marzenia o własnym majątku, uratowanie życia robotnikom uwięzionym w płonącej fabryce;

b) **zmiana postępowania** – nowa namiętność: gromadzenie majątku;

c) **dojrzałość**: przyjazd do Polski, założenie fabryki, wyzysk robotników;

d) **stosunek do jedynego syna,** Ferdynanda: ślepa miłość rodzicielska, tolerancja wobec wybryków chłopca; wysłanie syna w podróż po Europie, marzenia o wspólnych wojażach i obserwowaniu, jak Ferdynand używa życia.

4. Powrót Ferdynanda z zagranicy.

5. Zachowanie młodego Adlera: bezmyślność, niemoralność, chłód wobec ojca, zamiłowanie do zabaw i uciech, obojętność na krzywdy robotników, kosmopolityzm.

6. Historia Kazimierza Gosławskiego

   a) nauka w szkole założonej przez jednego ze szlachciców, który zapewne realizował pozytywistyczne hasło pracy u podstaw;

   b) praca w fabryce Adlera, marzenia o własnym warsztacie kowalsko-ślusarskim, wynalazki i ulepszenia wprowadzane w miejscu pracy;

   c) założenie rodziny, narodziny dziecka, praca ponad siły;

   d) wypadek w fabryce, śmierć Gosławskiego z powodu oszczędności Gotlieba Adlera.

7. Krótkotrwały bunt robotników fabryki, ostrzeżenia pastora, który mówi o fali krzywdy.

8. Hulaszczy tryb życia Ferdynanda, spotkanie z Zaporą i pojedynek, w którym młody Adler zostaje śmiertelnie ranny.

9. Rozpacz Gotlieba, podpalenie fabryki, śmierć w płomieniach.

Treść

Pastor Böhme i Gotlieb Adler byli przyjaciółmi od lat szkolnych. Pochodzili z Brandenburgii, ich ojcowie byli majstrami tkackimi. Po okresie wspólnie spędzonego dzieciństwa drogi przyjaciół rozeszły się. Böhme studiował. Gotlieb został robotnikiem. Zarobione niespodziewanie trzysta talarów (Adler wyratował ludzi z pożaru, który wybuchł w fabryce) obudziło w Gotliebie nową namiętność: pragnienie posiadania pieniędzy. Stał się skąpcem i lichwiarzem. „*W czterdziestym roku życia miał już pięćdziesiąt tysięcy talarów...*" (str. 119). Przeniósł się do Polski, założył fabrykę i zaczął zbijać fortunę z myślą o jedynym, ukochanym synu, Ferdynandzie. Wtedy też ponownie spotkali się z pastorem i odtąd nigdy już się nie rozstawali. Adler marzył, że syn za niego użyje życia i Ferdynand to robił – potrafił w ciągu dwóch lat zagranicznych wojaży roztrwonić siedemdziesiąt osiem tysięcy rubli. Ojciec akceptował taki tryb życia syna, choć żal mu było pieniędzy. Poczynił więc oszczędności w fabryce, obciął płace, zwolnił lekarza, za najmniejsze przewinienia nakładał kary pieniężne. Popłacił długi syna, ale kazał mu wracać do domu. Ferdynand jednak i w kraju potrafił trwonić majątek, a więc program oszczędności w fabryce nadal realizowano.

Majstrem ślusarskim i kowalskim w fabryce Adlera był Kazimierz Gosławski. Wykształcony, inteligentny, zdolny, pomysłowy pracował za trzech, ponieważ chciał zrealizować swoje marzenie – własny warsztat kowalsko-ślusarski. Spędzał w fabryce większość czasu, był coraz bardziej wyczerpany, ale myśl o własnym warsztacie dodawała mu sił. I wtedy doszło do tragedii: pracując w nocy, na moment stracił czujność i włożył rękę w tokarnię. Stracił rękę i wkrótce zmarł z upływu krwi, bo w fabryce, z powodu „oszczędności" Adlera, nie było lekarza ani felczera.

Wypadek wzburzył opinię publiczną przeciw Adlerom. Starszy nic sobie z tego nie robił, nie słuchał nawet ostrzeżeń przyjaciela. Młody *„nie mógł pracować, chciał hulać, nie słuchał opinii, lecz przeciwnie – drażnił ją i wyzywał."* (str. 143). Urządzał częste zabawy dla licznego grona rzekomych przyjaciół. W początkach września, w czasie jarmarku w miasteczku wykupił wszystkie obiady w gospodzie, zapraszając na nie każdego, kto się tylko tam znalazł. Niespodziewanie zjawił się tam sędzia gminny, Zapora, od dawna znany ze swych krytycznych opinii o obu Adlerach. Nie przyjął zaproszenia i nie przebierając w słowach, wyjaśnił Ferdynandowi dlaczego, a ten wyzwał go na pojedynek. Ferdynand został ranny, a po przewiezieniu do domu zmarł. Ojciec oszalał z rozpaczy, nie słuchał pocieszeń ani perswazji. Bluźnił, oskarżał wszystkich ludzi, w tym i pocieszającego go pastora. Wreszcie, zrozpaczony, podpalił fabrykę i sam zginął w płomieniach.

Bohaterowie – charakterystyka

Gotlieb Adler został zaprezentowany w utworze jako kapitalista, wyzyskiwacz, człowiek bezwzględny, a z drugiej strony jako bezgranicznie kochający swego jedynaka ojciec. *„Był to człowiek olbrzymiego wzrostu, nieco zgięty, niezgrabny, z wielkimi nogami..."* (str. 112). Miał czerwoną twarz, duży okrągły nos, wydatne wargi, jasne włosy i niebieskie oczy. Nie był brzydki, ale raczej dziwny. *„W ogóle trudno nawet zgadnąć, jakby wyglądał uśmiech na tej mięsistej i apatycznej twarzy, na której wszechwładnie zdawały się panować surowość i bezmyślność."* (str. 112).

Wygląd postaci wskazuje też na jej osobowość i charakter. Adler był człowiekiem bez serca, bez litości, bezwzględnym dla pracujących u niego ludzi. Kochał tylko syna i tolerował jego zachowanie. Żałował wydanych pieniędzy, ale nie robił Ferdynandowi wymówek, usprawiedliwiał go przed pastorem, który miał Ferdynandowi za złe, że nie pracuje: *„Ale ja pracuję za niego i za siebie. Ja przez całe życie pracowałem za pięciu ludzi, więc dlaczego mój jedyny syn nie ma użyć trochę świata za młodu? (...) Praca jest przekleństwem."* (str. 115) – odpowiedział Gotlieb.

Dla innych ludzi nie miał serca: wyrzucił za próg kobietę żebrzącą o wsparcie na pogrzeb dziecka. Gdy pastor ostrzegł go, że *„Łzy biednych psują smak wina"*, odpowiedział cynicznie: *„Kieliszki są czyste, a butelki dobrze zakorkowane."* (str. 116). Adler lubił pastora i nie gniewał się na niego, mimo że przyjaciel często go ostrzegał i napominał, spełniając swój obowiązek pastora i przyjaciela. Bogaty fabrykant po prostu nic sobie nie robił z jego uwag. Jedyną troską kapitalisty było odrobić straty, na jakie naraził go syn. Nie musiał dbać o robotników, ponieważ wiedział, że na ich miejsce znajdzie wielu gotowych do ciężkiej pracy. Jedynymi namiętnościami Adlera były pieniądze i syn. Kiedyś lubił się bawić, teraz zapragnął, by syn używał życia za niego. *„Ani ojciec, ani syn nie rozumieli przyjemności płynących z badania prawdy, nie odczuwali piękna w naturze ani sztuce, a ludźmi obaj pogardzali."* (str. 120) – tak ocenia ich narrator. Adler rzeczywiście nie posiadał wyższych pragnień, przyjemności to według niego użycie, zdobywanie i posiadanie. Zapragnął ich dla syna, chciał patrzeć na jego zabawy. Zamierzał zatrzymać go przy sobie, dając mu cały majątek. Adler nie mógł zrozumieć zachowania Ferdynanda, uważał, że olbrzymie sumy, jakie mu ofiaruje, powinny zatrzymać syna w domu, tymczasem Ferdynand rzadko dotrzymywał ojcu towarzystwa i... chyba marzył o wyjeździe z domu. Może właśnie dlatego Gotlieb myślał o spieniężeniu majątku i wspólnych zagranicznych wojażach. Śmierć syna pokrzyżowała te plany, Adler stracił cel i sens życia, dlatego oszalał.

Ferdynand *„był to wysoki, trochę mizerny, lecz tęgo zbudowany młodzieniec, blondyn z jasnoniebieskimi oczami."* (str. 122). Od najwcześniejszych lat ojciec spełniał wszystkie jego zachcianki. Chłopiec miał guwernerów, ale uczyć się nie chciał, więc niewiele umiał. Lubił kobiety, karty, wino i zabawy. Nie lubił nikogo, nikogo nie szanował. Nie uznawał żadnych wartości. Nawet ojca zaskakiwał poglądami w rodzaju: *„Niemcy są świnie"* lub *„Ja jestem człowiek kosmopolita, czyli obywatel świata."* (str. 122). Był cyniczny, arogancki, niemoralny. Obraził pastora i jego uczciwą córkę, mimo przyjaźni łączącej ojca z tą rodziną. Miał się za kogoś lepszego od innych, co próbował udowodnić ojcu słowami: *„ród nasz ma siłę, ma fantazją...", „Mnie ciasny kąt nie wystarcza, ja potrzebuję świata."* (str. 127–128).

Zaproponował ojcu, że będzie pracował w jego fabryce, oczywiście jako dyrektor. Ojciec nie posiadał się z radości. Ferdynand pracował jeden dzień: bałamucił kobiety, buntował robotników, palił cygara, więc ojciec musiał go wyrzucić. Wolał wypłacać mu pensję, byle nie pokazywał się w fabryce. Zadowolony Ferdynand szybko znalazł towarzyszy do nowych hulanek. Rzadko bywał w domu, często wracał pijany. Nie odpłacał ojcu miłością za jego uczucia, traktował go wyłącznie jako źródło pieniędzy. O ile stary Adler ma jeszcze jakąś wartościową cechę w postaci miłości do syna, o tyle Ferdynand jest tylko bezwzględnym egoistą i bezwartościowym pasożytem.

Marcin Böhme – bohater pozytywny, poczciwy, bardzo pobożny, dobry i wyrozumiały człowiek. Jako wierny przyjaciel napomina Adlera, wytyka mu, że źle wychował syna. Swą poczciwością i niezaradnością wnosi do utworu trochę humoru – jest komiczny, zwłaszcza ilekroć szuka okularów. Dumny jest ze swego doskonale uczącego się syna i cnotliwej córki. Zadowolony z życia, nie rozumie zachłanności Adlera ani jego chęci uzycia. Jego ideały życiowe to praca i rodzina, poprzestawanie na małym i ciche domowe szczęście. Jak ci dwaj tak różni ludzie mogli być przyjaciółmi? Łączy ich wspomnienie dzieciństwa i wyrozumiałość: każdy z nich wybacza przyjacielowi wady i przyjmuje go takim, jaki jest. Pastor liczy też, że wpłynie na Adlera, zdoła przywrócić mu właściwy system wartości i uratować przed nieszczęściem.

Pastor pełni w noweli bardzo ważną funkcję. On jeden naprawdę współczuje Adlerowi, przewiduję nieszczęście. Właśnie w jego usta włożył autor fragmenty, w których mówi się o fali zła. Böhme pełni więc w utworze rolę zwiastuna przyszłych losów, wyroków przeznaczenia.

Kazimierz Gosławski jest robotnikiem w fabryce. Różni się jednak bardzo od innych pracowników – jest wykształcony, uczył się wielu rzemiosł, umie rysować plany, robić wyliczenia, pracuje twórczo, ma ciekawe pomysły. Narrator tak go opisuje: *„Gosławski był średniego wzrostu. Kiedy z wywiniętymi rękawami pracował schylony przy śrubstaku, wydawał się pospolitym robotnikiem z grubymi rękami i nieco wygiętymi nogami. Ale gdy spojrzał spod ciemnych włosów, które mu spadały na czoło, poznawałeś – rozwiniętego duchowo człowieka. Jego szczupła, blada twarz ujawniała nerwowe usposobienie, a spokój i szare, myślące oczy – panowanie rozsądku nad temperamentem.”* (str. 131–132).

Oszczędzał, bo marzył o własnym warsztacie, pracował za trzech, by osiągnąć cel. Był ambitny, nie pozwalał pracować żonie, wolał, by zajmowała się domem i córeczką. Był więc dobrym mężem i cennym pracownikiem. Chętnie pomagał wszystkim, którzy zwrócili się do niego o pomoc i radę. Zamęczał się pracą, zniszczył swe siły i zdrowie, dlatego doszło do tragicznego wypadku. W postaci Gosławskiego Prus stworzył pewien ideał twórczego pracownika, samodzielnego rzemieślnika, nie tylko członka bezmyślnej masy proletariackiej.

Sędzia Zapora jest polskim ziemianinem, człowiekiem szorstkim, stanowczym, znanym z nazywania ludzi i rzeczy po imieniu. *„Pod tą jednak skorupą ukrywał się wielki rozum i obszerna wiedza, serce pełne szlachetnych uczuć i nieugięty charakter.”* (str. 143). Trudno się więc dziwić, że człowiek ten nie pochwala zachowania obu Adlerów. Co więcej, nie kryje się z tym zdaniem, więc Ferdynand podejrzewa go o pisanie pełnych krytyki artykułów o nim i o ojcu, które ukazywały się w miejscowej prasie. Gdy dochodzi do spotkania obu bohaterów, Zapora wprost oświadcza: *„Stary jest eksploatatorem, młody próżniakiem, a obaj przynoszą nam więcej szkody aniżeli pożytku.”* (str. 144).

Problematyka

W chwili ukazania się opowiadanie *Powracająca fala* było utworem pionierskim. Prus pierwszy bowiem spośród pisarzy polskich podjął **problem kapitalistycznego wyzysku** i od razu znakomicie ujął jego istotę. Kapitał Adlera dał mu na ziemiach polskich ogromną szansę, jakiej nie było już w Niemczech – masę taniej siły roboczej, robotników, którym można było niewiele płacić, a z ich pracy czerpać ogromne zyski. Adler wie, że robotników nie broni żadne prawo, zgodzą się pracować za każdą zapłatę i przez wiele godzin, bo innych źródeł zarobku nie mają. Czując się bezkarnym, Adler może być tak bezwzględny. Eksploatuje ludzi, zmusza ich do pracy od świtu do późnej nocy, do wysiłku ponad siły, by zwiększać swe zyski i wyrównywać straty spowodowane przez rozrzutnego syna. Lepszy czy gorszy los robotników zależy tylko od woli, serca, współczucia pracodawcy. Do takich cech Adlera chciałby się odwołać pastor, tylko że Adler ich nie ma.

Z omówioną wyżej **problematyką społeczną** jest ściśle związana **problematyka moralna**. Przypowieść opowiedziana przez pastora służy przeniesieniu problemu krzywdy na płaszczyznę moralną. Okazuje się, że sprawca zła pozostaje bezkarny do czasu, nieszczęście, które go dotyka, jest nieodwołalne i ostateczne, atakuje w najmniej spodziewanym momencie i uderza w najczulszy punkt.

INDEKS KOMENTARZY DO TEKSTÓW

Antek

BOHATEROWIE

Antek – przeszłość – str. 5;
– rzeźbiarska pasja – str. 13;
– uczucie do wójtowej – str. 17;
– wygląd – str. 15;
Nauczyciel – w oczach chłopów – str. 9.

INNE INFORMACJE

Miejsce akcji – szkoła   str. 9;
– wygląd wsi – str. 5;
Scena pożegnania – Antek opuszcza wieś – str. 21;
Szkoła – sposoby uczenia – str. 10;
Tendencyjność – str. 21;
Wypadek z Rozalką – zabobon, ciemnota wśród chłopów – str. 7.

Nawrócony

BOHATEROWIE

Pan Łukasz – charakterystyka – str. 23;
– powrót do dawnych wad – str. 41;
– przemiana – str. 39;
– przeszłość – str. 24;
– skąpstwo – str. 24, 33;
– wygląd – str. 23.

INNE INFORMACJE

Autorska ironia – str. 25, 26, 27;
Komizm sytuacji – str. 32, 35;

Miejsce akcji – mieszkanie pana Łukasza – str. 23;
 – obraz piekła – str. 28;
 – piekło: zestawienie z wyglądem Warszawy – str. 36;
Motyw piekła – str. 26, 27.

Michałko

BOHATEROWIE

Michałko – historia z dziewczyną: opis przeżyć – str. 49;
 – przed uratowaniem człowieka: opis przeżyć – str. 55;
 – przedstawienie postaci – str. 43;
 – wyjazd do miasta: opis przeżyć – str. 44.

INNE INFORMACJE

Miejsce akcji – Warszawa: wygląd miasta – str. 50;
Punkt kulminacyjny – str. 55.

Katarynka

BOHATEROWIE

Dziewczynka – historia choroby – str. 61;
 – reakcja na dźwięk katarynki – str. 65;
 – sposób „oglądania" świata – str. 62;
 – tęsknota, nuda – str. 63;
 – wygląd, zachowanie – str. 60;
Pan Tomasz – fascynacja sztuką – str. 58;
 – przeszłość – str. 57;
 – reakcja na dźwięk katarynki – str. 64;
 – stosunek do katarynek – str. 59;
 – wygląd – str. 57.

INNE INFORMACJE

Miejsce akcji – mieszkanie niewidomej dziewczynki – str. 60;
 – mieszkanie pana Tomasza – str. 59;
 – Warszawa – str. 57;
Punkt kulminacyjny – str. 64.

Kamizelka

BOHATEROWIE

Małżeństwo – obserwacje narratora – str. 67;
– przeszłość, relacja narratora – str. 69;
– rola kamizelki – str. 73;
– wygląd postaci, sposób życia – str. 69;
Mąż – bezgraniczne zaufanie do żony – str. 72;
– choroba – str. 70;
– lęki i obawy człowieka śmiertelnie chorego – str. 71;
– przebieg choroby – str. 72;
– wiara w wyzdrowienie – str. 73;
Żona – kłamstwa z miłości – str. 71;
– miłość do męża – str. 70.

INNE INFORMACJE

Kamizelka – opis przedmiotu – str. 67;
Narrator o kamizelce – str. 73;
Scena z żydowskim handlarzem – realizm: język, zachowanie – str. 68.

Na wakacjach

BOHATEROWIE

Dziewczyna – uratowanie dziecka – str. 76;
Świadek pożaru – dziewczyna: kontrast postaw – str. 77;
Świadek pożaru – opis refleksji – str. 76;
– o reakcji mieszkańców wsi – str. 75.

Przygoda Stasia

BOHATEROWIE

Łoski – przedstawienie postaci – str. 100;
Małgosia – opis przeżyć – str. 81;
– po „zgubieniu" dziecka: opis przeżyć – str. 98;
– sposób odbierania przyrody – str. 80;
Mieszkańcy miasteczka – ironia – str. 102;

Staś – opis poznawania świata przez dziecko – str. 85, 87;
Stawiński – charakterystyka – str. 80.

INNE INFORMACJE

Komizm sytuacji – kowal poszukuje nauczyciela dla Stasia – str. 89;
 – kowal targuje się o Małgosię – str. 84;
 – kowalowa u sędziego – str. 106;
 – Łoski na dziedzińcu – str. 101;
 – reakcja szafarki – str. 102;
Małgosia i kowal – wesele – str. 84;
Miejsce akcji – młyn Stawińskiego – str. 80;
Narrator – informacje o Stasiu: autorska ironia – str. 79;
Narrator – ironia – str. 85;
Opis przyrody – personifikacja – str. 90.

Powracająca fala

BOHATEROWIE

Adler – opis przeżyć po śmierci syna – str. 153;
 – przeszłość – str. 118;
 – stosunek do pracy – str. 115;
 – stosunek do syna – str. 120;
 – w Polsce – str. 119;
 – wygląd – str. 112;
Adler i Böhme – przeszłość, przyjaźń – str. 110;
Ferdynand – charakterystyka – str. 120;
 – o sobie – str. 122, 127;
 – obojętność wobec rannego – str. 137;
 – refleksje o sobie – str. 147;
Ferdynand i Zapora – spotkanie – str. 145;
Gosławski – charakterystyka – str. 132;
 – praca u Adlera – str. 131;
 – przeszłość – str. 131;
 – śmierć – str. 139;
 – wypadek przy pracy – str. 136;
Pastor Böhme – przedstawienie postaci – str. 109;
 – refleksje na temat postępowania Adlera – str. 111;
Robotnicy – reakcja na śmierć Ferdynanda – str. 155;
Zapora – ocena Adlerów – str. 144;
 – przedstawienie postaci – str. 143;

INNE INFORMACJE

Mechanizm wyzysku – bezradność robotników – str. 116, 134, 140;
Miejsce akcji – fabryka Adlera – str. 109;
Motyw fali zła – str. 141, 154, 157, 160;
Motyw pracy u podstaw – str. 130;
Opis pożaru fabryki – str. 159;

SPIS TREŚCI

Wybór nowel 3
   Antek 5
   Nawrócony 23
   Michałko 43
   Katarynka 57
   Kamizelka 67
   Na wakacjach 75
   Przygoda Stasia 79
   Powracająca fala 109

Opracowanie 161
   Biografia Bolesława Prusa 161
   Kalendarium życia i twórczości 163
   Nowela – rozwój gatunku i jego cechy 164
   Antek 165
      Tytuł 165
      Gatunek 166
      Czas i miejsce akcji 166
      Plan wydarzeń 166
      Treść 166
      Bohater – charakterystyka 167
      Formy narracji, sposoby opowiadania i opisywania rzeczywistości 169
      Temat i problematyka 170
   Nawrócony 171
      Tytuł, temat, problem 171
      Czas i miejsce akcji 171
      Plan wydarzeń 171
      Treść 172
      Bohater – charakterystyka 173
      Kompozycja *Nawróconego* jako klasycznej noweli 174
      Narrator i narracja 175
   Michałko 177
      Tytuł 177
      Gatunek 177
      Czas i miejsce akcji 177
      Plan wydarzeń 177
      Treść i kompozycja 178
      Bohater – charakterystyka 179

Narracja – świat widziany oczami bohatera 179
Problematyka 181
Katarynka 182
Tytuł 182
Gatunek 182
Czas i miejsce akcji 183
Treść, plan wydarzeń 183
Bohater – charakterystyka 184
Niewidoma dziewczynka – druga bohaterka utworu 185
Punkt kulminacyjny 185
Problematyka 186
Kamizelka 187
Tytuł 187
Gatunek 187
Czas i miejsce akcji 188
Treść, plan wydarzeń 188
Bohaterowie – charakterystyka 188
Narrator i narracja 189
Sposób opowiadania o ludzkiej niedoli i o ogromnej miłości 190
Problematyka 192
Na wakacjach 192
Czas i miejsce akcji 192
Gatunek, kompozycja 192
Plan wydarzeń 192
Treść 193
Bohaterowie – charakterystyka 194
Problematyka 195
Przygoda Stasia 195
Czas i miejsce akcji 195
Kompozycja 195
Plan wydarzeń 196
Treść 196
Bohaterowie – charakterystyka 197
Narrator i narracja 199
Problematyka 200
Powracająca fala 201
Tytuł 201
Czas i miejsce akcji 201
Gatunek, kompozycja 201
Plan wydarzeń 202
Treść 203
Bohaterowie – charakterystyka 204
Problematyka 206
Indeks komentarzy do tekstów 207